FIGHT for Love

Titre de l'édition originale : *ROGUE*
© 2014, Katy Evans tous droits réservés

La présente édition a été publiée en accord avec l'éditeur américain :
© 2014, Gallery Books, Simon & Schuster, Inc., New York

Pour la couverture française :
Image : © Corbis
Graphisme : Stéphanie Aguado

Collection dirigée par Hugues de Saint Vincent
Ouvrage dirigé par Audrey Messiaen

© Hugo Roman
Département de Hugo & Cie
38, rue La Condamine 75017 Paris
www.hugoetcie.fr

ISBN : 9782755617313
Dépôt légal : mai 2015
Imprimé en France (Corlet Imprimeur, S.A.)
N° imprimeur : 172008

NEW ROMANCE

KATY EVANS

FIGHT for Love

TOME 4   ROGUE

Traduit de l'américain
par Charlotte Connan de Vries

Hugo ✛ Roman

Aux rêves qui se réalisent

PLAYLIST DE *ROGUE*

Waiting for Superman de Daughtry
The Haunted Man de Bat for Lashes
Story of My Life de One Direction
Million Dollar Man de Lana Del Rey
Dark Horse de Katy Perry
Gravity d'Alex & Sierra
Home de Daughtry
XO de Beyoncé
Say Something d'Alex & Sierra
The Last Song Ever de Secondhand Serenade
This Is What It Feels Like d'Armin van Buuren

ROGUE

Nom (anglais)
Une crapule. Personne sans principes ;
personne, généralement un homme,
qui n'est pas ce qu'il semble être.

Verbe (anglais)
Duper
Détruire
Se comporter comme une fripouille ou une crapule.

Adjectif (anglais)
Un homme qui ne trouve pas sa place.
Un renégat au tempérament sauvage
et imprévisible, qui s'éloigne de la norme ;
par exemple, un policier véreux.
Ou même, un prince charmant véreux…

LE BON

Mélanie

Dès mon plus jeune âge on m'a appris que, dans la vie, il n'y avait pas de certitudes. La vie elle-même n'est pas une certitude, pas plus que l'amitié ou l'amour. Mais on a malgré tout la certitude de pouvoir compter sur ses amis, de vivre sa vie et de chercher l'amour.

Cela fait vingt-quatre ans et je cherche encore. Je sais ce que l'on dit de l'amour : cela vous tombe dessus quand vous vous y attendez le moins, ce n'est pas comme on se l'imagine… Mais je sais exactement comment ce sera. Je l'attends, comme une tempête qui passera sur moi. Je suis prête à le laisser m'emporter. Je suis prête à tomber, et à tomber de haut, si seulement je le trouve. Cet homme sans visage et sans nom qui me fera voir tous les autres comme des petits garçons.

Parfois je vois son visage dans ma tête, et bien qu'il soit flou, je peux le sentir, fort et solide comme j'espère qu'il sera, et j'attends parce que j'ai une certitude : je n'arrêterai jamais de vivre ma vie, d'aimer mes amis, et de chercher l'amour. Je sais avec certitude que, quand je le trouverai, il sera tout ce dont j'ai rêvé, parfait sur tous les plans.

L'homme parfait pour moi.

***

1

ZÉRO
Greyson

Ma queue est profondément logée dans la chatte d'une femme qui couine quand j'entends le *clic* de la porte d'entrée. Je me retire et attrape les draps, les lui jette, et elle geint pour protester contre l'absence de ma bite.

– Couvre-toi, poupée, tu as trois secondes…

Deux…

Une...

Le premier à passer la porte est Derek.

– Ton père veut te voir.

À côté de lui, mon connard de demi-frère, Wyatt, n'a pas l'air ravi de me voir. C'est réciproque. Je saute dans mon jean.

– Il n'a envoyé que vous deux ? je demande en riant presque. Si j'étais une fille, ce serait le moment où je serais vexée.

Les deux hommes entrent dans la pièce et inspectent les lieux en jetant de rapides coups d'œil. Ils ne me voient pas venir. En moins d'une seconde, j'ai plaqué Derek contre le mur et j'ai mon bras autour du cou de Wyatt. Je les tourne face à la porte en regardant le reste des hommes se presser à l'intérieur. Ils sont sept, plus les deux qui se tortillent sous mes mains. Cette équipe de neuf personnes constitue le comité d'exécution de l'Underground, dirigé par mon père ; chacun des hommes présents a un niveau de compétences différent. Mais aucun, pas un seul, n'est aussi doué que moi.

– Tu sais très bien que, quand il s'agit de toi, c'est une mission pour neuf hommes, dit Éric Slater, le frère et bras droit de mon père, en entrant.

Éric est austère, silencieux, et dangereux. Il est mon oncle, et celui qui se rapprochait le plus d'un père dans ma jeunesse. Il m'a appris à vivre au milieu de la petite mafia privée de mon père… Non, pas à vivre. Il m'a appris à survivre. À faire avec ce que j'avais et à en tirer parti. C'est lui qui m'a rendu plus intelligent, plus fort, plus méchant. J'ai appris tout ce qu'il avait à m'apprendre, j'ai acquis du pouvoir. Celui de tuer ou d'être tué. *Peu importe si tu te sers de cette compétence, c'est une assurance. Tu as entendu parler des assurances, garçon ? Les gens qui ont des assurances s'en servent rarement. C'est ceux qui n'ont rien qui finissent par en avoir besoin. Tu vois cette flèche ? Sers-t-en. Tu vois ce couteau ? Manie-le, lance-le, apprends à faire le moins d'efforts pour faire le plus dégâts possible…*

J'ai toutes sortes d'assurances. Mon esprit est un ordinateur programmé pour imaginer le pire dans n'importe quelle situation, en moins d'une seconde. À cet instant, je sais que ces hommes sont armés. Certains portent deux armes, dans leurs chaussettes, dans le creux de leur dos, ou dans leur veste. Éric regarde mes yeux, qui passent en revue chacun des hommes, et il sourit, visiblement fier de moi. Il ouvre sa veste et baisse les yeux vers l'arme accrochée à sa hanche.

– Tu veux toucher mon flingue ? Vas-y, Grey.

Il la sort et me la tend, le canon dans sa main.

Je lâche les deux hommes quand je sens que Wyatt est à deux secondes de s'évanouir. Je les tire puis les pousse pour qu'ils s'écrasent contre le mur.

– Je me fous de ce qu'il a à me dire, je déclare.

Éric regarde ma chambre. Mon appartement est parfaitement propre. Je ne fais pas de désordre. J'ai une réputation et j'aime entendre quand une punaise tombe par terre… C'est pourquoi j'ai entendu ces connards rentrer dans mon studio tout de suite.

– Tu te tapes toujours des putes ? Avec ta tronche, tu peux te trouver une déesse, Grey.

Il dévisage la femme dans mon lit. Ce n'est pas une œuvre d'art, c'est vrai, mais elle est très bien quand elle est écrasée contre le matelas avec le cul en l'air, et elle n'attend absolument rien de moi à part de l'argent. De l'argent, je peux en donner. De l'argent et du sexe, j'en ai plus qu'il n'en faut.

Je prends la robe qui traîne par terre et la jette vers la fille.

– C'est le moment de rentrer chez toi, ma puce. Ma réponse est non, je continue en me tournant vers Éric.

Je tire deux billets d'une liasse posée sur ma table de nuit et les pousse dans la main qu'elle me tend. Elle prend tout son temps pour les rouler et les placer dans son soutien-gorge, et les mecs s'écartent pour la laisser passer, certains la sifflent et elle leur fait un doigt d'honneur.

Éric se rapproche de moi et baisse la voix.

– Il a une leucémie, Greyson. Il veut passer le flambeau à son fils.

– Ne me regarde pas comme si je pouvais encore avoir pitié.

– Il a fait le ménage dans son business. Pas de morts. Tous les marchés sont strictement financiers maintenant. Nous n'avons plus d'ennemis déclarés. L'Underground est une entreprise assez florissante, et il veut la transmettre officiellement à son fils. Est-ce que tu serais assez dur pour lui refuser sa dernière volonté ?

– Que veux-tu que je te dise, son sang coule dans mes veines.

Je chope un tee-shirt noir et l'enfile, pas par pudeur, mais pour pouvoir prendre mes bébés. Mon Glock et mon Ka-Bar, deux petits couteaux, deux étoiles de combat.

– Garçon…

Il s'approche de moi, et je regarde son unique œil noir, pas le faux. Cela faisait des années que je ne l'avais pas vu. C'est lui qui m'a appris à me servir d'un 38 Special.

– Il va mourir, insiste-t-il en posant la main sur mon épaule. Il n'en a plus pour longtemps. Six mois, peut-être moins.

– Je suis surpris qu'il ait pensé que ça m'intéresserait.

– Peut-être que quand tu auras fini de courir les filles, tu t'y intéresseras. Nous – il pointe les autres hommes du doigt – voulons que tu prennes le contrôle. Nous te serons loyaux.

Je croise les bras et regarde mon demi-frère, Wyatt, «l'expert», le chouchou de mon père.

– Tant que je suis son petit toutou et que je fais tout ce qu'il dit ? Non merci.

– Nous *te* serons loyaux, insiste-t-il. Seulement à toi.

Il fait un signe de la tête vers les gars. L'un d'eux se coupe la paume de la main. Puis ils font tous la même chose. Du sang goutte sur mon plancher. Éric baisse la tête et coupe sa main aussi.

– Nous te prêtons serment.

Il me tend sa main ensanglantée.

– Je ne suis pas votre chef, dis-je.

– Tu seras notre chef, quand tu comprendras que ton père est enfin prêt à dévoiler où est ta mère.

Le sang dans mes veines se transforme en glace, et ma voix se durcit quand Éric parle d'elle.

– Qu'est-ce que tu sais sur ma mère ?

– Il sait où elle est, mais il mourra avec son secret si tu ne viens pas avec nous. La morphine le fait délirer. On a besoin que tu reviennes, Greyson.

Mon visage ne laisse pas transparaître la tourmente que je ressens. Ma mère. La seule bonne chose dont je me souvienne. Je n'oublierai jamais son regard la première fois que j'ai tué.

Juste devant elle, j'ai perdu mon humanité et j'ai laissé ma mère voir que son fils était devenu un animal.

– Où est-il? je grogne.

– Il est dans l'avion, en route pour un combat. Nous avons préparé un avion pour le rejoindre là-bas.

Je fourre des affaires dans un sac en toile noire. Un ordinateur. Quelques armes. Quand on a affaire à mon père, on ne peut pas négocier honnêtement. Il m'a appris à être tordu. Je suppose que j'ai eu le meilleur des profs. Je prends le couteau de ma pince Leatherman, coupe profondément la paume de ma main et la plaque contre la main d'Éric, et nos sangs se mélangent.

– Jusqu'à ce qu'on la trouve, je murmure.

Les sept autres hommes viennent me serrer la main.

Je fixe leurs yeux et m'assure que nos regards se croisent. Il y a de la menace dans mon regard et je sais que s'ils me connaissent, ils se le rappelleront.

Peu importe les mots prononcés, les actes commis, je ne lâche jamais, jamais le regard de quelqu'un. Un petit coup d'œil à gauche ou à droite, une petite lueur peuvent m'en dire plus que si je piratais leur ordinateur. Mais je fais ça aussi.

Je ne fais confiance à personne. Ma main droite ne fait pas confiance à ma main gauche. Mais comme il est le plus puissant des neuf hommes qui me font face, Éric Slater est celui en qui j'ai le moins confiance. Et pourtant, c'est aussi celui auquel je tiens le plus. Lui et mon ami C.C. Hamilton, mais C.C. me rendait visite même après mon départ, il m'aidait secrètement à retrouver ma mère. Je lui fais confiance autant que je puisse faire confiance à un être humain. Ce qui veut dire que je lui fais quand même subir un interrogatoire chaque fois que le vois. Je ne peux jamais être sûr que mon père ne sait pas qu'il vient.

Putain, même après le pacte de sang, je vais devoir tester la loyauté de chacun de ces hommes avant qu'ils puissent obtenir une quelconque forme de confiance de ma part.

Maintenant, un vol plus tard, nous trouvons mon père dans une pièce fermée remplie de caméras, à l'Underground de Los Angeles. L'Underground est notre gagne-pain. Un endroit où les boxeurs s'affrontent à chaque saison, deux ou trois fois par semaine. Nous organisons des événements, vendons des tickets, programmons les combats dans des entrepôts, des bars, des parkings ; quelque part où l'on peut faire entrer tout le monde et faire une bonne affaire. Rien qu'avec les entrées, nous nous faisons une fortune. Mais les paris nous font gagner dix fois plus.

Ce soir, nous sommes dans un entrepôt transformé en bar, rempli de gens qui crient et de combats bruyants. Avant, j'aimais bien planifier stratégiquement les lieux des combats, qui affronterait qui la prochaine fois, mais maintenant le reste de l'équipe s'occupe de tout cela. De tout, de l'organisation aux combats, en passant par les paris.

Je descends avec Éric alors que les combats continuent, mes yeux parcourent la foule, enregistrent le nombre de spectateurs, l'emplacement des caméras de surveillance, les sorties. Nous arrivons dans un étroit couloir sombre, et nous nous arrêtons devant la dernière porte avant qu'Éric ne l'ouvre d'un coup.

– Je suppose que ta présence ici ce soir signifie que tu acceptes mon offre ? demande mon père à l'instant où la porte s'ouvre et où j'entre dans la pièce.

J'inspecte la salle et cherche les sorties, les fenêtres, le nombre de personnes. Il rit, mais le son de sa voix est faible.

– Quand tu auras fini de te demander si j'ai posté un sniper pour te tuer, peut-être que tu pourras t'approcher. On croirait que ma simple présence t'offusque.

Je lui adresse un sourire froid. Julian Slater est connu sous le nom de Slaughter[1] chez ses ennemis ; on le voit comme un homme qui fait taire ses problèmes à l'ancienne. Même s'il est affaibli et en fauteuil roulant, je ne sous-estimerai jamais les dégâts dont mon père est capable. Dans un monde où l'on mesurerait la capacité destructrice des individus, mon père serait la bombe nucléaire, et ô surprise, l'enfoiré jette déjà son vomi verbal dans ma direction.

— Tu es musclé comme un taureau, Greyson. Je suis sûr que tu fais encore tourner des pneus pour passer le temps et que tu te fais des minettes les yeux fermés. Je donnerais cher pour savoir ce que tu penses à cet instant, et tu sais à quel point je suis radin. Tu sais même ce que je peux faire quand on me vole ne serait-ce qu'un centime.

— Je me rappelle très bien. Sachant que je faisais le sale boulot pour toi. Alors garde ton centime. Ce que je pense, c'est pourquoi m'embêter à attendre que tu meures ? Je pourrais exploser ta bouteille d'oxygène tout de suite et m'occuper de toi gentiment.

Je soutiens son regard avec un sourire figé, sors doucement mes gants en cuir noir de la poche arrière de mon jean et glisse une main à l'intérieur.

Il me fixe sans rien dire pendant un moment.

— Quand tu auras fini de me manquer de respect, tu iras te laver, Greyson.

Un des gars fait un pas en avant, avec un costume. Je glisse calmement mon autre main dans le deuxième gant en cuir.

— Comme avant, personne ne connaîtra ton nom, dit mon père d'une voix plus douce. Tu peux avoir de l'argent et la vie que tu veux, tu es mon fils. En fait, j'exige que tu vives comme un prince. Mais il me faut ta tête et ton cœur là-dedans. Le job est le plus important, je veux ta parole là-dessus.

---

1. NdT : Carnage.

– Je n'ai pas de cœur, mais je te donne ma tête. Le job est tout ce qui existe et tout ce qui a jamais existé. Je SUIS mon job.

Silence. Nous nous examinons l'un l'autre.

Je vois du respect dans ses yeux, et peut-être même un peu de peur. Je ne suis plus un ado de treize ans facilement impressionnable.

– Pendant ton absence, ces cinq dernières années, mes clients… commence-t-il. Ils n'ont vu aucune faiblesse de notre part, à l'Underground. Nous ne pouvons pardonner aucune dette, même pas un centime, ou nous serons considérés comme faibles. Et il nous reste beaucoup de collectes à faire.

– Pourquoi tu ne demandes pas à tes larbins de le faire ?

– Parce que personne n'est aussi propre que toi. Même les boxeurs ne savent pas qui tu es. Zéro trace. Tu rentres, tu sors, pas de violence, et un taux de réussite de cent pour cent.

Éric sort le vieux Beretta de mon père et me le donne comme une sorte de gage de paix, et quand il est dans ma main, un peu plus d'un kilo de métal, je me mets à le manipuler et à le pointer sur le front de mon père.

– Et si, au lieu de ça, je prenais ton Beretta Storm pour t'encourager à me dire où est ma mère ?

Il me lance un regard glacé.

– Quand tu auras fini le boulot, je te dévoilerai où trouver ta mère.

J'arme le pistolet.

– Tu peux mourir avant, mon vieux. Tu es bien parti pour ça, et je veux la voir.

Mon père lance un regard rapide vers Éric, puis vers moi. Je me demande si Éric me sera vraiment « loyal », alors que mon père est assis là, bien gentiment.

– Si je meurs, dit mon père, sa position te sera donnée en sécurité dans une enveloppe qui est déjà en lieu sûr. Mais je ne révélerai rien tant que tu n'auras pas fait tes preuves, par la collecte de ce que me doivent toutes les personnes sur cette liste, pour me prouver, après toutes ces années où nous avons été séparés, que tu m'es toujours fidèle. Si tu fais ça, Greyson, l'Underground est à toi.

Éric se dirige vers un coffre et en sort une longue liste.

— Nous n'utiliserons pas ton vrai nom, chuchote Éric en me la donnant. Tu es l'Exécuteur maintenant, notre collecteur ; tu reprends ton ancien alias.

— Zéro, prononce le reste des hommes dans la salle, avec un certain respect.

Parce que j'ai zéro identité, et que je laisse zéro trace. J'ai autant de portables que de paires de chaussettes. Je ne suis rien, juste un chiffre, même pas humain.

— Peut-être que je ne réponds plus à cet alias, je marmonne, en pliant mes doigts dans mes gants de cuir avant de les étirer pour ouvrir la liste.

— Tu y répondras parce que tu es mon fils. Et que tu veux la voir. Maintenant va te changer, et va travailler sur cette liste.

Je passe les noms en revue, de haut en bas.

— Quarante-huit personnes à faire chanter, effrayer, torturer, ou voler pour savoir où est ma mère ?

— Quarante-huit personnes qui ont une dette, qui ont quelque chose qui m'appartient et qui doit m'être rendu.

Un frisson familier parcourt mes os quand j'attrape le cintre du costume et me dirige vers la porte, en essayant de calculer combien de temps cela va me prendre de rassembler des informations utiles sur chaque débiteur. Combien de mois cela va me prendre de les rencontrer, d'essayer de négocier gentiment, puis de passer aux choses sérieuses ?

— Oh et, fiston, lance-t-il avec une voix plus forte alors que je me retourne, bon retour chez nous.

Je lui adresse un sourire glacial. Parce qu'il n'est pas malade. Je suis prêt à le parier sur cette liste. Mais je veux retrouver ma mère. La seule personne que j'aie jamais aimée dans ma vie. Si je dois tuer pour cela, je le ferai.

– J'espère que ta mort sera lente, je chuchote à mon père, en fixant ses yeux d'ardoise froids. Lente et douloureuse.

HÉROS
Mélanie

Parfois, le seul moyen d'arrêter de s'apitoyer sur son sort, c'est d'aller faire la fête.

L'espoir tournoie dans l'air et les corps chauds se bousculent, et mon corps se fatigue au milieu des autres danseurs. Je sens l'excitation danser autour de nous, comme des tourbillons à mes côtés, qui m'enivrent.

Mon corps est moite d'avoir autant dansé, mon haut en soie dorée et ma jupe assortie collent tellement à mes formes que je regrette de ne pas porter de soutien-gorge. Le contact du tissu humide fait pointer mes tétons derrière la soie, attirant vers moi les regards attentifs de plusieurs hommes.

Je suis venue ce soir car l'un de mes clients, pour qui j'ai décoré ce petit bar restaurant, a invité ma boss et tous mes collègues. J'avais dit seulement un verre, mais j'en ai pris quelques-uns, et celui que je tiens dans la main, à demi vide, sera le dernier.

Un mec s'approche. Je ne peux pas louper son sourire «je veux te baiser», immédiat.

– Tu veux danser avec moi ?

– C'est ce qu'on fait ! je réponds, en bougeant un peu avec lui, balançant mes hanches un peu plus fort.

Le mec passe un bras autour de ma taille et me tire vers lui.

– Je voulais dire, est-ce que tu veux danser toute seule avec moi ? Ailleurs…

Je le regarde, je me sens un peu ivre et étourdie. Est-ce que je veux danser avec lui ? Il est mignon. Pas sexy, mais mignon. Sobre, mignon c'est non merci. Mais bourrée, mignon, c'est complètement envisageable. J'essaie de trouver la réponse dans mon corps. Un chatouillis. Un désir. Et non. Aujourd'hui, je me sens encore… désespérée.

Je souris pour adoucir le refus, je me décolle de lui mais il se serre contre moi et murmure ouvertement dans mon oreille :

– Je veux vraiment te ramener à la maison.

– Évidemment, tu le veux.

Je ris, refuse le verre qu'il me tend avec un geste de la tête joueur mais ferme. Je crois que j'ai déjà un peu trop bu, et je dois prendre ma voiture pour rentrer. Mais je ne veux pas énerver un futur client potentiel, alors je lui fais un bisou sur la joue et dis :

– Mais merci.

Je m'éloigne de lui. Il saisit mon poignet, m'arrête et me retourne vers lui, avec des yeux chauds et libidineux.

– Non. Vraiment. Je veux te ramener avec moi.

Je l'examine une seconde fois. Il a l'air riche et habitué à avoir tout ce qu'il veut, le genre qui se sert toujours de moi, et soudain je me sens encore plus désespérée, plus vulnérable. Dans moins d'un mois, ma meilleure amie sera mariée. L'effet que ce mariage a sur moi n'est pas juste mauvais, mais pire que cela. Bien pire que quiconque pourrait l'imaginer. Mes yeux brûlent quand j'y pense, car tout ce qu'a ma meilleure amie Brooke – le bébé, le mari aimant – est ce dont je rêve depuis toujours, je ne me souviens pas avoir eu d'autre rêve.

Voilà un homme qui veut coucher avec moi, et une fois encore je suis tentée de céder. Parce que je cède toujours. Je me demande toujours si lui, peut-être que lui, sera le bon pour moi. Puis je me réveille seule, un tas de préservatifs usagés autour de moi, je me sens plus seule que jamais, avec encore une fois la sensation que je ne suis bonne que pour des coups d'un soir. Je ne suis la reine de personne, la Brooke de personne. Mais bon Dieu, est-ce que quelqu'un pourrait me dire quand est-ce qu'on arrête d'embrasser des crapauds ? Jamais, voilà ! Si tu veux ce prince, il faut continuer d'essayer jusqu'à ce qu'un jour, tu te réveilles, tu sois Brooke, et que les yeux d'un homme brillent sur toi et uniquement sur toi.

— Écoute, j'ai déjà couché avec toi mille fois, je chuchote, en secouant tristement la tête.

Le mec lève les sourcils.

— De quoi tu parles ?

— Toi. Je te connais déjà…

Je le pointe du doigt, de haut en bas, son visage et ses vêtements classe, et le poids de ma tristesse et de ma déception m'écrase de plus en plus.

— J'ai fait ça… mille fois. Et ça ne va pas marcher.

Je me retourne pour partir, mais il me rattrape et me retourne à nouveau.

— Petite blonde, tu ne me connais pas, moi, réplique-t-il.

Je le regarde encore, tentée de me laisser ramener à la maison pour qu'il me fasse me sentir bien. Mais cet après-midi, j'étais chez ma meilleure amie, et je l'ai vue se faire embrasser longuement et langoureusement par son mec, un baiser si long et sensuel, il lui murmurait des mots coquins à l'oreille tout du long, lui disait qu'il l'aimait, d'une voix si profonde et tendre, que j'avais envie de pleurer.

J'ai encore mal au ventre quand j'y repense, et même le fait de danser une nuit entière n'a pas suffi à me faire oublier à quel point je me sens en manque d'amour. Après avoir vu comment Remy embrasse ma meilleure amie, un vrai baiser, et sachant qu'elle aura moins de temps pour moi maintenant qu'elle a d'autres priorités avec sa nouvelle famille magnifique, je commence à croire que je ne trouverai jamais, jamais le genre d'amour qu'ils ont. Elle a toujours été responsable, toujours une bonne fille, et je suis… moi. La rigolote. Le coup d'un soir.

— Allez, blondinette, me pousse-t-il, devant mon indécision.

Je soupire et me retourne. Il me tire près de lui et regarde ma bouche comme s'il s'apprêtait à me convaincre avec un baiser. Je suis tactile. Brooke m'appelle sa coccinelle d'amour. J'aime la proximité, le contact, j'en ai besoin comme j'ai besoin d'oxygène. Mais je ne ressens jamais vraiment le toucher d'un homme au-delà de ma peau. Pourtant je suis toujours tentée, parce que je continue de penser que LE BON est au coin de la rue, et je ne peux pas m'empêcher d'essayer.

Je me penche, lutte contre la tentation d'embrasser un crapaud de plus, et je rassemble toute ma conviction pour dire :

— Non, vraiment. Merci. Je vais rentrer chez moi.

Je coince mon sac sous mon bras, prête à partir, quand un grondement grave résonne à travers les grandes fenêtres teintées.

Les portes s'ouvrent en grand et un couple entre, trempé, la femme secoue ses cheveux mouillés en riant.

— Oh mon Dieu ! je crie, quand je comprends qu'il s'est mis à flotter.

Je cours jusqu'à la sortie, quand une main gantée de cuir noir attrape la poignée et un homme galant m'ouvre la porte. Je trébuche en sortant, et il me retient par le coude.

— Doucement, dit-il d'une voix chaloupée en m'aidant à tenir sur mes pieds, et je regarde désespérément ma Mustang bleu clair de l'autre côté de la rue.

Tout ce qui m'appartient officiellement. Tout ce que j'ai à vendre, parce que j'ai absolument besoin de cet argent, mais qui en voudra maintenant ? C'est une décapotable, un peu vieille, mais elle est aussi mignonne qu'unique, avec un intérieur en cuir blanc assorti à la capote. Mais elle est sous la pluie, ouverte, en train de se transformer en Titanic sur roues. Ma vie tout entière est engloutie par la même occasion.

– D'après ce regard de chiot triste, je suppose que c'est ta voiture, dit la voix chaloupée.

Je hoche la tête sans m'en rendre compte et lève les yeux vers l'inconnu. Un éclair traverse le ciel au loin et illumine son visage.

Et je ne peux plus rien dire. Ou penser. Ou respirer.

Ses yeux m'ont accrochée et ne me lâchent pas. Je fixe leur profondeur tout en notant que ce visage est éblouissant. Une mâchoire forte, des pommettes hautes, un front affirmé. Son nez est classique, élancé et élégant ; et les lèvres qu'il surplombe sont pleines et galbées, fermes et… Mon Dieu, il est à croquer ! Ses cheveux foncés jouent dans le vent. Il est grand, a de larges épaules, porte un pantalon noir et un col roulé noir qui lui donnent un air à la fois élégant et dangereux.

Ses yeux… Ils sont d'une couleur indéfinissable, mais ce n'est pas tant leur couleur que leur regard, cet éclat extraordinaire. Encadrés par d'épais cils noirs, ses yeux brillent plus fort que toutes les lumières que j'aie jamais vues. Tandis qu'ils inspectent mes traits à leur tour, ces yeux plissés me semblent aussi puissants que des rayons X ; ils étincèlent particulièrement parce que j'ai fait quelque chose qui a amusé cet homme, ce… Merde, je n'ai pas de mots pour le décrire. À part Éros. Cupidon lui-même. Le Dieu de l'amour. En chair et en os.

Je pensais que Cupidon utilisait une flèche, mais je n'ai pas le sentiment d'avoir été transpercée par une flèche. J'ai l'impression d'avoir été frappée. Par un missile.

Je reste plantée là, ébahie par plus d'un mètre quatre-vingts d'érotisme devant moi. Il prend les clés de ma main avec son gant noir et pose son autre main sur ma hanche pour me signifier de né pas bouger. Et je le sens. Je sens son toucher courir dans mes hanches, se nouer dans mon ventre, pulser dans mon sexe, descendre dans mes cuisses et recroqueviller mes orteils.

– Reste là, dit-il dans mon oreille.

Il remonte son col roulé pour en faire une cagoule et traverse la rue en courant. Je le regarde arriver jusqu'à ma voiture détrempée. Le vent fouette la rue si fort que j'ai besoin de mes deux mains pour retenir ma jupe et l'empêcher de se soulever jusqu'à ma taille.

– Remonte le toit ! je hurle dans la pluie battante, soudainement aussi décidée que lui à sauver ma voiture.

– T'inquiète, princesse !

Il saute sur le siège avant, met le contact, et la capote remonte jusqu'à… ce qu'elle s'arrête.

Elle est coincée.

Après un grincement de mécontentement, elle se met à redescendre.

– Ah, merde !

Je me dépêche de traverser la rue et, tout à coup, les gouttes de pluie me bombardent comme des boulets de canon ; je suis trempée en une seconde. J'ai envie de leur crier «Allez vous faire foutre !». Ma voiture, la seule chose dans ma vie qui vaille quelque chose, est foutue et j'ai envie de hurler.

– Tu te fous de moi ? Va sous le toit !

Le mec bondit de la voiture et retire son pull d'un coup sec. Il place le tissu au-dessus de ma tête pour m'abriter de la pluie, tout en me dirigeant sous le petit auvent à l'entrée du bâtiment.

– Non ! Je vais t'aider. Ma voiture ! je crie.

Et je pousse sur son torse pour essayer de le faire reculer, mais il fait une tête de plus que moi et est fait d'acier.

– Je m'occupe de ta voiture, me promet-il.

Il me tend son col roulé ruisselant et ajoute :

– Tiens-moi ça, avant de repartir en courant.

Il porte un tee-shirt blanc qui colle à son torse sculpté tandis qu'il essaie de forcer manuellement le mécanisme du toit pour le remettre en place.

Des gouttes dégoulinent sur ses bras nus, et le coton trempé de son tee-shirt collé contre sa poitrine laisse voir le moindre de ses muscles. Putain. Il bat tous les records de beauté, il vient de faire exploser mon radar à hommes sexy. Je ne peux plus le quitter des yeux, chaque centimètre de son corps, sa façon de bouger.

Un coup de tonnerre fait une nouvelle fois trembler la ville ; il parvient enfin à fermer le toit de ma voiture et me fait signe de le rejoindre. Il ouvre la portière de l'intérieur, je saute dans le siège passager et la claque derrière moi. Mes vêtements froids et mouillés collent à ma peau alors qu'il s'installe derrière le volant, imposant et viril, et nous sommes maintenant à l'abri dans le petit intérieur, presque exigu, de ma voiture. Les sièges sont inondés, et quand je bouge un peu pour lui faire face, j'entends un *scouic* qui me fait rougir de honte.

– Je n'y crois pas, je chuchote. Ma meilleure amie dit que je suis la seule idiote à avoir une décapotable à Seattle…

Ses yeux sont clairement amusés.

– Elle me plaît, ta voiture.

Il tend son bras sur le tableau de bord, et la main qu'il y fait glisser est recouverte d'un gant en cuir d'agneau très élégant, qui me donne la chair de poule. Il tourne son grand torse vers moi avec un sourire en coin, dévastateur et irrésistible.

– Tout ce qui est mouillé finit par sécher ; ne t'inquiète pas, princesse.

Je ne résiste pas à sa manière de dire *mouillé*. Ou à la goutte de pluie qui s'est accrochée sur ses cils noirs. L'eau perle sur ses bras bronzés aux muscles saillants. Ses cheveux sont plaqués en arrière et accentuent son beau visage. J'ai vu des œuvres d'art et des hommes magnifiques, des bâtiments et des pièces somptueuses, mais à l'instant où il me regarde, je ne me rappelle rien de tout ce que j'ai vu avant lui.

C'est un dix sur dix. Je n'ai jamais été avec un dix. Et sa façon de me regarder… J'ai déjà vu ce regard. C'est celui que Remington a pour Brooke. Ce regard-là. Il me lance ce regard et je meurs de l'intérieur. Est-ce qu'un regard peut me tuer ? Et si un regard peut me tuer, alors que me ferait un toucher ?

— Donc, dit-il doucement, d'une voix rocailleuse.

Il attend un peu avant de poursuivre, et je suis surprise qu'il ne regarde toujours que mon visage, pas ma poitrine trempée, pas mes jambes dénudées ; il ne regarde rien d'autre que mes yeux tout en caressant distraitement le volant.

— Tu veux aller quelque part avec moi ? demande-t-il, puis il tend la main, dans son gant noir mouillé, pour glisser mes cheveux derrière mon oreille.

Ce que je ressens est tellement plus fort que du désir que je peine à lui répondre.

Je tremble.

— Oui, je réponds, étourdie par l'envie.

Il m'adresse un sourire qui fait battre mon cœur à toute allure, sa main s'attarde sur mon visage une seconde de plus, puis il fait démarrer la voiture et roule dans les rues pluvieuses. L'air entre nous crépite en silence.

Le seul son extérieur audible est celui de la pluie et du tonnerre. L'intérieur de la voiture est dominé par sa respiration. Son souffle est lent et profond ; le mien est rapide et nerveux. Il sent… la forêt mouillée. Avec une pointe de cuir. Il garde les yeux rivés sur la route, mais je ne vois que lui. La façon dont son torse étire son tee-shirt mouillé ; l'ombre de son profil et les clignotements des lumières de la ville sur son visage ; son jean trempé serré contre ses cuisses fermes. Je crois que nous savons tous les deux comment cela va se finir.

Nous aurons les mains collées au corps de l'autre d'ici quelques minutes, et cette idée crée un capharnaüm dans mon cerveau. J'ai l'impression qu'un petit démon du sexe vient d'émerger en moi. J'ai un faible pour les tétons masculins, et les siens pointent délicieusement contre son tee-shirt blanc, et son jean est... whaou, son jean est étiré et prêt à craquer. Il me veut. Cet homme incroyablement beau qui me fait loucher de désir.

— Tu es toujours aussi peu bavarde ? me demande-t-il d'une voix étonnamment lourde.

Je tourne les yeux vers son visage ; ce sourire me fait vraiment quelque chose.

— J'ai t-tr-très f-fr-froid.

Il fait un geste de la main vers un grand hôtel que je sais être très cher, même juste pour y dîner, mais cela ne semble pas le déranger et il se gare dans l'allée.

— Je crois que c'est l'endroit le plus près où l'on pourra se mettre au sec.

— Oui, c'est parfait, je réponds avec un peu trop d'enthousiasme.

J'aime les choses parfaites, les belles choses, vivantes et drôles. Mes parents en couple ? Parfaits. Je suis généralement impeccable moi-même. Mais ce soir ? Je glisse une main dans mes cheveux pendant que nous traversons le hall et je n'ose pas imaginer à quoi je ressemble. Je parierais sur un rat mouillé. Pourquoi, mais pourquoi, est-ce que je ne ressemble à rien ce soir ?

Alors qu'il demande des clés à l'accueil, j'observe son cul dans son jean, la coupe de ses vêtements, et je ne peux pas réprimer mes palpitations. En cheminant vers l'ascenseur au milieu d'autres gens, je frotte mes bras et essaie d'empêcher mes dents de claquer.

Il me sourit par-dessus l'épaule d'un couple, ce qui allume un éclair de malice en moi et je lui souris en retour.

Je le suis dans la chambre, puis dans l'immense salle de bains en marbre. Il me prend le col roulé des mains et l'accroche sur un cintre puis, sans prévenir, il saisit son tee-shirt et le retire d'un seul mouvement qui fait travailler tous ses muscles.

— Retire tes chaussures, murmure-t-il.

Je les défais et les pousse sur le côté.

Quand je me redresse, j'ai le souffle coupé en voyant son torse nu. Ses bras sont noueux, et je discerne sur lui tous les muscles qui existent dans le corps humain. Une fine ligne de poils part de son nombril et descend jusque dans son jean. Abdos dessinés, nuque épaisse, et ces lèvres, ces belles lèvres que l'on veut embrasser. Mon Dieu. Il a une cicatrice assez grande, sur ses côtes gauches, et je suis prise par un élan de compassion, avant de remarquer qu'il me déshabille.

L'excitation fait accélérer mon pouls et pointer mes tétons.

— Qu'est-ce qu'une fille comme toi faisait dans un endroit pareil ? me demande-t-il, avec ses sourcils noirs froncés au-dessus de ses yeux.

Je me mets à trembloter quand il soulève mon haut. Une pulsion me fait tendre la main pour toucher du doigt la cicatrice sur son torse.

— Qu'est-ce qui t'est arrivé ?

Il ouvre la fermeture Éclair de ma jupe et, en la poussant vers le bas, il se penche et attrape le lobe de mon oreille entre ses dents, et joue doucement avec.

— Tu sais que la curiosité est un vilain défaut, hein, vilaine ? murmure-t-il dans mon oreille en levant mes bras pour pouvoir retirer mon haut.

Je lui adresse un sourire alcoolisé et ouvre la bouche pour répondre, mais il m'embrasse. Il me prend par surprise et j'agrippe ses épaules pour me retenir, choquée par ma réactivité à cette bouche chaude, douce et sauvage. Ma propre faim se libère tel un torrent. Il ouvre mes lèvres avec les siennes, affamées. Je gémis et enfouis mes mains dans ses cheveux mouillés pour qu'il n'arrête pas de m'embrasser, et je balance mes hanches quand sa langue pousse à l'intérieur. Des frissons de désir me traversent quand il se penche sur moi, en me mangeant avec sa bouche tandis que ma tête tombe en arrière et qu'un râle de plaisir s'échappe de ma gorge.

Je frémis et le supplie de toucher mes seins.

— Tu es bourrée, chuchote-t-il en me regardant, en sous-vêtements, avec des yeux fous de désir.

— Un peu pompette, je murmure, presque comme un gémissement. S'il te plaît, ne t'arrête pas, j'ai mal partout.

Serrant la mâchoire, il lève le bras et je sens sa main gantée passer dans mes cheveux. Puis il me regarde, et une lueur passe dans ses yeux comme s'il venait de se souvenir qu'il portait des gants.

Il les enlève, l'un après l'autre.

— Tu es sûre ? dit-il.

Je suis parcourue d'un frisson en voyant ses mains. Fortes, grandes, mates. Oh mon Dieu. Soudain, je sens ses mains sur ma taille et il me soulève pour me poser sur les dalles de marbre, puis il installe son corps entre mes jambes.

— Tu es sûre ? insiste-t-il.

Il me regarde intensément et commence à jouer avec mes tétons, et je vois le contrôle qu'il a sur lui-même ; si je dis non, il arrêtera. Mais j'acquiesce et il grogne en pinçant mes tétons de la façon la plus exquise qui soit tandis qu'il se penche sur moi pour presser ses lèvres contre les miennes, plus fort cette fois. Très fort. Sa langue plonge, se tord, dure et affamée autour de la mienne, des décharges de plaisir courent de mes seins jusqu'à mes orteils, de ma bouche jusqu'à mon sexe. La dalle de marbre en dessous de moi, la chambre, l'hôtel, tout ce qui m'entoure s'évapore et il ne reste que ces lèvres chaudes, puissantes et humides qui font bouger les miennes. Qui me goûtent. Des mains qui caressent ma poitrine, mes flancs. Les pensées tournoient dans ma tête, son baiser et son toucher suscitent une passion chez moi que je n'avais jamais connue. Mes mains glissent sur son torse mouillé et quand elles touchent le métal d'un piercing sur son téton gauche, je crois mourir.

– Oh mon Dieu, je laisse échapper dans un soupir, dépassée par l'intensité de la situation alors que mon derrière souffre du froid de la plaque de marbre. Emmène-moi dans le lit.

Il me porte à travers la chambre et me jette sur le lit comme si c'était le moment de passer aux choses sérieuses. Il étire ses mains, retire son jean et sort un préservatif. Oh la la. Ses mains sont énormes, et bronzées, avec de longs doigts. Il a une cicatrice sur la paume. Je les veux vraiment sur moi. En moi. Il baisse ma culotte, dégrafe mon soutien-gorge.

– Je m'appelle Mélanie, je souffle, en reculant sur le lit pendant qu'il me déshabille.

Nu. Il se déplace avec la grâce d'un prédateur qui fait battre mon cœur à toute allure et provoque un cataclysme de désir entre mes jambes. Il murmure :

– Je m'appelle Greyson, Mélanie.

Il pose ma main sur la sienne, se remet à m'embrasser pendant que nous enfilons le préservatif sur lui, et je sens les battements de son cœur sous ma main. Nos mains se touchent sur sa queue, énorme, épaisse, turgescente, et nous lui mettons le préservatif. Il glisse un doigt dans ma chatte et regarde mes yeux rouler en arrière.

– Je veux être en toi, putain, souffle-t-il en déposant des baisers dans mon cou.

Il tourne la tête pour faire taire mon soupir et prendre ma bouche.

– Je vais te donner l'orgasme de ta vie, princesse.

Sa langue humide passe doucement le long de mon oreille.

— Je vais te sucer jusqu'à en avoir mal à la mâchoire.

Sa voix grave me rend folle, je sens les poils se dresser dans ma nuque quand il prend l'arrière de ma tête et se remet à m'embrasser.

— Te faire jouir aussi fort que tu le peux.

Il me fait tellement mouiller, mon corps se cambre tandis qu'il lèche mes seins et me fait haleter. Je glisse ma main sur les muscles fermes de son torse. Je relève la tête vers la source de son souffle et geins, le seul moyen que je connaisse pour l'inciter à m'embrasser. Il le fait. Il tourne ses hanches, s'appuie contre mon bassin comme s'il avait besoin de ce contact et émet un faible grognement en glissant sa main entre mes jambes.

Je le veux tellement que ça me fait mal. J'écarte les jambes un peu plus grand et gémis quand il me prend. Je remue et mon corps commence à se tendre.

— Je vais jouir, je dis doucement. Je suis désolée… Je ne peux pas… C'est trop… bon… Je ne peux pas…

— Jouis, dit-il dans un râle, c'est pas grave, on recommencera après… jouis…

Une extase pure et bouillonnante irradie mon corps, mes genoux lâchent, mes émotions tourbillonnent et dérapent, mon corps se tend et se resserre sur le sien avant de le relâcher, ses coups de reins envoient de l'électricité à travers moi jusqu'à ce que je fasse ce que son corps scandaleux me fait faire ; je jouis comme une fusée.

La force de cet orgasme me coupe le souffle, je me tortille et me cambre sous son corps. Il s'enfonce le plus possible, et je ne peux pas contrôler les tremblements qui me saisissent, et les gémissements de gratitude à chaque fois qu'il est complètement logé en moi, et je me sens… le contraire de seule. Le contraire de triste, ou de vide. Et quand mon orgasme retombe et qu'il est encore là — chaque centimètre de lui, large, chaud et dur enveloppé par moi —, mes yeux se rouvrent et je le vois me regarder avec ce regard sauvage, affamé, presque possessif, mais aussi étonnamment respectueux et doux tandis qu'il recommence à bouger en moi avec une précision experte. Nos yeux ne se quittent plus, sa manière de me baiser délicatement fait danser de petites étoiles dans mes yeux, et un autre orgasme exquis monte, et monte.

Je ne m'y attendais pas mais je jouis une nouvelle fois. Fort. Si c'est possible, encore plus fort car les parois de mon sexe sont irritées et sensibles, et mon clitoris palpite à chaque fois que ses hanches frottent contre les miennes. Le plaisir augmente de façon exponentielle jusqu'à m'ouvrir dans une explosion de plaisir. Mes ongles griffent sa peau. Je crie son nom, presque effrayée par une telle intensité. Il étouffe mon cri avec sa bouche, et cette fois il enveloppe ma langue avec la sienne et coupe son nom à *Grey*. Il grogne comme s'il aimait sentir son nom dans ma bouche, ses muscles se contractent contre moi quand il jouit, et son torse frotte contre mes seins pendant notre orgasme.

Quand ses tremblements s'atténuent, il s'allonge sur le dos, et comme il est toujours en moi et a ses deux bras autour de moi, je finis par jouir avec lui. Nous restons allongés un moment, dans un silence essoufflé, enlacés sans même savoir où sont nos bras, ou comment nos jambes sont emmêlées. Je suis tellement hébétée que je m'attends presque à voir des morceaux de moi dispersés sur le sol.

Après quelques minutes, j'émets un petit son car je veux me lever. Il me lâche, et je vais sur la pointe des pieds jusqu'à la salle de bains pour me nettoyer. Il me suit, fait un nœud avec le préservatif, et alors que je me lave les mains il arrive derrière moi, prend le savon et se lave les mains avec les miennes, et nos regards se croisent dans le miroir. Je vois mon reflet et… Non, je ne ressemble pas à un rat mouillé. Mes joues sont roses, mes cheveux sont en désordre comme au saut du lit, et quand il me sourit et prend mon sein dans sa main, je suis fichue.

— Reviens au lit pour que je puisse te faire haleter encore un peu, chuchote-t-il sur ma peau.

— Je ne halète pas, dis-je en prenant sa main, celle sur mon sein, et en le tirant avec moi dans la chambre.

— Tu halètes, tu gémis, tu cries, et maintenant tu vas refaire tout ça pour moi.

— Je n'ai pas fait ça ! dis-je en me rallongeant

Et quand il rampe sur moi, je me sens parfaitement sobre. Je ne suis même plus pompette. Je sais que je me souviendrai de chaque trait de son visage, décidé et vorace, quand il se met à jouer avec mes seins. Ma respiration s'accélère alors qu'il passe ses doigts sur mon abdomen, fait le tour de mon nombril et me regarde avec un sourire qui signifie qu'il sait exactement ce qu'il fait. Je lui souris en retour, parce que les mauvais garçons auront toujours raison de moi, je touche l'anneau sur son téton, et je sens son érection s'épaissir contre mes hanches quand je lève la tête pour le sucer. Moi aussi je sais jouer à ça, mon dieu du sexe, me dis-je.

— Qui est-ce qui halète, maintenant ? je murmure d'un air taquin.

— Je te trouve super sexy, dit-il en roulant sur le dos avec moi au-dessus de lui, appuyant ma tête contre son piercing comme s'il voulait que je suce plus fort.

Son grand corps frémit de plaisir, et le désir se rassemble entre mes cuisses tandis que je continue de jouer avec mes dents et ma langue, le sentant gonfler, dur et palpitant contre moi.

Nous passons la nuit à jouer l'un avec l'autre, à titiller, goûter, caresser, baiser. Chaque contact, chaque chuchotement, tout ce que je partage avec lui paraît si naturel, comme une fiche électrique branchée dans la bonne prise, je sens une nouvelle vie couler en moi, presque une euphorie.

Pendant nos séances de caresses passionnées, je le vois me regarder à travers des cils noirs et épais, avec une curiosité joueuse brillant dans ses yeux. Il me pose des questions sur moi comme s'il voulait vraiment connaître la réponse, et j'ai l'impression que nous nous sommes déjà rencontrés… dans un endroit sombre, interdit.

Aux alentours de cinq heures du matin, son téléphone sonne pour la troisième fois. Nous nous embrassons encore, un peu plus paresseusement, mes lèvres sont à vif, rouges et gonflées, j'ai une douleur agréable dans les seins, et j'en demande toujours plus. Exaspéré par la vibration, il finit par répondre d'une voix rauque.

– Ça a intérêt à être important.

Je me retourne sur le ventre pour lui laisser de l'espace et examine son profil sans rien dire. Ses yeux et une de ses mains ne décollent pas de la courbe de mes fesses pendant qu'il parle.

Pendant qu'il discute de ce qu'il me semble être son travail, avec une voix grave et rocailleuse que je comprends à peine, je mémorise le tracé de ses abdos en passant mes doigts sur son ventre. Je me déplace vers ses jambes et, alors qu'il serre toujours ma fesse dans sa grande main, j'embrasse sa bite dure et la lèche, ce qui lui fait fermer les yeux un instant et expirer brutalement.

Quand il rouvre enfin les yeux, ils sont durs et froids. Il lance une série de chiffres au téléphone, puis raccroche et demeure pensif, et c'est à ce moment que je le sens s'éloigner de moi.

Je me rassois dans le lit et j'ai mal au ventre. C'est fini, et mes doutes se confirment quand son corps splendide se lève du lit où il était à moi. Je le regarde disparaître dans la salle de bains, et un sentiment de désespoir brûlant creuse un trou en moi. Je sais ce qui va se passer, non? Je le sais. Le regard que j'ai vu hier était une tromperie. Une tromperie de l'alcool. Une illusion d'optique. Une putain de ruse, et j'aurais dû le savoir. Maintenant je meurs de l'intérieur, et pas à cause de l'excitation. Ce petit rêve ? Cette connexion fugace que j'ai cru avoir avec quelqu'un ? C'est fini.

Ce n'était pas une connexion. Ce n'était même pas réel. C'était de l'alcool, un peu de pluie, quelques hormones et des répliques sexy qui m'ont fait croire qu'il était réellement plus excité par moi que par quoi que ce soit d'autre dans sa vie.

– Mon avion décolle tôt et je dois m'occuper d'une dernière chose avant de partir.

Il revient avec ses vêtements froissés dans une main et saute rapidement dans son jean. Sa mâchoire est crispée, comme s'il n'aimait pas plus cette situation que moi.

– D'accord, dis-je.

J'espère avoir un ton assez nonchalant. Tous ces orgasmes et ces bruits embarrassants qu'il m'a fait faire rendent cela très gênant, parce que j'ai perdu la tête. Mon Dieu, j'ai perdu la tête, je me suis perdue dans un inconnu.

Il me regarde et reste la bouche ouverte un moment avant de dire quoi que ce soit.

– C'est très compliqué, tu ne voudrais pas de moi dans ta vie.

– Non. S'il te plaît. Tu n'as pas besoin de faire ça. Restons-en là. Je sais comment ça se passe. Salut, et je te souhaite une bonne vie. Adios.

Nous nous fixons, et il murmure :

– Je n'aurais pas dû te toucher.

Il se dirige vers la porte. Je regarde son large dos tout en revêtant mon masque de courageuse. J'ai fait ça un million de fois. Je construis des murs autour des endroits où j'ai mal, pour ne plus avoir mal du tout. Plus du tout.

– Un de mes gars a nettoyé ta voiture hier soir.

Il s'arrête, la main sur la poignée, puis fait demi-tour pour poser les clés de ma voiture dans ma main et, étrangement, il embrasse mes paupières.

– Tes yeux, murmure-t-il.

Puis il s'en va.

J'ai littéralement mal au ventre quand la porte se referme derrière lui. Je m'effondre sur le lit après le coup le plus parfait de ma vie, complètement… dévastée. Une solitude écrasante s'abat sur moi, mille fois plus forte qu'au moment où je suis arrivée à cette fête, il y a quelques heures, pour me sentir mieux. Un crapaud de plus. Non. Ce n'était pas un crapaud. Il était… quelque chose d'innommable. Et il est parti. Et cette connexion passagère à laquelle je croyais tant a disparu en même temps.

Et je suis réellement, inexplicablement, dévastée. Une tonne de briques pèse sur mon cœur pendant que je rassemble mes affaires dans la salle de bains. Je grimace en réalisant qu'elles sont encore mouillées, je me débats pour enfiler mes vêtements humides. Je ne trouve pas ma culotte. Je cherche partout dans la suite. Quand je me penche pour regarder sous le lit, je jure que je le sens encore dans mon sexe gonflé. Greyson… Meeerde, même son prénom est sexy.

– Tu as vraiment pris ma culotte ?

Incrédule, je vais voir de l'autre côté du lit, en refusant de me remémorer à quel point je me sentais sensuelle quand il me l'a retirée. J'entends un clic et des bruits de pas. Je lève la tête pour regarder la porte et cligne des yeux, confuse. Il est revenu ? Il se tient pile en face de moi. Une douleur très profonde, que je ne connais pas, s'empare de moi.

Mon ventre s'agite quand je me relève. Ses cheveux foncés sont délicieusement ébouriffés et vont parfaitement avec ses yeux, des yeux qui sont comme des verres reflétant la lumière dans un bar, brillant sur moi d'une manière presque surnaturelle. Il est grand et musclé mais il dégage un pouvoir indescriptible, fantastique sur moi. Quand il me regarde, quand il se tient même à cette distance, réservé et intouchable, il me donne seulement encore plus envie de le toucher.

– Tu as oublié quelque chose ? dis-je.

Je meurs de honte d'avoir été surprise en train de parler toute seule. Il me fait me sentir telle une petite fille, vulnérable comme jamais.

– Je n'ai pas pris ta culotte.

Il fait un geste vers la lampe et fronce les sourcils, comme s'il se demandait comment elle avait pu atterrir là. Elle pendouille par-dessus l'abat-jour. Mes joues rougissent.

– Merci, je marmonne maladroitement en la retirant de l'abat-jour. J'aime beaucoup cette culotte.

Il croise les bras et me regarde l'enfiler sans rien dire.

– Je l'aime beaucoup aussi. Elle est particulièrement belle sur tes petites fesses.

Je me glisse dedans et fais comme si j'étais captivée par mes doigts de pied quand il s'approche, s'assoit près de moi et prend ma tête pour la tourner vers lui. Le timbre de sa voix descend à un niveau plus qu'intime.

– Je veux te ramener chez toi.

Mes orteils commencent à se replier, et il continue avec cette voix grave et voilée qui forme un nœud géant dans mon ventre.

– Et je veux ton numéro de téléphone ; quand je reviendrai dans cette ville, je veux te revoir.

– Pourquoi ? je rétorque.

– Pourquoi pas ?

– Tu ne connais même pas mon nom de famille, j'accuse.

– Je connais la longueur de tes jambes.

Il tend le bras pour toucher une mèche de mes cheveux avec ses longs doigts, et ses yeux ne lâchent pas les miens.

– Je sais que tu es chatouilleuse derrière les genoux. Que tu aimes haleter dans mon oreille.

Il s'appuie contre le mur et me regarde.

— Je sais que j'aimerais t'embrasser à nouveau. Que sachant que tu étais dans ce lit, je n'ai pas pu prendre l'ascenseur. Je voulais te voir…

Il se penche et touche mes yeux avec son pouce.

— …encore une fois. Alors que l'analyste de risque en moi dit non, c'est une mauvaise idée. Mais tu m'as l'air d'être une femme déterminée, et je pense que tu vas continuer à aller dans ce bar, à ramener des hommes, jusqu'à ce que tu trouves ce que tu cherches. Et l'analyste de risque dit que c'est bien pire. Qui seront ces hommes ? Avec qui vas-tu rentrer, Mélanie ?

Je me sens très gênée, mais je ne veux pas qu'il le sache, alors je hausse les épaules.

— Eh bien, ça va peut-être te surprendre mais je ne suis pas d'accord avec ça. Ça va peut-être te surprendre de savoir que s'il y a un homme qui doit faire tout un tas de choses à ce corps, ce sera moi.

Le regard. Oh mon Dieu, le regard.

— Alors, commence-t-il tandis qu'une interrogation pénétrante habite ses yeux, est-ce que je te ramène chez toi ?

Putain. Je suis désarmée devant ce regard. Le regard que je voulais, que j'ai mémorisé, je ne veux pas qu'il passe à travers mes murs et me fasse pleurer, mais je suis un peu fatiguée et mes murs sont en papier, aujourd'hui. Je bluffe pour me défendre.

— Quel geste chevaleresque, de revenir ainsi. Tu vas me faire pleurer.

— C'est vrai. Et quand tu atteins le maximum de ton orgasme, tu verses quelques larmes aussi.

Mes joues deviennent écarlates, et je lève les yeux au ciel.

— Si tu le dis.

— Je le dis. C'était le meilleur moment de ma soirée.

J'attache mes chaussures, d'un rouge betterave, et il retire son tee-shirt.

— Il est sec. Mets-le.

Je m'exécute et l'enfile, son odeur et sa chaleur m'enveloppent tandis que je le regarde mettre son col roulé humide ; je sors de la chambre, perplexe, avec ce dieu magnifique, sentant sa main gantée en bas de mon dos qui me guide jusqu'à l'ascenseur, alors que ses yeux examinent mon profil avec un sourire étrange.

— Je ne suis pas exactement ce que tu imaginais en te levant ce matin, n'est-ce pas ?

Mon corps a été si secoué que je peux à peine marcher, et mes yeux, j'ai mal aux yeux, je ne peux pas lui dire que chaque jour de ma vie, j'ai essayé de l'imaginer.

— Pas exactement ce que j'imaginais, dis-je. Aujourd'hui n'était pas du tout comme je l'avais imaginé.

Il penche ma tête et m'embrasse. Pas un baiser sensuel. Juste un baiser. Un baiser d'après-sexe qui me touche profondément, dilate mes nerfs et me fait me sentir nue, désirée, et à vif. Je dois lutter pour ne pas pleurer pour de bon, comme quand on a fait un vœu avec son dernier centime et qu'il se réalise.

Des hommes se sont moqués de moi, m'ont foutue en l'air, se sont servis de moi, ont abusé de moi. J'aime entrer dans des combats verbaux. J'aime jurer, cracher, crier, et être moi-même. Personne ne m'a jamais donné envie de pleurer rien qu'en parlant. Personne ne m'a jamais donné envie de pleurer, mis à part un souvenir, et cet homme qui me lance ce regard.

— Quel est ton nom de famille ? je chuchote.

— King. Il me fait un sourire qui fait fondre ma culotte. Pas de blagues royales, s'il te plaît.

Je rigole et tends la main comme si nous venions de nous rencontrer.

— Meyers.

Il prend ma main dans la sienne, sa poignée de main est chaude, ferme, et fait encore plier mes orteils. Il la lâche, sort son téléphone, tape son mot de passe et me le tend, en me regardant avec des yeux qui me paraissent être les plus intelligents que j'aie jamais vus.

– Meyers, peux-tu taper ton numéro de téléphone pour moi ?

Je l'ajoute avec le nom *Meilleur petit cul que j'aie jamais vu*.

Le début d'un sourire tire le coin de ses lèvres, assez pour me donner des frissons.

– Pas mal.

Il tape quelque chose sur son clavier et mon téléphone vibre, un nouveau message.

« ET EXACT. »

Je souris, et il me regarde avec ce quasi sourire super sexy. Soudain, je suis incapable d'expliquer – et je ne suis pas sûre d'avoir déjà ressenti – le bonheur que je ressens maintenant.

Quand nous arrivons dans mon immeuble, il prend l'ascenseur avec moi, me raccompagne jusqu'à ma porte et dépose un baiser sur mon front en passant son pouce au coin de mes yeux avant de murmurer :

– Je t'appelle bientôt.

Quand je glisse mon corps tremblant et parfaitement apaisé dans mon lit, à peu près une heure avant l'aube, je n'arrive pas à dormir. Je cherche sous quel nom enregistrer son numéro. Maniaque sexuel. Sex machine. Dieu du sexe. Play-boy divin. Je finis par choisir et chuchote « Greyson », son nom roule sur ma langue comme du velours.

Je ferme les yeux et j'ai l'impression que je vais convulser sur mon lit. J'envoie un message groupé à Brooke, Pandora et Kyle.

MOI : J'AI RENCONTRÉ QUELQU'UN. LES GARS, J'AI RENCONTRÉ QUELQU'UN. PAS UN CON ! IL M'A RAMENÉE CHEZ MOI ET RACCOMPAGNÉE JUSQU'À MA PORTE. AHHHH !!! JE VOUS EMMERDE, SI QUELQU'UN ME GÂCHE MA JOURNÉE DEMAIN, J'AURAIS VOS TÊTES !

Kyle : Ta tête sera trop occupée à penser à ce mec pour te soucier de la mienne.

Pandora : Meuf. Tu as pris de l'ecsta ?

Brooke : Quoi ? Dis-moi tout !

3

ELLE
Greyson

J'attrape mon téléphone qui vibre dès que je sors de l'immeuble.

– Tu te demandes peut-être pourquoi tu es attaché à une porte de toilettes, et pourquoi ce numéro précis s'affiche sur l'écran de ton téléphone, je murmure dans le micro. Eh bien, tu allais faire quelque chose qui t'aurait coûté ta bite. Tu allais toucher quelque chose que tu n'as pas le droit de toucher, compris ? Tu as une dette à payer. Tu as trois jours. Tic tac, tic tac.

Je raccroche et balance le téléphone par terre. Puis je prends mon autre téléphone et appelle Derek.

– Viens me chercher.

Je lui donne l'adresse, puis je marche le long de quelques blocs et jette le téléphone avant de lancer un regard à l'immeuble où je viens de la laisser. Quand Derek se gare, dans un 4x4 foncé, je saute à l'intérieur et ouvre la boîte à gants. Je sors mon billet et ma fausse carte d'identité.

– Conduis la voiture jusqu'à l'entrepôt. Reste là-bas. Le numéro vingt-quatre va bientôt faire son paiement. Comment va ta femme ?

– Bien. Tu as avancé dans le travail ?

– Je ne fais que ça, je réponds.

Mélanie. Je l'avais déjà vue. Je la regardais de loin. Elle est le genre de fille que je veux baiser, mais je ne savais pas à quel point avant de voir qu'elle allait partir avec un de mes clients, au bar. Nom de

Dieu, j'ai mis cet homme K.-O sans même récupérer le paiement. Je voulais juste le mettre par terre parce qu'il n'y avait pas moyen qu'il parte avec elle. Personne ne part avec elle.

Je touche mon téléphone avec ma main gantée et résiste à la tentation de lui envoyer un message. J'ai vu cette femme changer de mec comme je change de portable. Je l'ai vue sortir de chambres d'hôtel comme une épave. Je l'ai vue sortir avec une allure parfaite. Je l'ai vue rire, pleurer, j'ai vu son visage sur les femmes que je baisais, et je l'ai même vue dans mes rêves et lorsque je me réveille. Ce que veut cette femme, je ne peux pas lui donner. Mais quand je la regarde, je me tends, me tourne, me noue, je me sens usé et inutile.

J'aime la voir jouer avec ses cheveux et les secouer, flirter, croiser les jambes, sourire, regarder ses ongles. J'aime comme elle part à la chasse pour trouver son prochain homme ; j'aimais la regarder parce que quelque part, au plus profond de moi, je savais que sa chasse s'arrêterait le jour où je déciderais de lui dire que j'avais l'intention d'être son homme.

MERDE À SON PRINCE CHARMANT. C'est moi qu'elle aura.

J'en suis à la moitié. Encore vingt-quatre noms et c'en est fini de Zéro. Je n'aurais pas dû la toucher, mais c'est fait. Je devrais arrêter de la toucher, mais je ne vais pas le faire. Mes gars ne doivent jamais savoir qu'il y a un petit talon d'Achille chez moi, et que son nom est écrit, juste là.

Pour les gars, la seule raison pour laquelle je suis proche d'elle doit être parce que son nom se trouve sur ma liste…

LUI
Mélanie

Je n'ai pas toujours été fille unique. Je suis née avec une vraie jumelle. Elle est née la première, pesait 2,380 kg, et je l'ai suivie, un peu plus lourde.

Ma mère me disait que nous étions toutes les deux adorables, petites et roses, mais elle n'arrivait jamais à continuer. C'est mon père qui a fini par me raconter toute l'histoire. Que je n'étais pas parfaite quand je suis née… que je suis née avec un rein défaillant et que ma jumelle avait un grave problème cardiaque. Nous luttions toutes les deux pour survivre, et en l'espace d'une heure il était évident qu'elle avait plus de mal que moi. Quand son cœur a lâché, ils m'ont donné son rein.

Ils l'ont appelée Lauren et l'ont enterrée près de la mère de mon père. Tous les ans, mon anniversaire est le jour le plus triste de l'année. Mais je vais sur sa tombe avec un bouquet de mes fleurs préférées ; je me dis que, comme c'est ma jumelle, cela aurait été ses préférées aussi. Puis je fais la plus grosse fête du mois.

– Je veux que tu me montres que tu es joyeuse et heureuse, tout le temps, me dit ma mère sur un ton enjoué.

Alors c'est ce que je fais. Même quand je ressens cette douleur, celle d'une perte qui ne disparaît jamais. Mes parents m'ont dit qu'ils voulaient que je sois heureuse car ils sont si contents que j'aie survécu. Donc j'essaie d'avoir l'air heureuse et de ne jamais, jamais, leur montrer que je ne le suis pas. Mon père compte mes sourires et il dit que j'en ai cinq en tout, et je m'assure qu'il en voie toujours au moins un.

Je vis pour deux. J'essaie de caser en une vie ce qui pourrait en remplir deux. Alors je me lève tous les matins, mets mon masque de madame Parfaite, et je me promets de passer une journée parfaite et d'avoir, un jour, une famille parfaite. Mais j'échoue. Et mes parents le savent.

– Ta mère espère qu'un jour, quand tu te marieras, que tu t'installeras, tu auras peut-être des jumeaux, m'a dit un jour mon père avec mélancolie.

– Ça serait bien, j'ai répondu avec le cœur lourd, et un grand sourire sur mes lèvres.

Parfois, je me demande si elle serait déjà mariée. Lauren. Parfois je passe une mauvaise journée et je suis persuadée qu'elle aurait pu rendre mes parents plus fiers ou plus heureux que moi. Tout ce dont je suis sûre, c'est que s'ils l'avaient choisie, elle ferait tout autant d'efforts que moi pour être heureuse. Ce n'est pas grave si je n'ai pas de jumeaux, mais je rêve de tomber amoureuse du mec parfait, et d'avoir une petite fille que j'appellerai Lauren.

Je rêve tellement de mon homme que j'en ai mal. Je rêve de ce regard, comme celui que Greyson m'a jeté, un regard qui me dit que ce mec – lui, cet être humain vivant – pense que je suis assez bien pour lui. Et qu'il est content que ce soit moi qui ai survécu. Car parfois, je souhaiterais vraiment que cela ait été Lauren.

Le jour après Greyson
Pandora, l'une de mes trois plus proches amies, sort du Starbucks au coin de la rue. La mangeuse d'hommes. Enfin, pas vraiment, elle est simplement très indépendante, sombre, lugubre, et secrète. Mais ce n'est pas grave puisque je suis joyeuse, bavarde et radieuse, alors

nous nous équilibrons. Enfin, on essaie. Aujourd'hui, elle tente le look Angelina Jolie teigneuse avec son rouge à lèvres foncé habituel et ces bottes qu'elle a eues en soldes qui lui montent jusqu'aux cuisses. Même sa démarche intimide les hommes, pendant qu'elle apporte nos cafés jusqu'à moi – c'était son tour de payer le café, après tout – et, sans un mot, nous prenons une gorgée en traversant la rue pour rejoindre Susan Bowman Interiors.

On pourrait dire que rendre les choses jolies est ce que fait Pandora pour gagner sa vie, mais en ce qui me concerne, je le fais comme un art. Parce qu'il y a quelque chose, dans une pièce accueillante, qui peut illuminer une journée de merde, et j'aime rendre les gens heureux, même juste grâce à cela.

– Alors ? me pousse-t-elle.

Je souris en secret derrière le couvercle du café.

– Alors, quoi ? dis-je.

Je veux qu'elle me supplie, parce que je suis un peu mauvaise. C'est elle qui provoque cela chez moi. Le truc avec Pandora et moi, c'est ça : nous sommes complètement différentes et il y a toujours un rapport de forces entre nous, que nous aimons toutes les deux sans nous l'avouer, j'imagine.

– Alors c'est quoi ce bordel ? Parle-moi du prince qui a ensorcelé ta culotte.

– Pandora, je ne peux même pas… Je ne peux MÊME PAS !

Un sourire étire mon visage et je lui lance un regard qui veut dire *Il m'a baisée toute la nuit et j'ai adoré.*

– C'était…

Irréel. Parfait. Mieux que parfait.

– Je ne savais pas que le sexe pouvait être comme ça. Je ne savais pas que je pouvais sentir le toucher d'un homme dans mes os.

Nous arrivons à notre étage, avançons jusqu'à nos bureaux en L placés côte à côte, et je ne peux pas m'empêcher de sourire.

Sincèrement, je n'avais jamais rien connu de pareil. Je suis presque gênée de le partager avec elle. Et dans le même temps, j'ai envie d'avoir un haut-parleur et de crier à mes collègues que j'ai peut-être trouvé le bon !

– Eh bien, ne t'arrête pas là, sainte Nitouche ! Raconte-moi le reste, insiste Pandora en allumant son ordinateur. Attends, j'ai payé le Starbucks aujourd'hui, j'ai le droit d'avoir des détails croustillants.

– J'ai payé le café hier et tu ne me dis jamais rien, je réplique en m'asseyant, et je touche la petite marque derrière mon oreille, presque un suçon… Je ne te donnerai pas de détails croustillants, je les garde pour m'en souvenir et fantasmer dessus. Mais Pan, on avait une connexion. Sa façon de me regarder. Il me regardait comme s'il ne pouvait pas s'arrêter.

– Ouh là, tu es vraiment sous ecsta.

Elle soupire et pose sa main sur son front comme si elle avait mal au crâne. Je sais qu'elle déteste quand je suis de super bonne humeur, alors je me contente de garder mon sourire en coin, je commence à chantonner, et je me demande ce que dirait ma mère si elle était au courant de tout ça.

J'étais mariée et tu étais née avant que j'aie vingt-cinq ans, l'ai-je entendu dire toute ma vie. Et moi de lui répondre que si j'ai vingt-cinq ans dans quelques semaines, j'ai aussi des amis géniaux et une sacrée carrière. Mais maintenant, peut-être y aura-t-il un homme…

Alors que Pandora et moi commençons à comparer des tissus pour nos projets actuels, mon esprit dérive vers mon portable. J'ai une règle, le dernier à avoir reçu un texto doit être celui qui envoie le suivant.

Greyson m'a envoyé «ET EXACT» hier soir et, avant même de m'en rendre compte, je lui envoie un message. TU ES LÀ ?

Pour être honnête, je ne sais pas à quoi m'attendre. C'est une terre inconnue pour moi. Je sais à peine comment je m'appelle, aujourd'hui. À un moment j'étais à une fête avec beaucoup de gens… et puis j'étais avec lui. Il était avec moi. Entièrement concentré sur moi.

Et ce qui me fait peur, non, ce qui me hante, ce n'est pas qu'il m'ait donné les meilleurs orgasmes de ma vie – c'était formidable – mais c'est que j'ai ressenti quelque chose. Son toucher passait à travers ma peau, il entrait en moi.

Un fourmillement agréable court sur ma peau quand je me souviens de la façon dont nos yeux se croisaient pendant que nous faisions l'amour, et je fixe mon téléphone, en attendant qu'il me réponde.

Deux jours après Greyson

Aujourd'hui, nous décorons la nouvelle maison d'un de nos clients. Chez Susan Bowman Interiors, peu importe qui est responsable du projet, chacun met son grain de sel le jour J, quand les meubles sont livrés et installés. En gros, voilà comment ça marche : je rencontre un client pour avoir une idée de son budget et de ses goûts ; je fais une proposition détaillant le coût approximatif, pièce par pièce, et propose les concepts de décoration ; je fais les plans des pièces, prends les dimensions, puis j'envoie les fichiers PDF avec les prix de plusieurs options, des images et des échantillons de tissus, d'après les concepts dont nous avons discuté.

Une fois que le client confirme nos choix, je montre le tout à Susan pour avoir sa bénédiction, puis je commande les tissus, les meubles, les habillages des fenêtres, les tapis, et tout est envoyé à l'entrepôt de l'entreprise, où les produits sont vérifiés, assemblés et tapissés. Ensuite, on s'amuse. On peut enfin fixer une date, généralement quand le client n'est pas chez lui, et on peut réaliser tout ce qu'on avait visualisé mentalement.

Je suis une visuelle, c'est ce que je fais. C'est ce que j'aime. Depuis que j'ai trois ans, je visualise tout. Comment j'allais m'habiller le jour de la rentrée. Comment un certain garçon allait me regarder. Comment les professeurs souriraient, ravis, quand je leur donnerais la pomme que ma mère m'obligeait à avoir. Elle disait que si je leur mettais une pomme dans la main, je mettrais leur cœur dans ma poche. Je me sentais toujours ridicule quand je leur donnais la pomme, mais pour ma mère, c'est important d'être généreux avec tout le monde. D'ailleurs elle offre des choses en permanence, même des câlins. Oui! Elle a tenu un poster FREE HUGS pendant une œuvre de bienfaisance, et elle fait des câlins à tout le monde. Alors je suppose que j'aime les câlins aussi. C'est agréable, c'est tout. Dans tous les cas, faire plaisir aux gens et vivre une vie joyeuse, détendue et colorée, c'est ce qui compte pour moi.

– Où est-ce que cela va aller? me demande Pandora en déballant une belle lampe en verre.

– Oh, cette petite beauté sera dans la chambre de la fille, dis-je, puis je vérifie tous mes dossiers pour la troisième fois aujourd'hui. Avec cette vieille coiffeuse rose et ce petit bonhomme.

Je touche du pied une ottomane rayée si drôle que je lutte pour ne pas lui faire un câlin.

– Mignon, non?

– Ce qui est mignon, c'est la façon dont tu n'arrêtes pas de sortir ton téléphone comme si c'était un petit chiot vivant.

– Oh tais-toi! Je vérifie le réseau.

Et mon téléphone… capte bien.

Humm. Intéressant.

Pas de message. Toujours pas.

Parfois, les mecs ont besoin d'un petit coup de pouce. Ils ont peur. C'était trop intense. Il m'a lancé «le» regard. En ce moment même, il est peut-être chez lui en train de penser *Qu'est-ce qui se passe, Greyson?* Enfin, c'est possible qu'il ait des problèmes, comme moi.

Je ne peux pas m'endormir sans me doigter. Alors maintenant qu'il m'a fait ne penser qu'à lui, à sa peau, à son toucher… Je le veux… J'en meurs d'envie… J'en ai besoin. Dans ma tête, j'ai été admise aux Accros de Greyson Anonymes et il est le seul à pouvoir guérir ma maladie.

Afin de l'aider, afin de calmer la petite piqûre de déception qui s'installe sur la gauche de ma poitrine, afin qu'il sache que je suis clairement toujours intéressée – *s'il te plaît, mec, si tu m'aimes juste un peu, fais ce que tu as dit et appelle-moi* –, je songe à enfreindre ma règle d'or du texto et à lui envoyer un second message.

Est-ce que je devrais ? Les règles disent que non. Mais je n'ai jamais aimé les règles, et Greyson ne me paraît pas être un homme à règles non plus. Qu'est-ce que je fais ? Je veux demander à Pandora mais je déteste déjà le rictus sur son visage. Je veux qu'il sache la vérité, que je veux qu'il m'appelle. Je ne veux pas jouer. Pas avec lui. Malgré cela, je me force à ranger mon téléphone dans mon sac et je me dis que Rome ne s'est pas construite en un jour, et qu'aucune relation valable non plus.

– Mélanie, dit Pandora, avec ses lèvres étirées en une fine ligne noire.

Je cligne des yeux innocemment et souris.

– Quoi ?

– Admets-le, c'était un con.

– Non.

– Si.

– NON !

– Si…

Quatre jours après Greyson

– Toujours rien ? demande Pandora

J'ai envie de grogner quand elle vient jusqu'à mon bureau, où j'espérais me cacher d'elle et de ses yeux noirs perçants.

Mais il se trouve qu'aujourd'hui c'est elle qui a un petit sourire énervé, et moi qui fais la tête.

Lundi, je ne savais plus comment je m'appelais, j'étais au septième ciel. Mardi, j'étais toujours gaie et optimiste, à peu près au troisième ciel. Aujourd'hui, je suis revenue sur Terre, et je suis tombée de quelques crans vers le purgatoire, voire même complètement en enfer. Tout ce que je sais, c'est qu'on est jeudi, et que je n'ai pas eu de nouvelles, zéro, nada, depuis des jours.

Comme une idiote, je souris, je jette des coups d'œil à mon portable et j'attends quelque chose, mais pour être honnête, mon téléphone semble se transformer en un lourd rocher immobile dans mon sac, et son silence veut dire quelque chose, quelque chose que GREYSON n'a probablement pas les couilles de me dire lui-même.

C'était bien. Pour un coup d'un soir. Merci pour la baise. Tu n'entendras plus parler de moi.

– Rien pour l'instant, dis-je à Pandora sur la défensive, en me levant et en emportant mon téléphone dans les toilettes des femmes.

Je m'enferme et vais me laver le visage dans le lavabo. Je pense à ses yeux noisette avec des touches de vert, et au regard qu'il n'arrêtait pas de me lancer… Et je me sens pire que déçue et pitoyable, je tape un autre message alors qu'un puits d'émotion se creuse dans ma poitrine.

Je vais finir par croire que je t'ai imaginé. ☹

J'attends quelques minutes. Je me lave les mains, les sèche, regarde mon portable, observe mes ongles, regarde mon portable. Quelqu'un frappe à la porte et une de mes collègues demande :

– Il y a quelqu'un là-dedans ?

Merde. Je crie : «Je sors !» puis je tourne un peu en rond, relis le message que je lui ai envoyé, avec ce pathétique visage triste, et soudain je me sens comme la plus grande idiote de la planète.

Ce matin j'ai cherché son nom sur Google et, bizarrement,

je n'ai rien trouvé. Aucune trace de Greyson King sur Internet. Il pourrait bien être un fantôme. Un fantôme qui ne répond pas à mes messages, ne s'intéresse pas à moi, ne ressent pas la connexion qui me ronge, me hante et me consume. Un fantôme que moi, Mélanie bourrée, j'ai inventé pour me sentir moins seule.

C'EST DU BOULOT
D'ÊTRE UN CONNARD
Greyson

Je ne connais personne qui m'ait pris plus la tête que mon père, alors je ne comprends pas ce qui m'arrive, à part que j'ai la tête ailleurs cette semaine.

Mélanie est bien installée dans mon esprit et dans ma peau. J'essaie de la sortir de mes pensées, mais elle est là. Dans mon subconscient. En train de s'amuser avec mon piercing comme si c'était son jouet personnel.

Je voulais la goûter. C'est fait, mais je ne suis pas satisfait. Je veux la faire haleter à nouveau, comme si elle venait de gagner le marathon de New York. Je veux la faire gémir comme une pro qui gagnerait le concours national de gémissements. Et je veux la faire sourire comme lorsque je l'ai ramenée chez elle. Je me force à rester concentré, à garder la tête sur les épaules, les yeux ouverts. Mais nom de Dieu… elle ne facilite pas les choses.

Cette semaine, j'ai rayé deux autres noms de ma liste. J'ai aussi découvert que mon père avait vraiment une leucémie, en tout cas c'est ce qu'ont dit les spécialistes que j'ai fait venir. Il est dans une maison protégée de deux étages, proche du lieu où la saison d'Underground va commencer, dans un mois. Et c'est bizarre. Même le son de sa voix est différent. Son regard n'est plus aussi dur. Quand je suis entré, il m'a demandé comment j'allais.

– J'ai la moitié de la liste…

– Pas la liste. Comment vas-tu ?

Je l'ai fixé, non parce que j'étais perdu, mais parce que je frémissais d'une rage sourde.

– Tu t'es débrouillé pour être un connard pendant vingt-cinq ans. Ne me change pas ça maintenant.

Et je suis parti.

– Pourquoi pas ? a-t-il lancé, en toussant à cause de l'effort qu'il avait dû faire pour crier.

Bouillant de l'intérieur, j'ai serré les poings, mes phalanges pressées contre mes gants de cuir.

– Parce que ça ne changera rien.

Je suis sorti de la maison, je bosse sur le troisième nom, mais elle est toujours dans ma tête. Je ne vois que ses yeux verts, ses yeux verts qui prennent une teinte d'émeraude sombre quand elle jouit comme une putain de fusée, qu'elle frissonne et se tord sous moi. Elle est ce magnifique diamant que tous les bandits veulent voler, le chaton que tous les chiens veulent pourchasser, la jument que l'on veut chevaucher, brider et dompter – mais pas complètement. Oh non, pas tout le temps, car son côté sauvage t'excite. Il te rend plus sauvage. Il te rend gourmand.

Putain, ces derniers jours j'ai l'impression de ne pas avoir mangé depuis cent mille semaines. *Bordel de merde ! Sors de ma tête, princesse.*

Je suis installé à une table du parc quand ma cible arrive enfin. Je suis assis derrière un journal ouvert, avec mon SIG automatique bien caché en dessous, et mes Ray-Ban couvrent mes yeux alors qu'il passe à côté. Je parle assez bas pour n'alarmer personne, mais assez fort pour que le pauvre mec que je suis venu emmerder m'entende.

– Assieds-toi, dis-je.

Il sursaute en entendant ma voix et met sa main dans sa poche pour prendre ce que je suppose être sa méthode de défense.

– Un mec comme toi ne peut pas voir ça, mais il y a plusieurs tireurs professionnels qui te visent depuis différents angles. Alors tu ferais mieux de t'asseoir.

Il tombe comme du plomb sur la chaise que je pousse du pied.

– Donc, dis-je en pliant mon journal et focalisant mon attention sur lui, mon SIG immobile sous le journal braqué sur son cœur.

Je remonte mes lunettes sur mon crâne et m'adosse contre la chaise en examinant l'homme. La quarantaine, il a probablement pris conscience qu'il serait coincé dans un boulot de merde toute sa vie et il a pensé qu'il pourrait avoir une meilleure vie en pariant, mais il a obtenu le résultat inverse.

– Je suis passé chez toi hier pour t'offrir un petit cadeau, mais j'avais peur que ta femme voie ce qu'il y avait dedans, et sachant ce que c'est…

Avec ma main libre, je pose devant lui une enveloppe en papier kraft. Ses mains tremblent lorsqu'il l'ouvre. Le sang quitte son visage quand des photos de lui et de son amante cul nu en tombent.

– Putain de… soupire-t-il.

– Elle te tient par les couilles, hein ?

Je me penche en avant pour qu'il m'entende bien. Mon sang se réchauffe quand je pense à mes propres couilles, et à mon propre problème, à ce cul nu sexy qui me rend totalement fou ces derniers temps.

– Tu as cru que tu pouvais baiser cette fille une fois et t'en aller, mais ce n'était pas possible. Elle était sauvage et tu as aimé ça. Elle te regardait comme si tu étais un cadeau de Dieu pour la gent féminine, tu as dû aimer ça aussi.

Je fais une pause de trois battements de cœur tandis que ma cible pâlit à vue d'œil.

– Je parie que tu es obsédé par la sensation que tu as avec elle, l'odeur de ses cheveux, son sourire, sa démarche, la façon dont elle flirte avec d'autres hommes… Eh bien Hendricks, je suis ici pour te dire que tu dois 168 434 dollars à l'Underground pour tes pertes aux jeux, et nous sommes prêts à les collecter.

Je me penche en arrière et remets mes lunettes devant mes yeux.

— Tu ne peux pas garder ta poule, ni mon argent. Est-ce que c'est clair?

Le mec est blanc comme un fantôme, je crois qu'on peut en conclure que c'est clair. Je replie le journal, avec le SIG, et le mets dans la poche de ma veste.

— Un de mes hommes t'attendra ici, demain.

En me levant, je me penche vers lui et complète :

— J'ai des copies de ces photos. Tu les auras quand tu auras payé ce que tu dois, mais n'essaie pas de jouer. Ma motivation est aussi forte que la tienne.

Ma mère. Ma liberté. Et mes putains de couilles, perturbées par une fille aux cheveux dorés, aux yeux verts et au sourire qui me tord le ventre. Ouais, je suis encore plus dans la merde que ce pauvre mec.

Quand la cible s'en va, C.C. et moi allons retrouver l'équipe en silence. Ils sont tous au «yacht», une maison en mer façon Big Brother, caméras de surveillance comprises. Mon père est assis là, content d'être sorti, et d'avoir l'essentiel du programme. Et l'équipe…

Je garde un œil lointain sur Derek pour être sûr qu'il ne trahisse pas ce qu'il sait, mais pour les autres, je les surveille tout le temps, j'écoute leurs appels, je regarde les vidéos de surveillance. Un pacte de sang, d'accord, mais sachant que je ne fais pas confiance à ma propre ombre…

Le premier que j'ai dû tester était C.C., parce qu'il est ce qui se rapproche le plus d'un frère et il fallait que je sache si sa loyauté irait à mon père, qui l'a nourri toutes ces années, ou à son frère de sang, c'est-à-dire moi.

— Si je te disais que ce verre contenait un poison mortel, et que je te demandais de le donner à mon père, qu'est-ce que tu dirais ?

— Je dirais oui, connard, qu'est-ce que tu crois ? répond C.C., en coinçant un cure-dent entre ses dents pour le laisser pendouiller là.

Nous sommes devant la chambre de mon père, où il est surveillé vingt-quatre heures sur vingt-quatre par son équipe médicale. La porte est entrouverte, et nous le voyons parler à Éric, qui ne sait pas que nous le regardons.

— Bien. Puisque tu es le seul à qui je fasse confiance, vas-y. Je lui tends le verre. Prends-le, discrètement.

Il me regarde.

— Je sais être discret. Mais dis-moi, est-ce que ça sera douloureux pour lui ?

— Pas autant que ce qu'il mérite, mais oui.

Je me recule et regarde C.C. verser le liquide dans les médicaments de mon père. L'enfoiré le lui porte, murmure à mon père :

— Tu as soif, Slaughter ?

Après s'être assuré qu'il le boive lentement, il revient et s'assoit.

— C'est fait, dit-il calmement.

C.C. a un cœur de pierre, comme moi. De la glace, en toutes circonstances. Nous restons assis en silence.

— Il n'y avait pas de poison, hein, petit con ? demande-t-il en recrachant le cure-dent, en colère et trahi.

— Non.

Je me lève.

— Je devais juste être sûr.

Ce serait tellement facile de tuer mon père. Glisser quelque chose dans sa perfusion, et il serait parti. Mais même les criminels doivent avoir un code, et j'ai le mien. Je ne tue pas pour le plaisir, ou même pour moi. Je ne tue pas la famille. Cela ne veut pas dire que je n'y pense pas. J'y pense, constamment. J'ai rêvé que je tuais mon père de nombreuses fois, et je me réveillais soulagé. Jusqu'à ce que je me souvienne que je ne l'avais pas tué ; il est vivant. Je suis rempli de rage de devoir ne serait-ce que le regarder, sans compter le fait de devoir faire son sale boulot.

C.C. me suit dans le couloir du yacht, nous sommes arrimés à quelques kilomètres de Los Angeles. Une des pièces est remplie de téléphones et de graphiques : la comptabilité des paris, qui garde une trace de chaque combat de l'Underground.

– Nous sommes tes gars, Z, tu peux nous faire confiance. Je sais que ce n'est pas dans ta nature, mais tu peux.

– Je travaille sur quelques autres noms. En attendant, appelle Tina Glass. Dis-lui qu'il me faut le numéro 10 en situation compromettante avec elle. Elle ne devra fournir les preuves à personne sauf à moi, personnellement. Je dois travailler sur une autre cible ce week-end. Je ne serai pas en ville, utilise le code s'il y a une urgence.

– Éric veut que le reste de l'équipe t'aide.

– Je n'ai pas besoin de leur aide. Mais il faut que tu m'aides à pincer le numéro 10. Il est trop propre et ça m'énerve.

– Je sais qu'il y a autre chose qui t'énerve ! rigole C.C.

Je grommelle et lui dis où il peut se la mettre. Il sait qu'il y a une nana, en tout cas il s'en doute et me fait des croche-pieds quand il me surprend à fixer mon portable, distrait. Je ne suis jamais pris au dépourvu. Je le fais trébucher, le soulève par le col et le plaque contre le mur.

– Arrête de te foutre de moi, C.C.

– Ce n'est pas moi qui me fous de toi.

Il tapote ma tempe, et souffle :

– Fais-la sortir de là, mec, avant que ton père s'en rende compte.

Je me sens tellement retourné que je suis en colère d'avoir pensé que c'était une bonne idée de la toucher. Mais j'ai toujours ce téléphone que je n'ai pas désactivé, et c'est seulement parce que je reçois ces petits messages d'elle.

« Tu es là ? »

J'aimerais ne pas être assis là, les yeux fixés sur l'écran, la poitrine sciée en deux à chaque fois que je le lis.

« Je vais finir par croire que je t'ai imaginé. ☹ »

Je ne lui ai pas répondu, mais j'aurais voulu taper : Princesse, tu ne te rends pas compte que tu joues avec le feu.

Cela fait une journée depuis son dernier texto. Je n'arrête pas de le sortir pour le regarder et tenter de lui dire de m'oublier : Princesse, je vais me servir de toi, abuser de toi, et te jeter quand j'aurai fini parce que c'est ce que je fais toujours.

Parfois, je me dis que si j'étais resté une nuit de plus, peut-être même un coup de plus, elle ne m'obséderait pas autant. Mais elle a une bouche faite pour sucer, des lèvres épaisses, charnues et une langue incroyablement gourmande. Putain, je n'arrête pas de me masturber parce que la simple pensée d'elle qui me suce me fait bander. Mais, même si elle m'avait sucé toute la nuit, je suis sûr que je crèverais encore d'envie de pousser sa tête vers le bas pour lui donner plus de moi, la faire me manger, jusqu'à la dernière goutte.

Le fait que je sois énervé parce que notre nuit ensemble s'est terminée trop tôt, que je voudrais vraiment être resté allongé dans ce lit quelques heures de plus et voir comment c'était de la tenir dans mes bras pendant un moment, m'embrouille encore plus.

J'appelle Tina depuis mon autre téléphone. Tina Glass, alias Miss Kitty. Elle est ce qu'il y a de mieux pour serrer un homme. Elle est propre, jolie, et mortelle.

— Mes hommes t'ont appelée ?

— Absolument, ronronne-t-elle.

J'enfile mes gants en lui parlant.

– Je veux que les preuves me soient remises en main propre.

– Avec un plaisir absolu. Je prendrai contact quand ce sera fait.

Je raccroche et lis à nouveau le message de Mélanie. *Mais jette-le, petite mauviette.*

Elle est un point sensible, et je suis moi… Est-ce que je peux vraiment me permettre d'avoir un point sensible ? Est-ce que j'ai besoin de me réveiller en pleine nuit avec la trique ? Je suis un homme de vingt-cinq ans, avec un tas de putes endormies autour de moi, si proches que je pourrais trébucher sur une ou deux en ouvrant la porte. Alors ces yeux verts comme une forêt, cette chatte serrée autour de ma queue… et ces bruits qu'elle fait… Est-ce que je dois vraiment me torturer, me souvenir comme c'était bon, comme son odeur était propre et douce ?

– Ça ne peut pas arriver, je murmure en direction de mon portable.

Le sang tourne dans mes veines quand je pense à quel point c'était stupide de croire que je pourrais avoir une nuit, juste une nuit, comme le font les hommes normaux.

– Ça ne peut pas se reproduire, me dis-je à moi-même.

J'ai un travail à faire. Je SUIS mon travail. La vie de ma mère pourrait être en danger, et celle de tous ceux qui sont en contact avec moi. Mon père peut prendre tout ce à quoi je m'intéresse, en un instant. Simplement pour prouver qu'il en est capable. Pour essayer de me posséder. Peu importe si je veux couvrir ma princesse de bijoux quand elle est allongée près de moi, en sueur et rassasiée. Peu importe si je veux revenir en arrière et voir ses yeux s'assombrir quand je la remplis, encore et encore. Ce que je veux n'a aucune importance. Il y a uniquement ce que je dois faire.

Je retire rapidement l'arrière du téléphone.

– *Ça ne peut pas t'arriver.*

Je commence à le démonter.

– *Ça peut arriver à n'importe qui, mais pas à toi. Peu importe avec qui elle terminera, il y a 99,9 % de chances qu'il soit mieux que toi.*

Je retire la batterie de mon portable permanent, enlève la carte SIM, défais les branchements, jusqu'à avoir une dizaine de pièces dans la main pour être sûr que je ne recevrai plus aucun message d'elle et qu'elle n'entendra plus jamais parler de moi. Jusqu'à ce que je vienne collecter pour l'Underground.

6

BIENTÔT SIX
Mélanie

Cinq jours après Greyson…

— Alors, il ne fait plus partie du paysage ? me demande aujourd'hui Pandora, alors que j'organise le fichier PDF pour un de mes clients.

J'enfouis mon visage dans mes mains. Pendant une seconde, j'ai envie de faire comme si Pandora n'était pas là, à respirer dans mon dos, avec son inquiétude énervée qui forme un petit nuage plein d'éclairs au-dessus de nos têtes.

Cinq jours. Cinq longs, terribles jours durant lesquels tous mes espoirs se sont réduits à néant, tous mes fantasmes se sont effacés, toutes mes attentes ont disparu.

Et voilà Pandora, inquiète et en colère pour moi, sûrement trop heureuse d'avoir une bonne excuse pour être une salope aujourd'hui.

— Oui, je finis par grincer. Il est sorti du paysage. J'espère que tu es contente.

Je sors mon portable juste pour lui montrer à quel point il est vide. Elle regarde l'écran désert, grogne, secoue la tête et se pose sur sa chaise.

— Salaud, dit-elle.

— Pauvre con.

— Connard.

— Salaud !

– J'ai déjà dit celui-là, me fait-elle remarquer.

La déception s'accumule d'heure en heure, et une nouvelle vague s'abat sur moi quand je range mon téléphone. Je n'avais jamais aussi mal jugé une situation que celle-ci. Nous sommes officiellement vendredi. Si le mec voulait un rendez-vous, tu peux parier qu'il m'aurait appelée avant aujourd'hui.

Je suis tellement blessée et je ne comprends même pas pourquoi j'ai si mal. Peut-être parce que j'ai cru qu'il était différent, et qu'il s'est révélé être exactement ce que disait Pandora. Je déteste tellement quand elle a raison. Je déteste particulièrement qu'elle ait raison aujourd'hui.

Heureusement elle s'est tranquillement assise à son bureau et que je n'entends pas de «*je te l'avais bien dit*». Si elle dit ne serait-ce qu'un seul mot, je vais la taper aussi fort que je voudrais me frapper moi-même pour avoir été si bête.

– J'en ai complètement fini avec les mecs, j'explose, trouvant le silence de Pandora finalement agaçant. Je n'ai pas besoin d'eux pour être heureuse. Je vais prendre un chien. Merde ! Je viens de me rappeler que je ne peux même plus me permettre le luxe d'avoir un petit chien.

– Arrête d'acheter des chaussures, chantonne-t-elle.

Je soupire, parce que je ne vais pas lui expliquer que je dois beaucoup plus qu'une paire de chaussures, et je clique sur le moteur de recherche pour retrouver l'annonce de ma voiture. Une photo de ma Mustang apparaît devant mes yeux, avec un nombre rouge vif au-dessus et un grand panneau À VENDRE. C'est tout ce que j'ai, et ce n'est toujours pas assez pour rembourser ce que je dois. Elle est comme moi. Toutes les deux, nous ne suffisons pas.

Pour la première fois en une semaine, la réalité s'écrase sur moi. Violemment. Je n'ai plus d'adorables yeux noisette avec des touches de vert pour me donner espoir et optimisme. Je n'ai plus de textos à attendre. J'ai une voiture à vendre, une dette à rembourser, et beaucoup de tristesse à gérer.

Ma grand-mère, avant de nous quitter, disait toujours que le meilleur moyen de se sentir mieux était de se concentrer sur quelqu'un d'autre et d'être gentil avec lui, parce qu'on n'est jamais le seul à avoir des problèmes.

Je regarde Pandora, je pense à toutes les fois où on l'a traitée de connasse dans ce bureau, je tends la main pour prendre une mèche de ses cheveux noirs, et je dis :

– Tous ces cheveux noirs, c'est tellement terne. Tu devrais faire du changement aussi, ajouter une mèche rose à tout ce charbon ?

– Je t'emmerde, je déteste le rose.

Je lève les yeux au ciel pour dire « *OK Mamie, j'ai essayé !* » et je reviens à mon ordinateur pour observer ma voiture. Je ne sais pas qui a fait sécher ma voiture pendant que Greyson me séchait, moi, mais il a fait du bon boulot ! *Cerveau, s'il te plaît concentre-toi sur la Mustang.*

Cela m'a pris une journée entière pour avoir les images parfaites, j'ai attendu que le soleil tombe sur la voiture à un angle parfait. C'est tellement beau que j'ai du mal à croire que personne ne m'ait appelée depuis plusieurs jours. Et si personne n'appelle ? Le stress commence à monter, comme une bonne grosse baleine qui m'étouffe, quand Pandora se retourne dans son fauteuil pour me faire face.

– Allez, *bitch*, parle-moi ! crie-t-elle. Qu'est-ce qui t'a fait croire qu'il serait différent de ceux sur qui tu tombes à chaque fois ? Ta voiture ne démarre pas et il conduit pour toi, vous allez dans un hôtel. Qu'est-ce que tu sais de lui mis à part qu'il te baise à en perdre la tête et que tu n'es plus la Mélanie que je connais ? Où est le sourire, où est l'étincelle ? Tu es comme moi et je n'aime pas ça.

Je lève les bras en l'air.

– Il a dit qu'il m'appellerait… Il a fait demi-tour pour me ramener chez moi et je me suis imaginé des choses, c'était une erreur, d'accord, c'est ma faute. De l'avoir cru. D'avoir cru qu'il était différent ou qu'on avait une sorte de… connexion. Mon Dieu je suis tellement nulle, mais j'imagine que ce n'est pas un scoop pour toi.

– Qu'il aille se faire foutre, Mélanie.

– C'est déjà fait. Maintenant on arrête de parler de lui. Je vais commander un tee-shirt qui dit JE SUIS GÉNIALE, LES MECS SONT NULS. Il faut que je change mes exigences. Il faudra qu'ils fassent leurs preuves pour que je leur donne leur chance. Allons voir Brooke aujourd'hui.

Le bébé de Brooke est né prématuré il y a un mois, à New York. Comme son mari boxeur est en congés, ils sont à Seattle pour organiser un petit mariage à l'église. Pandora attrape son sac à dos et nous nous préparons à finir notre journée.

– Tu as remarqué comment le papa porte le bébé ? Genre, sa tête faisait la moitié du biceps de Remy, dit-elle.

Mon Dieu. J'espère que je supporterai de voir les regards et les sourires que Remington Tate lance à Brooke, avec ses fossettes et ses yeux bleus aimants.

– Au fait, j'ai demandé à Kyle de venir au mariage avec moi. Je veux juste en finir avec mes parents qui pensent que je suis lesbienne, tu vois ? me dit-elle dans l'ascenseur.

– C'est vrai ? je demande, me sentant soudain très mal. Super. Je tiendrai la chandelle alors.

7

MARQUÉ À VIE
Greyson

C'est toujours le même rêve. Cela ne change jamais. Toujours le même nombre d'hommes. Il est toujours 16 h 12. Je viens de descendre du bus. Il y a une file de voitures dans l'allée.

Les mots de ma mère résonnent toujours aussi fort dans ma tête : *Un jour il nous trouvera, Greyson. Il voudra te prendre avec lui. Je ne le laisserai pas faire*, je promettais.

Mais à ce moment-là, je sais qu'il nous a trouvés. Le père que je ne connais pas. Celui auquel ma mère ne voulait pas que je ressemble.

Je tire la bretelle de mon sac de mon épaule et la serre dans mon poing, prêt à assommer quelqu'un avec cinquante kilos de devoirs et de livres.

Dix hommes sont dans le salon. Seul l'un d'entre eux est assis, et je comprend que c'est lui lorsque le sang coule plus vite dans mes veines. Ce n'est que du sang, mais tout mon être le reconnaît, bien que je ne l'aie jamais vu. Il n'a pas les mêmes yeux que moi, mais j'ai ses sourcils, longs et fins et perpétuellement froncés. J'ai son nez droit, son air sombre. Il me voit et un défilé d'émotions se bouscule sur son visage, plus d'émotion que je ne lui permets de voir dans mes yeux. Il s'exclame :

– Mon Dieu.

C'est alors que je vois ma mère. Elle est aussi assise dans l'une des chaises, ses cheveux dorés emmêlés, les chevilles attachées, les bras tirés dans son dos. Elle tremble, elle est bâillonnée avec un bandana rouge et essaie de me parler, mais ses mots sont étouffés par le tissu.

– Qu'est-ce que vous lui faites ? Laissez-la partir !

– Lana, dit mon père sans me prêter attention, désormais concentré sur ma mère. Lana, Lana, comment as-tu pu ?

Il la regarde, les yeux emplis de larmes. Mais pour chaque larme que verse mon père, ma mère en verse une dizaine, un vrai fleuve.

– Laissez-la partir ! je supplie, en soulevant mon sac à dos pour le lui jeter dessus.

– Pose ça… On va le faire.

Ma première erreur a été de l'écouter. Je pose mon sac. Mon père s'agenouille devant moi et me tend une arme noire, puis il parle tout bas pour que je sois le seul à l'entendre.

– Tu vois ça ? C'est un SSG avec un silencieux, pour que personne ne l'entende. Il n'y a pas de sécurité, il est prêt à l'emploi. Tire sur un de ces hommes, n'importe lequel, et j'épargnerai ta mère.

Elle pleure beaucoup, secoue la tête, mais un homme chauve et dégoûtant, derrière elle, retient sa nuque. Je m'éloigne de mon sac mais il reste près de moi, assez près pour donner un coup de pied dedans comme un ballon de foot. Je fais du foot, et je pourrais l'envoyer voler à travers la pièce. Mais vers qui ? Et si je frappe ma mère ?

J'observe l'arme et me demande combien il y a de balles, pas assez pour tous les hommes, mais assez pour celui qui la tient. Je la prends, surpris de voir que ma main ne tremble pas. Elle est lourde mais je n'ai pas peur, j'ai seulement besoin de libérer ma mère.

Je regarde celui qui maintient sa nuque. Ses yeux qui pleurent.

Un jour il nous trouvera, Greyson…

Je vise le plus loin possible d'elle, sur la plus grande partie du corps de l'homme. Je tire. Un trou net et noir apparaît sur son front. L'homme tombe.

Ma mère crie derrière son bâillon et pleure de plus en plus, en remuant en l'air ses jambes attachées. Mon père prend l'arme de mes mains avec un regard émerveillé et me tapote la tête.

D'autres hommes mettent ma mère debout et la traînent jusqu'à l'escalier du garage.

– Qu'est-ce que vous faites ? Où est-ce que vous l'emmenez ?

Je prends mon sac et le lance sur l'un des hommes. Un autre arrive, m'attrape, et serre mon bras tout en parlant et crachant dans mon oreille.

– Fiston, écoute-moi, ils ont passé un accord, elle t'a perdu. Elle t'a perdu !

– Elle ne me perdrait jamais. Maman !

Je prends un couteau sur sa ceinture, l'enfonce dans son œil et le tourne. Il me lâche avec un hurlement et un flot de sang, je cours dans l'escalier en entendant une voiture démarrer.

Mon père m'attrape. Me donne une gifle. Puis pointe le pistolet sur moi. Il sourit quand j'arrête de bouger.

– Greyson, mon fils, même tes instincts t'ont dit de ne plus bouger. Tu sais ce que cela fait de tuer un homme. Tu ne vas pas mourir. Si tu meurs, tu ne peux pas la sauver. N'est-ce pas ?

Tout mon corps est paralysé. Il me sourit gentiment et me fait un câlin, tout en gardant l'arme contre ma tempe.

– Je savais que tu étais mon fils. Je l'ai dit à ta mère, que ce n'était pas gentil de m'empêcher de te voir. Treize ans, Greyson. Treize ans passés à te chercher. Elle répétait que tu n'étais pas mon fils. Je lui ai dit que si tu montrais que tu avais mon sang en toi, tu repartirais avec ton père, là où tu dois être.

Il se recule un peu et me regarde avec fierté.

– Je t'ai donné le choix de tuer un homme.

Il regarde en haut de l'escalier, où je sais qu'un corps gît par terre. Un corps qui ne bougera plus à cause de moi.

– Tu l'as tué. Une balle en pleine tête. Tu es mon fils, des pieds à la tête ; tu seras puissant et craint.

Sa voix me glace. Je ne ressens rien quand nous remontons et que je vois le cadavre, pas de remords, rien. J'ai encore envie de tuer, tuer tous ceux qui font du mal à ma mère.

– Où est-elle ? je demande d'une voix étrange.

J'ai tué quelqu'un d'autre en même temps que cet homme… moi.

– Elle va être emmenée ailleurs. Parce que les vrais hommes ne sont pas élevés par des femmes, tu m'entends ? Mon fils ne sera pas élevé par une femme. Pas sans son père. Non, tu seras comme moi.

Je regarde la voiture sortir du garage, emportant ma mère avec elle. Le regard dans ses yeux quand j'ai tiré sur cet homme. Une panique froide que je n'ai jamais ressentie me pique et se répand en moi. Je veux que ma mère m'explique ce que j'ai fait, pourquoi c'était mal, pourquoi c'était mal alors que c'était pour elle. Pourquoi on l'enlève. Tout à coup mon visage est mouillé, et je reçois une seconde gifle, qui me propulse à travers la pièce et contre le mur.

– Pas de ça, garçon ! Jamais. Tu vois cet homme ? Mon père me montre l'homme qui recouvre l'œil que j'ai poignardé, avec du sang sur sa chemise et son jean. C'est ton oncle, Greyson. Oncle Éric. C'est mon frère, c'est notre famille. Nous sommes ta famille. Excuse-toi pour ce que tu lui as fait. Si tu es sage et que je suis content de toi, je te laisserai voir ta mère. Nous la garderons vivante juste pour toi. Elle était ma famille aussi, et je prends soin de ma famille, mais elle n'aurait pas dû me trahir. Elle n'aurait jamais dû te prendre.

Cela m'a pris très peu de temps pour comprendre comment fonctionnait cette famille. Très peu de temps pour comprendre que mon père n'utilisait que des « nouveaux arrivants » pour ses bouffonneries. Le mec que j'ai tué, debout derrière ma mère comme un mannequin, travaillait pour lui depuis trois jours quand mon père a chuchoté son défi à mon oreille tout en attendant et en espérant que je me montrerais assez Slater pour faire ma première mise à mort.

Après de nombreux cauchemars, j'ai supposé que ma mère essayait de me dire de ne pas tirer. Si je n'avais pas été aussi décidé à la défendre, si je m'étais montré faible, elle serait avec moi. Je serais resté à l'école, considéré comme impropre à faire partie de cette famille. Mais j'ai joué le jeu de mon père et, au lieu de la sauver, je nous ai condamnés tous les deux pour le reste de notre vie. Je lui ai montré que j'avais treize ans et que oui… j'étais prêt à tuer, même à le tuer lui, pour ma mère.

J'étais bon. Je me suis entraîné. J'ai ravalé toutes les émotions en moi. Je suis devenu rien. Zéro. Et je suis parti quand toutes les promesses de la revoir se sont révélées n'être rien d'autre que du vent… J'ai suivi toutes les pistes, et je n'ai rien trouvé. Dans ce grand monde, avec toutes mes compétences, je ne sais toujours pas où elle est.

Un bruit dans ma chambre filtre jusque dans mon rêve. Je me réveille immédiatement et bouge par réflexe, en plongeant la main sous mon oreiller pour trouver mon couteau. Rapide comme l'éclair, je me retourne et l'envoie voler, et il heurte la porte à un cheveu de la tête de l'intrus.

– Zéro ? dit une voix inquiète dans le noir.

Mon flingue est armé et pointé sur lui avant que Harley ne finisse de prononcer mon nom. Puis je soupire.

– Ne fais plus jamais ça.

Je me lève et allume la lampe. Je retourne à ma liste. J'ai hâte d'en avoir fini. Tellement de noms. Tellement. Je ne supporte même pas de regarder le sien, juste là, à côté du chiffre cinq.

– Ton père veut te voir. Il veut savoir où en est la situation.

Mon père a des horaires des plus étranges. La saison n'a toujours pas commencé. Tout le monde dort. Les médicaments et la morphine qu'ils lui donnent le font dormir toute la journée, et il ne se réveille que brièvement pendant la nuit. Je prends la liste avec moi et passe mes jambes dans mon pantalon alors que Harley m'attend.

Il a un sourire en coin.

— Elle va te plaire, celle-là.

— Pardon ?

— Numéro cinq, il continue. Ton doigt… il est sur le numéro cinq.

Je pousse mon doigt et mon cœur se met à tambouriner ; saisi d'une soudaine envie de l'étrangler, je plie la feuille en un petit rouleau serré.

Il ne l'a pas attaquée, mais le fait que son nom soit sur ma liste me dérange. Le fait que tous les gars sachent qu'elle nous doit de l'argent. Wyatt, Harley, Thomas, Léon, C.C., Zedd, Éric, mon père…

Je pense à elle, féminine et vulnérable, exposée à ces connards, et des choses se déroulent en moi, comme des cobras qui sortent d'un panier. Elle est la seule à me faire sentir cela. Comme si j'hébergeais un ouragan meurtrier et qu'il ne pouvait pas sortir. Hier soir, avant d'aller me coucher, je me suis dit que j'utiliserais le peu d'honneur qu'il me restait pour protéger cette fille de moi. Je me suis dit : *Elle ne veut pas de toi. Pas du vrai toi. Elle veut un prince, et tu es le méchant. Tu es celui pour qui elle fait des heures supp'. Toi, ton père.* Je ne veux pas me souvenir de son odeur d'été ni de sa façon de se glisser dans le lit. Chaude. Sexy. Vraie. Mélanie. Numéro cinq sur ma liste.

— Cette fille. Elle est venue demander plus de temps pour déposer le paiement, dit Harley, ce qui a déplacé son nom presque en bas de la liste maintenant. Elle a demandé à rallonger le délai. Léon lui a dit qu'elle pouvait avoir un rallongement de sa bite et que tout serait pardonné. Si elle ne paie pas, on se cotise tous pour avoir une chance de la baiser.

Je respire fort. Non. Ça ne me calme pas. Il n'y a juste pas moyen que quelqu'un d'autre la touche. PAS moyen.

– Vas-y. Je vais parler à mon père dans une minute, je lance sombrement, mes yeux rivés sur les siens.

Je me glisse dans un tee-shirt et attends qu'il parte. Ce qu'il m'a dit m'a tellement foutu en l'air que je prends mon couteau et le lance à travers la pièce, sur ma cible. Je le fais plusieurs fois… Je ne quitterai pas la chambre tant que je n'aurai pas frappé au milieu douze fois de suite, ce qui voudra dire que je suis à nouveau calme. Je pourrais sûrement reprocher à ma queue de me rendre aussi possessif. C'est vrai que partager n'a jamais été mon truc. Je pourrais mettre aussi cet accès de colère sur le dos d'un prétendu sens de la justice ; je n'ai jamais trouvé cela juste que quelqu'un de fort profite d'un plus faible. De la lâcheté pure. Mais ce n'est pas cela non plus.

Je me demande qui la ramène chez elle. La mâchoire serrée, je lance mon couteau et touche le milieu de la cible.

***

– Fils, dit Julian, avec des yeux qui s'animent quand il me voit.

J'entends le bip de son moniteur cardiaque et je remarque qu'à sa droite Éric remonte les manches de sa chemise.

– Quoi de neuf ?

Je me tourne vers Éric, les bras croisés, et j'observe le trio d'infirmières qui les entoure. Éric, je lui dois ma vie, ici, dans cette famille bizarre et merdique.

– Il a besoin de plaquettes, explique-t-il.

Je ne suis pas capable de regarder et de laisser faire, et je me déteste. Je déteste qu'un certain sens du devoir, de loyauté envers ma famille, me fasse remonter ma manche et exposer mes veines.

– Je vais le faire.

Mon père lève la main quand je m'assois près de lui.

– Non. Si tu te fais choper après, tu vas te vider de ton sang. Pas toi.

Il regarde Éric et lui fait un signe de la main pour lui dire de continuer.

Éric attend mon approbation, et je la lui donne en acquiesçant. J'ai toujours pris ses mots… j'allais dire à cœur, mais je n'en ai pas. Mais je l'ai respecté durant toutes ces années. Alors que mon père refuse de montrer quoi que ce soit qui pourrait faire penser à de la faiblesse, Éric, une fois ou deux, m'a donné une tape dans le dos et m'a appelé fiston. Mais oncle aimant ou pas, le karma est une pute, et il me doit d'être borgne. Pour la famille de mon père, œil pour œil n'est pas seulement une devise, c'est tamponné sur chaque acte de naissance.

– Cette liste, dis-je à mon père en la dépliant dans ma main, regardant d'abord Éric puis mon père, avec une menace nette et froide dans ma voix. Je veux ta parole, et par conséquent la parole de tous les hommes que tu diriges, que personne ne touchera aucune de mes cibles. C'est à moi de m'occuper de chacun de ces noms comme je l'entends. Je garantis le montant dû. Je veux une garantie pour mes méthodes.

Éric regarde la liste et son œil unique se fixe sur le numéro cinq. Mélanie. Il veut une chance de la baiser ? Ils la veulent tous. Je la veux. J'ai envie de le choper et de lui dire que ce petit bout de paradis est à moi. Mais je ne peux pas faire ça car j'aurais l'air faible. Je ne peux pas directement payer pour retirer son nom de la liste sans la mettre en danger, et cela ne viendra pas seulement de mon père. Elle pourrait devenir la cible de tous mes ennemis, connus ou inconnus.

– Cette liste, et chaque nom qu'elle comporte, c'est à moi de la gérer, je répète sur le même ton. Je suis le seul à prendre contact, à réceptionner le paiement et à le diriger, comme je l'entends.

– À condition qu'Éric soit informé de l'évolution quotidiennement quand il me tient compagnie ici, oui, dit mon père.

– Ta parole, j'insiste.

– Tellement têtu, Zéro.

Il me claque, assez fort pour faire du bruit, mais pas assez pour faire bouger un seul de mes muscles, et je ris.

– Je te donne ma parole.

Rien que sa parole devrait me suffire, mais les mots, le sang, le jour où je croirai quelque chose sans réserve n'arrivera jamais. Il pourrait mentir. Alors je me penche et pose ma main sur son épaule, jouant le rôle du fils aimant pour les infirmières à côté de moi, et je murmure :

– Si l'un d'entre eux fait un pas de côté, je le fais disparaître. Y compris mon frère.

Une fois encore, je vois du respect dans ses yeux quand je recule et qu'il hoche la tête, sans montrer aucune expression, alors que je me redresse. Je jette un regard à Éric.

– Merci.

Tandis que je retourne vers ma chambre, je sens un bourdonnement, de ceux que l'on ressent lorsque l'on chasse. Ou que l'on tue. Ou que l'on en a envie. Je ne voudrais pas avoir affaire à moi ce soir. Cette histoire de Mélanie qui vient supplier l'Underground pour un délai ? Cela m'a rendu électrique. Je suis chargé d'un instinct de protection féroce que je n'avais jamais connu, et il fait battre des records à mon niveau d'adrénaline.

Je prends quelques téléphones neufs, échange des cartes SIM, puis je réserve mon billet en ligne et je prépare des affaires. Le bourdonnement en moi se transforme en quelque chose de dangereux… Pas mortel, mais dangereux, pas seulement pour moi, mais pour elle aussi.

Pendant que je la regardais ces derniers mois, il m'est arrivé quelque chose. *J'ai trop envie de toi, douce princesse.* Elle m'a atteint, je l'ai dans la peau, dans la tête, c'est comme si elle coulait dans mon sang. Je ne devrais pas l'avoir. Elle mérite mieux. Mieux que n'importe quel mec que je connais, et certainement mieux que moi.

Mais la laisser se balader, célibataire et disponible ? Quand je pourrais m'assurer que le lit dans lequel elle dort est le mien ? Quand je pourrais tenir ce visage dans ma main et regarder ces yeux pour savoir, aussi sûrement que je respire, qu'elle me veut aussi ?

J'épuise la liste de bas en haut, au lieu de le faire dans l'ordre. Mais je suis bloqué car je ne veux pas aller collecter chez elle. Je suis bloqué parce qu'elle est une petite explosion de vie, et je ne veux pas débarquer comme une apocalypse et la recouvrir de ma noirceur.

Je ne veux pas me souvenir d'il y a un mois, quand je l'ai vue renverser son café sur le chemin du bureau, comme elle avait l'air dévastée parce qu'elle avait taché son écharpe et ruiné toute sa tenue. Depuis l'autre côté de la rue, où je me cachais derrière mon journal, je l'ai entendue se plaindre qu'elle préférerait être virée qu'arriver au travail avec seulement deux couleurs ! *Un look terne ! On ne peut pas rencontrer un client comme cela !*

Mon Dieu, ce que j'ai ri. J'ai ri et je souriais encore en pensant à elle, petite chose passionnée, sur mon vol pour revenir là où mon équipe était stationnée ; je cachais mon sourire derrière ma main et regardais par le hublot.

Je l'ai suivie dès le moment où j'ai vu son nom sur la liste et que j'ai posé les yeux sur elle. Je l'ai fait sous prétexte de découvrir ses habitudes, ses points faibles, la cerner pour savoir comment récupérer l'argent, mais en vérité je suis un connard tordu, obsédé comme un chien par sa démarche, par les couleurs qu'elle porte, par ses sourires, par l'ensemble adorable et pétillant qu'elle constitue.

Avant de la rencontrer, j'avais deux émotions dans la vie : la colère et l'indifférence. Maintenant, elle m'en a donné dix de plus. Désir, frustration, inquiétude,... même de la joie. Je veux que ces yeux verts me mémorisent, comme je me suis fait une religion de la mémoriser.

J'attrape mon manteau, le portable en pièces détachées dans un sac plastique, et la puce. Je le remonte pendant que Derek me conduit à l'aéroport. Le téléphone s'allume dans ma main, et mon ventre se réchauffe quand je tape un message pour elle, enfin :

Sois chez toi ce soir.

8

MESSAGE
Mélanie

Samedi matin, comme le dicte notre petite routine confortable, je retrouve mes parents pour le petit déjeuner, lavés, parfaits et souriants. Maria, leur cuisinière, fait le meilleur petit déj de la ville, et cela me rend heureuse de manger chez eux parce que la table est toujours recouverte d'une nappe, de couverts, et la nourriture est disposée si parfaitement que l'on se régale avec les yeux avant même de se servir.

– Lanie ! dit ma mère lorsque j'entre. Ton père et moi parlions justement du mariage de Brooke. Quand est-ce que tu as dit que c'était, déjà ?

– Dans moins d'un mois.

Je lui fais un bisou sur la joue et fais un câlin à mon père, grand et beau.

– Salut Papa, tu es beau aujourd'hui.

– Tu vois ? Elle a remarqué que je m'étais coupé les cheveux, pas comme toi, dit-il à ma mère en pointant une fourchette vers elle.

– Tu n'as presque pas de cheveux, comment est-ce que je suis censée le remarquer ? Alors, parle-nous du mariage. Je n'arrive toujours pas à croire qu'elle se marie avant toi. Tu as toujours été plus jolie et tellement plus vivante, dit ma mère en serrant ma main alors que je m'assois.

– Je suis sûre que son fiancé ne serait pas d'accord, je réplique.

Je déteste quand ma mère critique Brooke simplement pour que je me sente mieux. Je ne me sens pas mieux mais elle si ; elle cherche des excuses pour savoir pourquoi un gars sympa ne voudrait pas de moi. Parfois, je pense que son propre désespoir de me voir heureuse et mariée fait sortir notre bon vieux Murphy pour appliquer sa loi ; plus elle le voudra, moins ça arrivera. Pauvre de moi.

– Ça n'explique toujours pas pourquoi aucun homme convenable ne voit que ma petite fille est la meilleure. Tu es en forme, tu as un beau sourire, et tu es gentille tout comme ta maman.

– Merci, Papa. Je suis sûre que mon statut de célibataire vient du fait que tous les hommes sont des connards mis à part toi.

– Lanie ! me gronde ma mère, mais elle ne me réprimande pas vraiment, elle rit doucement.

– Eh bien, le fils d'Ulysse se présente comme sénateur et il demande toujours de tes nouvelles. Il n'a pas inventé l'eau chaude, mais il est mignon et…

– Il est gay. Il veut un alibi, Papa. Un mariage arrangé pour berner ses électeurs. Je peux trouver mieux de mon côté.

– Quand j'avais vingt-cinq ans… commence ma mère.

– Tu étais mariée et j'étais déjà née, ouais, ouais. Mais j'ai une carrière. Et j'ai… une vie sentimentale bien remplie. En fait, je vois tellement de gens que je ne sais pas qui choisir pour aller au mariage de Brooke, j'exagère.

Mon père et ma mère, qu'est-ce que je peux bien leur dire ? Je les aime. J'aime leur faire plaisir. Ils m'ont aimée toute ma vie. J'ai été couverte d'amour. Non seulement ils m'aiment, mais ils veulent que je trouve le genre d'amour qu'ils partagent. Je ne veux pas qu'ils suspectent un jour ce que je suspecte déjà… que ça ne va pas m'arriver.

– Souviens-toi simplement de ce que je t'ai dit, chérie, dit ma mère. Choisis l'homme qui te traite le mieux. Celui qui ne te brisera pas le cœur, qui pourra être ton ami, à qui tu peux parler.

Je joue avec mon pain perdu.

– Tu dis ça parce que Papa était ton meilleur ami. Moi, ma meilleure amie est une femme, et je ne me marierai jamais avec mon ami le plus proche, Kyle. Jamais.

Je frissonne en nous imaginant, moi et mon meilleur ami, sosie sexy de Justin Timberlake, ne serait-ce que nous embrasser. Je continue à jouer avec ma nourriture et j'ajoute, d'une voix plus douce :

– Je ne crois pas que l'on puisse prévoir ces choses-là, Maman. Je pense que ça arrive d'un coup, en un instant ; tu es au bord du ring et tu rencontres l'homme que tu vas épouser quand il te fait un clin d'œil. Ou tu te retrouves debout sous la pluie, et tu pries pour que le sentiment qui s'est abattu sur toi ait aussi traversé l'homme en face de toi.

Je regarde mon téléphone avec mélancolie. Mon Dieu, je suis stupide, stupide, STUPIDE ! La seule chose qui a traversé cet homme était du désir, et maintenant il est victime du syndrome Fuyons-Mélanie. Un syndrome bien plus fréquent qu'on ne le croit.

– C'est vrai, tu ne peux pas prévoir pour qui tu vas craquer, admet ma mère. Mais si tu prends un peu de recul et que tu t'écoutes réfléchir, tu comprendras que tu ne veux pas être sous la pluie, frappée par la foudre. Choisis toujours le chemin éclairé par le soleil, disait ma maman.

– Évidemment. Personne ne choisit volontairement une vie pourrie, Maman, je grogne. Certaines personnes ont juste plus de chance que d'autres.

– Tout est dans la sagesse de tes choix, insiste-t-elle.

Je me tais et me demande si je n'aurais pas pu être plus sage il y a quelques mois, quand j'ai parié ma vie sur une nuit précise, un moment précis, un résultat précis. Je jette un coup d'œil à mes parents. Si mignons et si parfaits, dans notre petite bulle de bonheur, je ne pourrais pas supporter de leur demander de l'argent. Les décevoir à ce point. Comment est-ce que je pourrais prendre leur argent et leur fierté, sachant à quel point ils se sont battus pour me garder en vie ?

***

En rentrant chez moi, je suis triste. Je suis triste à cause de ma dette et à cause de mon homme. Je me brosse les dents en regardant le mur blanc, et je fais la grimace.

– Salaud, je marmonne. Tu as gâché toute ma semaine, gros con. Je parie qu'en ce moment même tu baises une blondasse à triple D et ses triplées en même temps, hein ? Tu ne me l'as pas seulement fait à l'envers, tu me l'as fait dans tous les sens, menteur, avec tes répliques à la « *je t'emmènerai voir un film* ». Je jure que tout allait bien jusqu'à ce que tu reviennes comme si tu me comprenais, même si j'étais paumée avec une gueule de bois. Merde, j'y crois pas moi-même !

Je donne un coup de pied dans la baignoire comme si c'était sa faute, et je hurle de douleur. Renfrognée, je vais dans ma chambre, prends mon pyjama, passe par la cuisine pour prendre de la glace, pousse mon DVD de *Princess Bride* dans le lecteur et allume la télé. Un kilo de graisse et c'est parti. Je me laisse tomber et une vibration traverse le canapé. Je fronce les sourcils et cherche mon téléphone à tâtons. Je le trouve bien enfoncé entre deux coussins du canapé, le sors et le pose pour prendre une cuillerée de glace. Je manque de m'étouffer avec quand je lis un message que je n'avais pas remarqué.

Sois chez toi ce soir.

Quoi ? Mon estomac fait un bond. Je regarde qui m'a envoyé ce message et soudain, j'ai envie de jeter mon portable contre un mur. Greyson. Je lance un regard noir vers lui, le jette sur le canapé et

88

commence à faire les cent pas. Je ne vais pas lui répondre. Pourquoi est-ce que je répondrais ? Il n'avait pas l'air pressé de me parler avant, et maintenant il me donne des ordres ? Comme un roi tout-puissant ? Non merci. Pas besoin de second rencard.

Mais je vérifie et je vois qu'il a été envoyé il y a plusieurs heures. Je me dis que je ne vais pas répondre, que je vais attendre un million d'années, comme lui. Je repose le téléphone et prends une grosse cuillerée de glace dans ma bouche, la laisse fondre sur ma langue, mais mon estomac gargouille et je n'arrive pas à regarder la télé, je ne fais que fixer l'écran de mon portable en suçant la cuillère. Puis j'enfonce la cuillère dans le pot et prends mon portable, ferme les yeux et commence à taper.

Moi : Je suis chez moi mais ça ne veut pas dire que je vais y rester. Ça dépend…

Greyson : De ?

La réponse arrive, et vite. Wow, est-ce qu'il attendait avec son téléphone dans la main pour répondre ? On dirait. J'attends une minute entière. En tremblant, j'écris : De qui vient me voir.

Je ne veux pas que cela sonne comme une invitation. Cela doit vouloir dire *«Je me tirerais vite fait d'ici si tu mets un pied dans mon immeuble»*. Mais sa réponse arrive à la vitesse de l'éclair et mon cœur tambourine alors que les lettres me fixent. Moi.

Merde ! Il faut que j'y aille. Il faut que je parte, je ne peux pas le voir ! Cela ne peut pas être aussi facile ! Il faut que je pose une limite. Il a déjà montré ce que notre nuit ensemble signifiait pour lui et je ne me laisserai plus rabaisser par lui ou par n'importe quel autre con.

Je devrais partir avant qu'il arrive ou, quand il sera là, crier à travers la porte sans même l'entrouvrir et lui dire que je ne suis PAS INTÉRESSÉE ! *Tu m'as plantée, tu n'as pas pris contact assez vite, je ne suis pas ton plan cul, je te souhaite une bonne vie !*

Ouais, c'est pas mal.

Je suis décidée et je vais fermer les stores du salon. Quand je jette un regard à travers la fenêtre en attrapant le cordon, je vois une voiture de sport noire se garer et un homme en noir sortir du siège conducteur. Il lève les yeux vers ma fenêtre et tous mes réflexes s'arrêtent quand nos yeux se croisent, s'accrochent, se reconnaissent. C'est le chaos à l'intérieur de mon corps. Une excitation étrange fait claquer mes genoux.

Merde, c'est vraiment lui. Qu'est-ce qu'il fait là ? Qu'est-ce qu'il veut ? Il entre dans l'immeuble et je me tourne vers la porte close, en panique parce que je ne me suis pas changée. Je suis en pyjama.

Je remarque le pot de crème glacée toujours dans ma main, je cours le remettre dans le congélateur, avec la cuillère toujours dedans. Je me mets à tourner en rond, j'essaie de penser à un nouveau plan, mais je suis incapable de trouver quoi que ce soit. Je songe à demander au gardien de l'empêcher d'entrer, mais j'entends le bruit de l'ascenseur et réalise qu'il a dû reconnaître cet enfoiré car il m'a raccompagnée la semaine dernière.

Je décide de ne pas repousser l'inévitable, et j'ouvre la porte quand il sort de l'ascenseur. Il me regarde droit dans les yeux et son regard me transperce, un trou en plein dans mon cerveau. Une de mes voisines passe avec son mari pour rentrer dans leur appartement.

– Oh, bonjour, Mélanie. Il fait un peu froid dehors.

Elle désigne mon short en soie blanche et mon caraco quasi transparent avec un air désapprobateur et continue sa route.

Greyson la suit et à trente centimètres du palier il remplit l'espace de muscles, de beauté et de testostérone et, mon Dieu, je le jure, il est aussi létal qu'une bombe nucléaire. Mes genoux, oh, mes genoux. Mon cœur. Mes yeux. Mon corps est à la fois aussi léger qu'une plume et aussi lourd qu'un tank. Comment est-ce possible ? Il est tellement éblouissant que je ne peux même pas bouger. Ou cligner des yeux, ou à peine rester debout ; je m'appuie contre l'encadrement de la porte.

Je suis parfaitement sobre. Je vais peut-être le regretter. Il n'est plus flouté par la pluie, la vodka, ni mes illusions de prince charmant. L'homme qui se tient devant ma porte est très réel, très grand, très bronzé, et son sourire est très, très charmant. Je ne trouve pas les mots pour décrire la façon dont il se tient, ses yeux sombres et scintillants, ses pommettes dures et sa mâchoire bien rasée, sa bouche si belle, malicieusement remontée aux extrémités. Son costume est parfait, un vrai play-boy, et ses cheveux en désordre sont parsemés de mèches cuivrées qui me donnent envie d'y passer les doigts. Et il est là, me regarde comme s'il attendait que je le laisse rentrer. Une image du matin où il m'a raccompagnée me revient. Quand je me sentais épuisée car il m'avait aimée toute la nuit. La petite marque que j'avais trouvée derrière mon oreille le lendemain matin.

Je m'accroche à tous mes instincts de survie, je n'ai ouvert la porte qu'à moitié lorsqu'il la prend dans une de ses grandes mains puissantes.

– Fais-moi entrer, dit-il doucement en la tenant fermement.

– Ma voiture n'a pas besoin de réparations, ça va, mais je te remercie de t'en soucier, dis-je en poussant la porte un peu plus fort.

Il l'ouvre et fait un grand pas pour entrer, et je suis frustrée par mon incapacité à le laisser dehors. Maintenant il est chez moi et ferme la porte comme si c'était son appartement, puis il l'inspecte avec des yeux plissés.

– Il y a une trappe pour la buanderie dans cet immeuble ?

– C'est tout ce que tu trouves à dire ?

Il traverse la pièce, finit de fermer le store, puis il fait une inspection incroyablement rapide de mon appartement en le balayant des yeux, un coup d'œil qui retourne mon ventre.

C'est comme s'il vérifiait qu'il n'y a pas d'autre homme ici. C'est impossible qu'il soit jaloux, non ?

Et maintenant… maintenant qu'il est sûr que nous sommes seuls, il s'avance vers moi en regardant ma bouche, et je recule car tous mes instincts de protection me disent de m'éloigner.

– Tu es là. Pourquoi est-ce que tu es là, tout à coup ? Ton autre rencard a annulé à la dernière minute ? je demande.

– J'aimerais prévoir un rendez-vous avec toi. Ses sourcils descendent sur ses brillants yeux d'aigle. Tu es loin d'être aussi contente de me voir que je l'espérais.

– J'ai peut-être cru que tu étais une hallucination de l'alcool. J'ai peut-être espéré que ce soit le cas.

Je me cogne contre l'îlot de cuisine et il m'enferme dans ses bras, ses yeux sont presque désespérés et avides. Puis il prend mon visage dans sa main et pose sa bouche sur la mienne, comme s'il pensait – à tort – que je lui appartenais.

– Je ne suis pas, dit-il doucement avant de m'embrasser encore, si intensément que je perds le fil de mes pensées jusqu'à ce qu'il se remette à parler contre ma bouche. Une hallucination. Et si tu veux, je passerai toute la nuit à te rappeler ce que ça fait d'avoir ma langue et ma queue enfouies profondément en toi, et à quel point tu aimes ça.

Il se penche comme pour m'embrasser encore. Je détourne la tête et ma voix tremblote.

– Non, Greyson.

– Je n'aime pas ce mot, « non », grogne-t-il contre ma joue. Mais j'aime quand tu dis « Greyson ».

Il fait tourner ma tête du bout du doigt et me regarde comme s'il adorait voir à quoi je ressemble. Je soulève un de ses bras, il me laisse faire, et je m'éloigne à nouveau, je ne suis plus dans ses bras mais son regard ne me lâche pas. La première nuit, il était fixé sur mes yeux comme s'il ne pouvait pas regarder ailleurs, mais maintenant, il me voit tout entière. Je ne porte qu'un short et un caraco, mais mon corps commence à se réchauffer lorsque ses yeux m'examinent de haut en bas.

– Je t'ai donné une chance et tu as merdé, je souffle.

– J'en veux une deuxième.

Je secoue la tête, mais je ne peux pas empêcher les papillons de battre dans mon ventre. Soudain, mon appartement sent le cuir, la forêt, et ce putain de Greyson King se tient là, avec son allure, sa confiance en lui, son indépendance, sa présence qui demandent toute mon attention.

– Pourquoi est-ce que tu es là ?

Il montre la télé du doigt et je vois mon cher Westley, parfait, murmurer à Bouton d'or « Comme vous voudrez », puis il me regarde, et sourit comme s'il se souriait à lui-même.

– Tu regardes un film ?

– Non, tout de suite, là c'est toi que je regarde.

Il fait ce quasi sourire à la fois sexy et agaçant, puis s'assoit sur un fauteuil comme un roi éminent. Mes sourcils se froncent car il a réussi à faire rétrécir mon appartement par sa simple présence. Je sens des picotements dans mon ventre et m'assois sur le canapé. Westley est oublié, Bouton d'or aussi, tout est oublié sauf LUI. J'attends.

– Comment vas-tu ? demande-t-il, doucement, en me faisant un signe.

– À ton avis ? je demande d'un ton maussade.

– Tu as l'air très en forme, vue d'ici.

– Est-ce que tu fais toujours comme chez toi là où l'on ne veut pas de toi ?

Son petit rire court sur ma peau comme une plume, fait se lever les fins poils sur mes bras. Il s'adosse au fauteuil et croise les bras derrière sa tête, en me regardant avec des yeux calmes et entendus.

— Je suis venu pour te prouver que non, Mélanie, tu ne m'as pas imaginé.

L'association de son ton sensuel et de son regard perçant me dit « *nous savons tous les deux que tu veux que je sois là* » et tord mes orteils. Putain, ce qu'il m'excite.

— J'étais sur le point de manger une tonne de chocolat à cause de toi, je l'accuse.

Il se lève et vient poser son corps tout près du mien sur le canapé.

— Eh bien maintenant, tu as cent kilos de moi juste ici, avec toi.

— On ne va pas recoucher ensemble.

— Sachant que j'ai été en toi, tu peux au moins me laisser passer mes bras autour de toi pendant qu'on regarde… Qu'est-ce qu'on regarde ?

— *Princess Bride*. Mon film préféré de tous les temps.

— Ah.

Il étend son bras sur l'arrière du canapé, et mon cœur bat comme un fou.

— Bouton d'or est fiancée avec le prince Humperdinck mais son grand amour, Westley…

Ses lèvres remontent, et je me tais quand je remarque son l'air amusé. Secrètement amusé par… moi. C'est sexy. Et franchement, cela m'énerve. Je murmure :

— Tu es un play-boy. Je le sais.

— Tu ne sais rien de moi.

Je lève les yeux au ciel.

— Je connais ton nom. *Greyson*.

— Tu te moques de mon nom avec cette lueur infernale dans les yeux, comme si tu adorais ça, et ça me donne juste envie de te baiser jusqu'à ce que tu le gémisses.

Il tire mon visage contre le sien.

— À chaque fois que tu mens, je le sais, car j'ai appris à repérer les menteurs quand j'étais très jeune. Tu apprends cela quand ton père ment en permanence, dit-il, son souffle chaud sur mes lèvres allumant un feu dans mon ventre. Je pense à toi, Mélanie. Je vois ton visage sur toutes les femmes. J'ai pris l'avion juste pour te voir. La communication. Les relations. Ce ne sont pas des choses que je sais faire. J'ai d'autres attributs, bien meilleurs. Par exemple, je vois que je suis bon pour te faire haleter. Je vois que tes pupilles sont dilatées, que tu regardes ma bouche au lieu de ton film préféré, et cela me demande un effort colossal de ne pas nous donner ce dont nous avons tous les deux besoin. Cela fait une semaine, mais en ce qui me concerne, j'ai attendu toute ma vie de m'enfouir en toi.

Il pose sa main derrière ma tête et mordille ma lèvre inférieure. Il me serre tellement fort, et j'ai tellement mal que j'ai peur. De lui, de cela, de ce besoin d'enfoncer mes ongles dans sa peau, de presser mes lèvres contre la ligne forte de sa mâchoire, de toucher ses cheveux épais et soyeux.

– Laisse-moi regarder mon film, lâche-moi, je proteste faiblement.

Quand il ricane, son souffle fait voler quelques cheveux près de ma tempe.

– Si tu veux que je te lâche, il faudrait que tu arrêtes d'appuyer tes jolis seins contre mon torse, que tu arrêtes de te rapprocher en me disant de partir, murmure-t-il en frottant son nez contre le mien.

Sa proximité, son odeur de forêt, son souffle chaud, ses lèvres si proches que je peux presque y goûter déclenchent un flot de désir entre mes cuisses et une onde chaude et pénible dans mon sexe.

Je reprends mon souffle lorsque nous nous embrassons presque, il grogne et me laisse un peu d'espace pour respirer. Il relève la tête et je le vois m'estimer comme un expert le ferait d'un bijou ou d'une antiquité. Pourquoi me regarde-t-il comme ça?

Pourquoi comme ÇA ? Comme s'il voulait être en moi autant que je le veux. Comme s'il voulait plus que mon corps, comme s'il voulait aspirer mon sang, manger mon âme, et puis me prier.

Sans rien dire, je ferme les yeux, je fais comme si nous étions simplement à un rencard, que nous n'avions jamais couché ensemble, et que nous regardions juste un film. J'oblige mes muscles à se détendre et regarde la télé, je sens qu'il se détend aussi peu à peu. Sans prévenir, il étale son grand corps sur la longueur du canapé et me tire contre lui. Oh la la… Je déteste comme il prend le contrôle de choses qui m'appartiennent, mais en même temps j'adore ça.

Je sens son regard sur le dessus de ma tête. Je fais semblant de regarder le film, emmêle mes doigts dans ses cheveux et passe son bras autour de moi, en me plaignant :

– Ton coude appuie contre mes côtes.

Son petit rire – je ne peux expliquer à quel point j'adore son rire – me fait comprendre qu'il sait que je veux juste être plus à l'aise. Et c'est vrai.

– C'est mieux ? demande-t-il, en bougeant son long corps ferme et musclé sous le mien.

– Chut. J'aime bien quand il se bat avec l'Espagnol.

Je fais comme si je regardais mais en réalité, je me débats intérieurement car j'ai envie de lui donner une seconde chance. Mais si je tombe ? Si je perds le contrôle, et qu'en plus de tomber, je plonge en lui ?

Cette nuit avec lui était si incroyable. Il était incroyable. Son toucher, son odeur, sa voix sont toujours incroyables. Ses muscles se contractent et j'ai peur qu'il se lève, mais non. Il me serre plus près de lui, m'enveloppe dans ses bras. Je respire lentement, avec une sensation de contentement qui me dépasse, blottie dans le sentiment de sécurité qu'il me donne, et je succombe enfin à l'envie de poser ma joue sur sa poitrine.

– Ça fait du bien, je murmure.

Plus que du bien. Tout à coup, rien ne paraît plus naturel que cela. Sur mon canapé. Avec cet homme. Son odeur épicée et rassurante, comme une drogue, je ne peux pas m'empêcher de prendre des bouffées de lui, de plus en plus profondes et conscientes.

– Princesse, dit-il dans mon oreille, comme un secret.

Un frisson me traverse et je ferme les yeux.

– Quoi ?

– Je ne voulais pas te contacter.

– Je sais, enfoiré. Pourquoi tu l'as fait ?

Westley et mon Espagnol se balancent des coups d'épée, mais la vraie action se passe dans mon oreille, dans ses chuchotements.

– Tu as besoin de moi.

Je m'esclaffe et me relève pour lui lancer un regard de travers.

– Je n'ai pas besoin de toi.

Il se relève aussi et de la provocation passe dans ses yeux.

– Peut-être que c'est moi qui ai besoin de toi.

Comme je ne fais rien d'autre que le regarder, il me lance un sourire adorable, arrogant mais triste, aussi.

– Est-ce que tu sais ce que c'est que de porter le poids d'un cœur mort toute sa vie, comme si tu ne faisais que chercher ta tombe ?

Il attend que je réponde, mais je suis sans voix.

– Avec toi je suis vrai. Je vis dans un mensonge, mais ceci n'est pas un mensonge, regarder ce film débile avec toi.

– Débile ? je m'exclame.

Il rigole et se lève, puis dit :

– Ferme la porte quand je sors. Je vais chercher quelque chose à manger.

– Si je m'endors, je serai trop fatiguée pour revenir t'ouvrir, je le préviens.

Mais en vérité je n'ai simplement pas envie qu'il parte !

– Je peux ouvrir la serrure sans même te réveiller, dit-il sur un ton naturel, puis il revient et glisse sa main gantée sous mon haut. Mais ferme quand même.

– Tu es autoritaire.

– Et tu es franchement sexy avec ce que tu portes ce soir.

Son pouce passe sur le dessous de mon sein et ma respiration s'interrompt quand nos regards se croisent : il n'y a pas de volet dans ses yeux, pas de filtre. Ce que je vois me galvanise, le tumulte incessant dans les profondeurs de ses yeux me fait tournoyer.

– On m'a dit que j'avais une mémoire photographique. Que certaines images me restent avec une clarté extrême… Mais, Mélanie, je me rappelle de tout ce qui s'est passé cette nuit-là mieux que n'importe quel autre moment de ma vie.

Il prend ma nuque dans sa grande main et la serre doucement.

– Ton string rouge. Tes petits seins pointus. Ta façon de me regarder, comme une princesse, et de me dire que ton nom était Mélanie. Je ne m'en souviens que trop bien.

Je suis moi aussi transportée dans ce moment. C'est un tourbillon de passion, de désir et de dents, de langues, de mains. J'en souffre, mais je ne veux pas être son jouet. Je ne veux pas être son plan cul. Ma gorge est serrée quand je prends sa main, l'enlève de mon haut et le guide jusqu'à la porte d'entrée.

– Je crois… Greyson, je crois que tu devrais partir. Je ne peux pas réfléchir quand tu es là. Je ne sais pas ce que tu attends de moi mais je ne peux pas jouer à ce petit jeu… pas avec toi…

Il me regarde lorsque nous arrivons devant la porte, presque comme s'il voulait que je le mette dehors. Comme s'il voulait que ce soit moi qui lui dise que je ne veux plus jamais le voir. Est-ce qu'il sera soulagé ? Je ne lui ferai pas ce plaisir ! Je ne sais même pas comment expliquer ce que cette touche de bronzage doré ajoute à son allure. Je ne peux pas m'empêcher d'admirer les angles et les surfaces intrigantes de son visage. Combien de temps ai-je attendu, dans ma vie, de sentir quelque chose, une étincelle, un frisson, comme ça ?

– Ma meilleure amie se marie dans deux semaines, je chuchote.

Puis je lui dis où est l'église tout en le poussant dehors, sans lâcher son regard. Il est chaud, vorace. LE REGARD.

– Si tu veux une seconde chance, si tu es sérieux, tu peux venir à l'église, je lui dis, avant de me pencher et de l'embrasser sur les lèvres, très doucement.

J'entends ce grognement sourd et grave puis je recule et ferme la porte. Je m'y appuie et ferme les yeux, j'ai du mal à respirer. Ce baiser n'était rien du tout, et pourtant chaque centimètre de mon corps frémit.

Une minute plus tard, je l'entends marmonner « Merde » de l'autre côté de la porte. Est-ce que lui aussi a mis autant de temps à se remettre de ce baiser ? Ensuite, je jure que je le sens s'adosser à la porte. Je ferme les yeux et respire lentement. Il murmure « Mélanie » juste à côté de là où ma joue est posée de l'autre côté. Je tremble et je tente de ne pas être trahie par ma voix.

– Oui ? je réponds.

– Je serai là.

Après un bon moment, j'entends l'ascenseur. Je lève la main et touche la porte, et pour la première fois de ma vie, j'ai terriblement peur de le voir, l'homme que j'attendais. Brusquement chaque fibre de mon corps, de mon corps sobre, me dit qu'il est le bon.

C'est le bon. Celui qui va me briser. Me faire mal. Me démolir. Celui qui va retirer chaque centimètre de la petite fille en moi. Il sera le souvenir que je n'oublierai jamais, et en bien ou en mal, il sera CELUI dont je rêve.

Mais il est mauvais. Il y a quelque chose d'excitant et d'inquiétant chez lui. La noirceur dans ses yeux noisette, le reflet brillant qui le rend si attirant pour moi, son odeur de cuir et de métal et de forêt et de danger pour moi. Je pense à ma mère et j'ai toujours pensé qu'elle serait fière de moi. Je me souviens de ma meilleure amie, inquiète qu'un Riptide ne l'emporte. Greyson ne sera pas une lame de fond. Je ne sais pas ce qu'il sera, mais je pense à un raz-de-marée, un ouragan, quelque chose de naturel et d'irrésistible. Je me demande s'il viendra au mariage. S'il est aussi désarmé que moi face à cette attirance.

Je retombe sur mon canapé, devant mon film, et je me recroqueville sur un coussin, mais mes pensées ne suivent plus le plus beau conte de fées jamais écrit. Je murmure dans le vide de la pièce :

– S'il te plaît, si tu vas me faire du mal, s'il te plaît, s'il te plaît, ne viens pas au mariage de Brooke.

9

AGITÉ
Greyson

Mais qu'est-ce que je suis en train de foutre ?

Les écrans des caméras de surveillance sont allumés quand je rentre après des jours de travail non stop, à suivre mes cibles, de ville en ville. La maison est endormie. Mon père, les gars, tout le monde dans la location. Je retire un gant avec mes dents, puis fais la même chose avec l'autre en prenant un morceau de pain, du beurre de cacahuètes et un couteau à beurre.

Nous avons installé des caméras sur toutes les entrées, les sorties, les fenêtres de la maison. Des kilos d'ordinateurs font plier les tables, des lumières clignotent au milieu de pelotes de câble. J'étale le beurre de cacahuètes sur une tranche de pain, en pose une autre par-dessus, et l'engloutis en cherchant les boîtiers d'enregistrement, puis sors une carte de l'année dernière avec la date du combat. Je pense à elle. À chaque seconde de la journée, elle est dans ma tête.

Mouillée et vulnérable, sous la pluie. Mouillée et chaude, entre mes bras. Elle me dit qu'elle s'appelle Mélanie. Elle m'invite au mariage de sa meilleure amie.

Elle active toutes les synapses de mon cerveau jusqu'à prendre vie dans ma tête, en riant de ce rire que je n'ai entendu que chez elle… En me câlinant devant son film… En me poussant dehors comme si elle ne supportait pas de me voir, puis en me tirant pour m'embrasser comme une folle.

Je suis resté là comme un idiot appuyé sur sa porte, mon cœur tambourinant dans ma poitrine en attendant qu'elle l'ouvre. Merde, j'étais prêt à défoncer la porte. Mais au lieu de ça, je suis parti, je suis allé louer un costard et j'ai commencé à chercher des appartements pas loin.

Je suis dangereux pour elle, putain, et elle est dangereuse pour moi. Je ne peux pas me laisser distraire, jamais. *Alors qu'est-ce que je suis en train de faire ?*

Je glisse l'enregistrement dans un lecteur de carte et le lance, mes yeux se languissent de la voir, il me faut ma dose quotidienne de Mélanie.

– Et maaaaintenant, mesdames et messieurs… entonne le speaker avec son style habituel, Remington Tate, le seul et l'unique, RIPTIDE ! RIPTIDE !! Dites bonjour à RIPTIIIDE ! hurle-t-il.

Un de nos boxeurs trottine jusqu'au ring, sur mon écran. C'est Riptide. Il n'est pas juste bon, c'est le meilleur que j'aie jamais vu. Le boxeur le plus lucratif que mon père ait jamais accueilli dans l'Underground, et on espère tous continuer à l'accueillir, lui qui gagne tout sur son passage.

Riptide, Riptide, j'entends la foule dans les haut-parleurs. Je bois mon soda tout en regardant l'écran, j'attends de repérer la blonde sur le côté. Mélanie. Je vais la voir dans un instant, sauter de haut en bas comme à son habitude, et je suis crispé par l'attente quand l'image se fige, que l'écran devient noir et que la vidéo passe au combat suivant.

J'abats mon poing sur la table pour secouer l'ordinateur. Rien. Je fais une grimace, reviens en arrière, et relance la vidéo. La même merde se produit. Je finis mon soda cul sec, jette la canette à la poubelle et passe rapidement ma main frustrée sur mon visage, puis je fonce dans la chambre de Wyatt et allume la lumière.

– Qui est le con qui a touché aux cassettes ?

– Quoi ?

– Tu les a trafiquées, Wyatt ?

– Elles datent de l'an dernier, putain. Qu'est-ce qu'elles ont de si important ? Qu'est-ce que tu y vois que personne d'autre ne voit, hein ? Qu'est-ce que mon père croit que tu es capable de mieux faire que les autres ?

– Il veut me casser, c'est tout. Putain, tu as de la chance qu'il n'ait pas essayé de faire la même chose avec toi. Demain je veux le fichier complet. Je me fous de ce que tu devras faire pour ça.

J'éteins la lumière et vais dans ma chambre pour regarder mon téléphone. Mais qu'est-ce que je fous ? Je prends un couteau et le soupèse, cela me donne une certaine satisfaction. Je pose mon SIG sur le côté, sors plusieurs couteaux, les glisse dans les poches arrière de mon pantalon, six de chaque côté, puis je les envoie voler un par un, tournoyant rapidement une douzaine de fois, tellement vite qu'on ne voit pas la lame jusqu'à ce qu'elle s'enfonce dans le mur. Je les sors de chaque poche, un par seconde. *Un. Deux. Trois. Quatre… Cinq, six, sept, huit, neuf, dix, onze, douze.*

J'ai loué un costard. J'ai un appart à Seattle, un billet pour Seattle. Quelque chose me démange, et ce quelque chose s'appelle Mélanie. Mon téléphone sonne.

– Ouais ?

– Elle est rentrée. Saine et sauve.

Je jette un coup d'œil à l'horloge. 23 h 34. Si tard ?

– C.C. vient te remplacer demain. Je travaille sur une cible et je prends l'avion après. Pourquoi est-ce qu'elle est rentrée si tard ?

– OK, boss.

– Elle est seule ?

J'attends la réponse de Derek.

– Toute seule. Elle a mangé avec sa copine et le mec blond qui traîne avec elles. Et non, il n'était pas assis près d'elle.

– Qu'est-ce…

– Elle porte une espèce de robe. Avec des fleurs.

– Et de quelle…

– Elle est rose, boss. Avec des tennis jaunes et les cheveux détachés et beaucoup de bracelets.

Je la vois dans ma tête et expire par le nez avec une étrange sensation de paix et d'envie courant dans mes muscles, qui me tend puis me relaxe.

– Garde l'œil ouvert.

Je raccroche et regarde son prénom dans mon téléphone. Je ne suis pas un putain d'ado qui envoie des messages aux filles. Je n'aime pas laisser de traces. Il faut que je change de téléphone.

Je frotte mon visage avec mes mains. Si mon père apprend que je lui cours après, je ne sais pas ce qu'il va faire. Ce qu'Éric va faire. Tous ceux que j'ai attaqués pourraient m'attaquer à travers elle. *Alors laisse-la tranquille…*

Je retourne chercher les couteaux, les mets dans mes poches, et je les lance une nouvelle fois.

– Je peux pas, dis-je.

Peux pas la laisser tranquille. Je veux pas, putain. Grâce à elle, je n'ai pas l'impression d'être un robot, je suis de chair et de sang, un homme, pas un chiffre, pas un job… pas un monstre, pas un salaud, pas un zéro.

10

ATTENTE
Mélanie

Le pire, ce n'est pas de me demander pendant les deux semaines suivantes si j'aurai quelqu'un pour m'accompagner au mariage. Ce n'est même pas la consultation compulsive de mes textos. Ni d'entendre la vieille méchante Becka au boulot ricaner car je suis particulièrement peu bavarde, et discuter de mon éventuel cœur brisé. Rien de tout cela n'est le pire. Je suis toujours impressionnée qu'un jour, on puisse penser que l'on est au point culminant de son malheur, alors que cela ne fait que commencer.

Bon, je ne veux pas simplement être belle, d'accord ? Je veux être spectaculaire. Si – non Mélanie, *quand* – Greyson King débarquera, je veux lui faire perdre la tête. Je veux que cet homme me désire comme si j'étais ses prochains petit déj, déjeuner et dîner. Merde, je veux qu'il me désire comme un festin. Et qu'il me prenne comme une bête.

Alors je me fais épiler le maillot. Je me fais faire un massage. Des pédicure et manucure, et je mets du vernis rouge sur les ongles de mes orteils. Je sens meilleur que jamais, et je suis tellement prête pour qu'un homme aux yeux noisette m'emmène dans son lit que je ne réfléchis même pas à ce qu'il se passera s'il ne vient pas.

Il a dit qu'il serait là, la douceur étrange et la détermination de sa voix grave ne m'ont pas fait peur ; ce qui m'effraie, c'est que j'espère qu'il sera là parce qu'il veut la même chose que moi.

Mais ce n'est pas le pire… le pire est que je suis parfaitement prête, mais que la veille du mariage, ma robe de demoiselle d'honneur ne l'est pas, elle.

J'attends dans le pressing pendant qu'ils fouillent, et je suis si stressée que je tape mes ongles sur le comptoir alors qu'ils sortent toutes les robes. Je secoue la tête.

– Ce n'est pas ça. Ce n'est pas la robe de demoiselle d'honneur, monsieur, et je commence à paniquer, là. La dernière chose que je veux, c'est appeler mon amie et lui dire que j'ai perdu la robe, s'il vous plaît ! Elle est rouge. Sans bretelles. Vous voulez bien chercher encore, s'il vous plaît ?

– Madame, m'dame !

Un autre gars arrive de derrière les cintres avec mon ticket dans la main.

– Je suis désolé mais j'ai vérifié, et nous l'avons livrée à la mauvaise adresse.

– Ah. À quelle putain d'adresse ?

Je sors mon téléphone et note l'adresse, puis je la recherche sur mon portable et je vois que ce n'est pas loin.

– Est-ce que vous avez leurs affaires pour que j'aille faire un échange ?

L'homme hoche la tête.

– Mais je peux avoir des problèmes.

– Mon cher monsieur, vous avez déjà des problèmes et je vais vous mettre vraiment dans la merde si vous ne me donnez pas leurs vêtements pour que je puisse aller récupérer ma robe. Appelez-les et dites-leur que j'arrive. S'il vous plaît !

Il me tend un costume et une robe à fleurs à contrecœur, je prends les vêtements sur leurs cintres en plastique, je cours dans la rue, dans les escaliers, et je frappe enfin à la porte. Un homme ouvre, une bière à la main :

– Excusez-moi, il y a eu une erreur au pressing Green Dry Cleaners, je crois que ceci vous appartient, et que vous avez quelque chose à moi dont j'ai absolument besoin pour demain.

Il reste là et me regarde de haut en bas comme si j'étais une escort envoyée pour le satisfaire.

Je répète exactement ce que je viens de lui dire et je me sers de ses foutus vêtements comme bouclier entre nous pour qu'il arrête de regarder mes jambes.

– Je ne m'occupe pas de ça, c'est ma femme et elle n'est pas là.

– S'il vous plaît, prenez ça et vérifiez que c'est à vous, et regardez dans votre armoire ou quelque part si vous avez une robe rouge lavée récemment. Vous devez reconnaître ça, non ?

Après un long dialogue avec cet homme suspicieux, j'ai enfin ma robe et je peux respirer quand je vois qu'elle est encore sur le cintre, dans le plastique. Dieu merci.

Je fais demi-tour vers l'endroit où j'ai garé ma voiture, deux blocs plus loin. Ces petites rues n'offrent aucune place pour se garer et je dois sauter entre les flaques d'eau, faire attention à mes chaussures, quand j'entends un sifflement au bout de l'allée. Je m'arrête et lève les yeux, un homme se tient juste là devant moi, en plein milieu, avec un regard menaçant. Un de mes sourcils se lève, puis l'autre.

Qu'est-ce que… ?

Mon cœur accélère et un début de panique me traverse. Je me retourne en entendant des bruits de pas derrière moi, et je vois deux hommes. Un nœud d'anxiété se forme dans mon ventre et j'inspecte les alentours. Une voiture noire est garée au bout de l'allée, là où je vais. Je crois que je vois un homme derrière le volant, et la porte du côté passager est légèrement entrouverte, comme si l'homme en face de moi venait d'en sortir.

Un sixième sens se réveille en moi et se met à dérégler les battements de mon cœur. Ma robe, mes chaussures… Tout à coup, plus rien ne compte à part me sortir de là. Je baisse la tête par précaution et continue à marcher, tout droit, sans me soucier des flaques d'eau, je me concentre pour bien tenir le cintre, ce qui serait la seule chose dont je pourrai me servir si… Si *quoi*? Les animaux sauvages chassent leur proie si elle s'enfuit dans l'autre sens, et tout ce que je vois de ces hommes me crie «*prédateur*»!

La peur bat en moi comme un être vivant. Chaque pas qui me rapproche de l'homme tout seul au bout de l'allée déserte ronge mon assurance. Quand je suis sur le point de le dépasser, il s'avance vers moi et je chuchote humblement :

– Excusez-moi.

Une main agrippe mon bras et s'y accroche comme une menotte.

– Tu n'es pas excusée, grogne-t-il.

J'ai un sursaut et je fais un pas en arrière en voyant l'expression effrayante de son visage, mais il me tire plus près contre lui, et je sens un mélange de cigarette et de sueur dans son haleine lorsqu'il répète, les yeux injectés de sang :

– J'ai dit que tu n'étais pas excusée, salope.

Une panique que je n'ai jamais connue me prend à la gorge, et je lance la robe dans l'espoir d'enfoncer le crochet du cintre quelque part dans son visage, mais avant même que je l'atteigne, une autre paire de mains s'empare de mes bras et tire mes coudes en arrière.

– Non! je crie.

J'entends le bruit de ma robe qui tombe par terre, et soudain je donne des coups de pied en l'air alors qu'un troisième homme prend mes cuisses, que l'autre tient mes coudes derrière mon dos et qu'ils me portent vers la voiture. Une peur glaçante enveloppe mon cœur et je me tortille encore plus; la terreur accélère ma respiration et je ne peux pas me libérer, leurs doigts s'enfoncent dans la chair de mes poignets et de mes mollets. L'homme au volant de la voiture leur dit :

– Faites taire cette pute.

L'un d'entre eux essaie apparemment de couvrir ma bouche, et j'utilise ma jambe libre pour lui taper dans le genou.

– NON ! je n'arrête pas de crier. Non ! NON !

Il appuie un tissu contre mon nez et, sans réfléchir, je retiens ma respiration car je sais qu'il est censé m'endormir ; je combats mon propre besoin de respirer. J'envoie un coup de pied dans les noix d'un homme et je l'entends pousser un cri perçant, puis ils me poussent tous les deux à l'arrière de la voiture.

– À L'AAAAAIDE ! je hurle quand ils mettent un sac noir sur ma tête et que je sombre dans l'obscurité.

J'ai le souffle coupé par le choc quand ils ferment les portes. Je sens qu'un des hommes serre le sac autour de ma gorge et l'attache. Ma respiration haletante résonne dans mes oreilles, je suis entourée de noir tandis que je commence à prendre conscience de la réalité de ma situation et que mes yeux piquent. Des mains se mettent à envelopper mes seins et à les malaxer alors qu'un autre me tripote sous ma jolie robe d'été. Je recommence à me battre avec encore plus de force, je hurle tout en entendant les sons solitaires et étouffés de mes propres cris qui meurent à l'intérieur du sac sur mon visage. Je n'entends pas ce qu'ils disent, ils chuchotent, je me débats avec mes bras et mes jambes, je grince des dents en essayant de les frapper, de frapper tout ce que je peux.

– … petite bagarreuse… s'amuser avec elle avant de livrer…

Ma robe est remontée, je donne des coups de pied, bouge dans tous les sens quand ils démarrent la voiture, et je crie en sentant que des mains prennent mes cuisses et me forcent à les ouvrir.

– Conduis, on s'arrêtera en route et on s'amusera chacun son tour.

La voiture semble avancer, et s'arrêter tout aussi vite.

– MERDE.

J'entends clairement ce mot.

– Quoi ?

J'entends aussi, très, très distinctement, l'inquiétude dans cette question.

– PUTAIN, MEC !

Les mains arrêtent de me toucher et j'arrête de bouger sans savoir pourquoi, mais je sens qu'il se passe quelque chose.

– Putain mais c'est qui ? Un des hommes de Slaughter ?

– Ils sont deux.

Avant que quiconque ne puisse répondre, j'entends le son d'un pneu qui éclate, puis d'un autre dont l'air s'échappe. J'entends trois coups de feu, puis un autre à ma droite, qui semble ouvrir la poignée de la portière. Les charnières grincent et je crois que la porte s'ouvre. La seule main qui est restée sur ma poitrine, sûrement glacée par le choc, est retirée par quelqu'un et j'entends un glapissement effrayé et des doigts cassés.

– Puuutain de merde, c'est vraiment toi !

J'entends un craquement, un hurlement, et le bruit d'un corps jeté par terre.

– Je vais l'emmener dans un petit endroit sympa pour qu'on puisse discuter, dit une voix traînante à l'accent texan, un peu plus loin.

Paniquée, je tâtonne dans la voiture et, juste quand je trouve quelque chose de dur et métallique dans la poche d'un des hommes morts à côté de moi, deux mains viennent me chercher. Les nouvelles mains que je sens sur moi activent une dose d'adrénaline. Le manche d'un couteau ; je le saisis et le lance et, par miracle, j'arrive à le plonger dans un bout de corps masculin, avec un mouvement dégoûté. Je l'entends gémir au-dessus de ma tête et lorsqu'il me lâche pour l'enlever ; je le pousse, retombe sur mes pieds et trouve mes appuis sur le sol. Le couteau tombe par terre à la seconde où je commence à courir en essayant de défaire les liens de la cagoule que j'ai sur la tête, et espérant courir dans le bon sens, loin des nouveaux arrivants.

– Tu en as une bien vivante, Z, lance le Texan.

Je couine en réalisant que je fonce droit sur lui, et je tourne les talons mais deux bras musclés me soulèvent dans les airs. Je me débats tout de suite mais ce mec ne se laisse pas faire. Il grogne quand je lui donne un coup de pied entre les jambes, puis se met à attacher mes mains et mes pieds avec une sorte de corde, rapidement, pour que je ne puisse pas m'échapper. Je frappe dans le vide mais il est fort et rapide, et en moins d'une minute, il fait ce que plusieurs hommes n'ont pas réussi à faire pour me maîtriser.

Il attache mes chevilles et mes poignets, puis mes genoux et mes coudes, il me tient contre un torse qui a l'air large et musclé et m'emporte quelque part. L'adrénaline se déverse dans mon corps mais je ne peux rien en faire ; je suis prise de tremblements quand je comprends que je suis foutue, que je n'ai aucun moyen de me libérer. Je crois que je l'ai blessé, son sang coule sur moi. Je bouge dans un dernier effort futile pour m'enfuir mais je pleure en même temps, et le son de mes sanglots résonne dans la cagoule.

Et brusquement, je comprends ce que c'est. C'est cette dette. C'est tellement réel maintenant, ces hommes sont si réels. Ils voulaient leur argent. Mais je suis censée avoir encore un mois et demi. Est-ce qu'ils se sont impatientés ? Est-ce qu'ils avaient l'intention de me tuer ou juste d'abuser de moi ? Est-ce qu'ils m'amenaient à ce mec borgne et au maigrichon qui ont proposé de «rallonger» leurs bites quand j'ai demandé plus de temps pour payer ?

– Je… Je vais avoir l'argent, dis-je en retenant un sanglot dans ma gorge.

Je suppose que je suis en état de choc parce que je n'arrive plus à combattre, à me battre pour ma vie, et j'ai des tremblements incontrôlables. Je ressens une nouvelle douleur dans mes cuisses et mes mollets quand je sens un gant en cuir contre la peau de mon dos. Je geins et j'ai un choc quand je me souviens de Greyson, de mon épilation brésilienne et de ma journée au spa ; maintenant je sens le cochon, le sang, j'ai l'odeur d'autres hommes, et je commence à retenir des sanglots en me disant que tout cela est vraiment en train de m'arriver.

– Ma… ma voiture est…

Il continue à marcher, j'ai du mal à parler, je manque d'air et je pleurniche.

– Ma… ma robe…

Il s'arrête, puis j'entends un bruit de plastique et je me rends compte qu'il l'a ramassée, je ne sais pas dans quel état.

– Merci, je pleurniche.

Puis je réalise que ce n'est pas un gentil, il ne veut pas m'aider ! S'il le voulait, il m'aurait laissée partir. Un tremblement incontrôlable me prend et fait claquer mes dents. Il m'attache à l'arrière d'une voiture qui sent exactement comme le sachet de lavande que j'ai mis dans la mienne après qu'elle s'était presque transformée en bateau, et les pneus crissent quand nous partons.

Nous finissons par nous garer quelque part et nous avançons à nouveau, nous nous arrêtons, repartons, furtivement, comme s'il ne voulait pas être vu. Nous montons des escaliers, et j'entends une fenêtre s'ouvrir. Nous continuons à marcher. Puis j'entends de l'eau couler.

Il me pose sur un endroit mou, je crois que c'est mon lit, et défait les liens de mes poignets, avec ses gants qui frottent contre ma peau. Je ferme les yeux et imagine que c'est un autre gant, celui d'un autre homme qui me rassure, mais le fait qu'il ne soit pas cet autre homme ne me rend que plus malheureuse.

Il détache mes jambes mécaniquement, puis frotte les blessures sur mes chevilles.

– S... S'il vous plaît, ne me faites pas de mal...! je crie, en donnant des coups de pied avant de me calmer quand il recule. C'est à cause de l'argent? J'aurai l'argent, je vais avoir l'argent, je commence à rabâcher. Ma voiture est en vente, je n'ai juste pas encore de preneur et j'en dois la moitié de toute façon, donc il me faut juste un peu plus...

Il fait une chose inattendue. Il prend ma main et la serre. Il ne la serre pas fort, mais pour me rassurer. Je me tais. Mon cœur dérape car il garde sa main sur la mienne un peu trop longtemps, jusqu'à être sûr que je respire normalement. Il la lâche. J'entends le bruit de ses pas et le grincement de ma fenêtre, je lève brusquement le bras pour me dépêcher d'enlever la cagoule. Je suis dans mon appartement. L'eau coule dans la douche. Il est parti... par le balcon et l'escalier de secours?

Il y a du sang sur moi. J'ai du sang partout quand je me glisse dans la baignoire, encore toute habillée, et je prends un bain pour bien me nettoyer. En pleurant doucement. Je suis allée supplier ces hommes horribles pour avoir un peu plus de temps et ils m'en ont donné, mais j'arrive bientôt au bout. Comment ai-je pu croire que je pouvais faire un pari stupide sans tomber sur ce genre de personnes? Je songe à demander de l'aide à quelqu'un, mais je suis trop fière pour cela. Je suis trop fière pour en parler à ma meilleure amie, à mes amis. Je suis trop fière pour le dire à mes parents, qui pensent que je suis parfaite et que je ne peux rien faire de mal. Et Greyson? Je ne sais pas pourquoi, mais penser à lui est ce qui m'émeut le plus. Je me sens tellement en sécurité avec lui, comme s'il pouvait me protéger du monde entier. Même d'hommes comme eux.

Mais je suis trop fière pour que le seul mec avec qui j'ai eu une connexion le sache. Il ne m'aime probablement pas tant que ça, de toute manière. *Non.* Cela ne se passe jamais comme ça pour moi. Je pleure en silence dans la baignoire, et je me sens si sale que je voudrais ne jamais en sortir.

11

TUER

Greyson

– PUUUTAIN !

Ces pauvres cons veulent jouer à ça ? Toucher à ce qui m'appartient ? Alors ils ont intérêt à être, tous, prêts à mourir. Celui qui a envoyé ces quatre mecs la chercher, celui qui a pris cette décision est mort. Et le trou du cul que C.C. a ramené à l'entrepôt ? Je vais le tuer, putain, le déchirer, membre par membre.

Je siffle de douleur et plonge mon biceps sous l'eau courante, mes yeux brûlent de rage, d'impuissance, de la douleur de savoir ce qu'ils s'apprêtaient à faire à Mélanie ce soir.

Je ne pouvais même pas lui parler. Je ne pouvais même pas lui dire que ça allait bien se passer. À cause de la liste, à cause de Zéro, parce qu'on ne peut pas me connaître en dehors de l'Underground ; alors j'ai dû la tenir dans mes bras et écouter ses sanglots. Je n'avais jamais porté une femme en pleurs avant. L'entendre me supplier de ne pas lui faire de mal, attisant le feu qui brûlait déjà en moi. Ils allaient… Bordel, je n'arrive même pas à penser.

Je fixe le miroir dans la salle de bains défraîchie de l'entrepôt, les narines ouvertes, le visage pâle à cause du sang que j'ai perdu, les yeux brillants d'une lueur froide de mort. J'ai l'air d'un fou. J'ai l'impression d'être un fou. J'ouvre la porte vitrée de l'armoire à pharmacie et cherche des bandages ; des choses valdinguent sur le sol mais je ne trouve rien.

J'appuie une serviette plus fort contre ma blessure et j'essaie de la nouer, tout en étant incapable de maîtriser le besoin de tuer qui court dans mon sang.

Il n'y a pas eu une goutte d'humanité en moi depuis que je n'ai plus vu ma mère. Mais malgré mon éducation, je voulais arracher ce sac de la tête de Mélanie, essuyer ses larmes, la regarder dans les yeux et lui ordonner d'arrêter de pleurer parce que cela me déstabilise. Lui ordonner d'arrêter de trembler parce que cela me fait trembler de rage. Et lui promettre que ça va aller, que la prochaine fois que quelqu'un la touchera, ce sera un homme qui voudra lui donner du plaisir plus qu'à lui-même. Le plus ridicule, c'est que dans mon esprit tordu, cet homme, c'est moi.

C.C. débarque dans la salle de bains du petit entrepôt où il a ramené le seul survivant de notre rencontre.

– Où est-ce qu'il est ? je hurle.

– Merde, je t'ai connu en meilleure forme. Il faut te recoudre, mec.

Je le suis dehors, là où est rassemblé le groupe de filles qui suit généralement C.C.

– Trouve une aiguille, dis-je à la première que je vois.

Puis je pousse du pied une chaise en plastique et me penche pour parler à C.C., juste entre nous.

– Dis-moi au moins qu'il a balancé quelque chose.

Les sourcils de C.C. se baissent.

– Il n'a pas l'air de savoir qui l'a engagé.

– Et les autres ?

– J'ai planqué les corps. L'heureux survivant sera le seul à avoir le plaisir de ta visite.

– Je n'appellerais pas ça un plaisir.

J'examine les environs, et je me demande qui pourrait en avoir après elle, et pourquoi. Mon père, Éric, un des autres gars ?

Est-ce que sa tête est mise à prix ? Est-ce que mon père s'invite dans cette affaire après m'avoir donné sa parole ? Est-ce que c'est un avertissement de mes «loyaux» frères d'armes ?

Mon bras est tellement endormi que je ne le sens même plus, mais ma peau est poisseuse et chaude à cause du sang ; je suis si frustré que j'ai envie de taper dans quelque chose. Par tous les dieux, si mon père est derrière tout ça, je le tuerai. Je me débats avec mes émotions quand la brune revient avec une aiguille pour me recoudre, et elle apporte une bouteille d'alcool.

– Bien, bien, bien, on dirait que je vais enfin poser les mains sur toi, après tout, ronronne-t-elle. Qu'avons-nous là ?

Je tends mon bras et elle ouvre la bouteille d'alcool.

– C'est un coup de ma meuf. Elle n'aime pas que j'oublie de l'appeler.

Je ne veux pas me souvenir de ses sanglots. J'aurais voulu lui enlever cette cagoule… Et après ? Lui révéler qui je suis ? Impossible. La fille verse de l'alcool sur ma blessure et je ravale ma réaction. Je dis entre mes dents :

– Fais-le bien serré. Pas trop gros.

Je déchire un bout de mon tee-shirt et le mords, je ne fais pas un bruit le temps qu'elle me recouse.

– Elle s'en est bien sortie… pour une princesse, me dit C.C.

J'ai mal, et je fulmine encore. Je serre les dents sur le tissu. Une rousse vient s'asseoir sur mes genoux pendant que sa copine me met un bandage.

– Oh Z, on était tellement inquiètes. Elle se lèche les lèvres. De quoi as-tu besoin ?

– Mindy, dis-je en crachant le tissu, c'est bien ton nom ?

Elle hoche vivement la tête.

– Mindy, j'ai appris à ma copine comment se servir de son nouveau flingue. Je ne crois pas qu'elle apprécierait de te voir assise ici.

– Oh.

Elle se relève.

– Viens là poupée, je vais te caresser longuement et doucement.

C.C. écarte les jambes et fait de la place à Mindy, tout en me regardant de travers.

– Ta copine, hein ? Elle est au courant ?

– Je lui annonce demain.

Je concentre mon attention sur mon meilleur ami.

– C.C., ça pourrait venir de l'Underground. Peut-être que ça a quelque chose à voir avec cette foutue dette.

Je resserre un peu le bandage.

– Il faut que son nom soit rayé très vite et je crois savoir comment faire.

– Slaughter ne doit pas savoir que tu as pensé à lui racheter sa dette, sinon il va foutre la merde. Il la fera disparaître tout comme il l'a fait pour Lana.

– Tu crois que je ne sais pas ça, putain ? Non, il faut que je lui donne les moyens de payer, sans qu'elle le sache.

J'entre dans le petit bar, me sers deux doigts de whisky et les bois, en regardant mes traces de sang par terre. Elle est trop bien pour ça, mais maintenant elle est impliquée. Maintenant, elle est plus qu'un nom sur ma liste. Elle est sur la liste noire de quelqu'un et je suis un connard très énervé.

– Qui que ce soit, ils s'en sont pris à la mauvaise fille.

Je finis le whisky cul sec et prends un peu de Vicodin avec.

– Ah, l'expression de ton visage me réjouit ! J'ai presque pitié de notre invité.

– Amène-moi jusqu'à lui.

En suivant C.C., je lui demande de me prendre un billet d'avion pour Washington, tôt demain matin.

– Débrouille-toi pour que je sois de retour à six heures, que je puisse aller au mariage.

***

Il existe trois types de couteaux de lancer. Lame lourde. Manche lourd. Ou équilibré. Le plus important, c'est la prise et l'angle. Pour une grande distance, il faut garder le poignet droit en lançant le couteau de façon à ce qu'il ne tourne pas trop en l'air. Le mien ne tourne presque pas, il fonce tout droit. Je m'entraînais sur des boîtes de céréales, puis sur des planches de saule, de bouleau, de pin, flottant au vent. Maintenant, c'est un homme qui est en face de moi et je sais exactement comment déplacer mon poids de ma jambe d'appui sur l'autre pour créer la dynamique, comment balancer mon avant-bras, le coude bien déplié au lancer. Ce n'est pas une question de force, mais de finesse. J'ai besoin de très peu de force.

Si l'on frappe avec le manche, la force ne change pas, il faut juste permettre plus ou moins de rotation en se penchant en avant ou en arrière. Je connais toute cette science et je n'ai jamais été plus pressé de la mettre en pratique.

Il est attaché à une chaise, dans un petit coin de l'entrepôt. Une lumière brille fort au-dessus de sa tête. Il saigne et il est enflé, mais la vue de son sang ne suffit pas à me satisfaire.

Il me regarde, je le regarde. Il tremble de plus en plus, et cela me plaît. Énormément. Je m'approche, en parlant à voix basse.

– Qui t'a engagé ?

– Je ne p… parlerai pas, comme j'ai dit à ton… ton ami.

J'ouvre mon étui à couteau et en lance un, frôlant sa tempe. Il crie, et je continue à les lancer jusqu'à ce que les couteaux soient enfoncés dans le mur derrière lui, tout autour de sa tête de trou du cul. Puis je vise le milieu de sa cuisse. Touché.

– Putain ! Un autre taré ? Je croyais que tu étais le gentil !

– Je suis désolé de te l'apprendre, mais tu as déjà rencontré le gentil.

Je ne fais même pas semblant de sourire, je ne ressens rien pour ce connard. Même pas de la pitié. Je sors un autre couteau et teste la pointe.

– Je suis le mec de la fille que tu viens de faire chier, alors je vais rendre ça très douloureux. Je vais prendre un petit morceau de ta peau, un lancer à la fois. Une couille à la fois, un morceau de bite à la fois. Je vais te faire parler, ce sera long et douloureux, jusqu'à ce que tu me dises qui t'a engagé.

Je plante le couteau sur le bout de son doigt, je le bloque sur place. Il hurle. Je souris et sors le couteau suivant.

– Elle était sous surveillance ? je demande.

Beaucoup de contrats commencent par de la surveillance et se transforment en autre chose. Je lance un couteau sur son autre doigt. Il crie et tache son pantalon.

– C'était pour une rançon, un kidnapping ?

Il s'étouffe avec ses sanglots. J'entends le bruit étouffé des voitures dehors. Je l'entends, elle, ses grands yeux verts de rêve sangloter sous une putain de cagoule noire ; je serre la mâchoire puis envoie un couteau qui s'enfonce en plein dans la paume de sa main.

– QUI EST TON BOSS ? je hurle.

Le sang coule à flots à présent, mais je ne m'arrêterai pas tant que les mots ne couleront pas aussi. Juste au moment où il s'endort, anesthésié par la douleur, j'ordonne doucement à C.C. :

– Musique s'il te plaît. On ne va pas dormir, ce soir.

Quatre heures plus tard

Je n'ai pas de nom.

J'ai une tonne de colère, une tonne de frustration, pas de sommeil, un peu de douleur. Mais pas de foutu nom ! Nous ne savons pas si elle est la cible de quelqu'un, et de qui. Je dois la rayer de cette liste, et vite.

Comment réagira ta fierté si je te donne l'argent, princesse ? Est-ce que tu me le jetteras au visage ? C'est ça, non ? Merde, je sais bien que oui…

J'entre dans mon appartement, et je suis toujours obsédé par la vision d'elle que j'ai eu en train de dormir, dans son lit avec une montagne de coussins de chaque côté. Elle était exquise. Désirable. Vulnérable. Et j'étais là, le sang courait plus vite dans mon corps, ma queue palpitait autant que mon biceps et que le côté gauche de ma poitrine.

Maintenant, j'ouvre le coffre-fort et je manque d'arracher la poignée. Certains de nos créditeurs sont tellement dans la merde qu'ils doivent payer en troc. Des montres, de l'or, des bijoux. Nous gardons parfois la ferraille pour corrompre les autorités, tous ceux qui créent des problèmes pour nos projets. Parfois mon père n'en veut pas et je me retrouve obligé de fournir le liquide en les mettant en gage, en les vendant ou autre.

Je prends un collier de diamants brillant, un de ceux que j'ai collectés. Au départ, je m'étais dit que ma mère aimerait le porter. Maintenant, j'espère que Mélanie aimera le vendre. J'ai compris cette gamine, même si elle est une petite chose compliquée. Dans son drôle de petit cerveau, elle n'a probablement jamais imaginé qu'elle pourrait perdre son pari. Elle a dû s'imaginer un avenir plein de nouvelles chaussures et, peut-être, finir le remboursement de sa voiture. À la place, maintenant, elle doit sa vie à l'Underground. À mon père. À moi. Nous avons une équipe très développée pour la comptabilité et la collecte des dettes, l'organisation des combats, la vente des tickets. Le «comité Underground», plus sage, gère les tickets et l'organisation des combats. Mais ce sont les Slater qui s'occupent des paris et du financement, la collecte et les choses dont personne ne doit être au courant.

Si Mélanie est comme toutes les femmes que je connais, elle acceptera un cadeau de son nouveau prétendant et dira qu'elle se l'est fait voler plutôt que la vérité. Qu'elle l'a vendu pour rembourser sa dette. Et cela me va, elle peut me mentir là-dessus. Je lui mens aussi. Nous serons quittes. Elle aura remboursé sa dette, appris sa leçon et n'aura jamais besoin de savoir que je faisais partie de son cauchemar. Et je n'aurai jamais à voir ses yeux verts me fixer, pleins d'horreur, comme l'ont fait ceux de ma mère.

12

MARIAGE
Mélanie

Je me réveille et trouve ma robe rouge accrochée à la poignée de la porte de ma chambre, en face de moi. Je cligne des yeux et la terreur tournoie en moi quand je réalise qu'il était ici. Dans ma chambre.

– Il y a quelqu'un ? je crie, en remontant les draps jusqu'à mon cou.

Silence. Je saute du lit et cours ouvrir toutes les portes, en les claquant fort, au cas où quelqu'un se cacherait derrière. Une fois que j'ai fait le tour de mon appartement comme une folle, je suis épuisée. Appuyée contre le mur, je laisse mes yeux inspecter la robe. Elle est parfaite. Aucune trace dessus. Il y a même le tampon du pressing. Mon bras tremble quand je touche la soie, des images d'hier soir me reviennent à l'esprit. *Des mains. Du sang. Des larmes.*

On dirait bien que nous avons toutes les deux survécu, ma robe et moi, mais je préférerais mourir que de dormir chez moi ce soir. Je demanderai à Pandora de m'inviter quelques jours, ou j'irai passer la nuit toute seule à l'hôtel. Mon Dieu, mais je ne veux pas être seule.

Je veux une autre nuit avec Greyson. J'ai passé les deux dernières semaines à me remémorer notre nuit ensemble, et ce que je ressens pour lui est tellement plus fort que du désir, c'est comme un besoin. Une faim. Je veux ses bras et sa bouche. Je veux sa chaleur et le regard dans ses yeux pour me faire oublier que j'ai des bleus sur les cuisses, sur ma fierté, et sur le cœur.

Je soupire, cours dans la salle de bains, verrouille la porte, remplis la baignoire et me rappelle que ma meilleure amie se marie aujourd'hui. Après mon bain, je me passe de l'huile de coco et amande, enfile mon plus beau string, ma robe rouge, des talons turquoise, un gros bracelet jaune – au moins trois couleurs, ce qui me fait toujours me sentir mieux – et je me dépêche d'aller chez Brooke. Je me répète d'arrêter de me demander si je vais avoir un rencard, si je vais rembourser ma dette, si je dormirai à nouveau bien un jour. Aujourd'hui, le centre du monde, c'est ma meilleure amie et je vais profiter de cette journée.

J'ai rêvé de cela pour Brooke avant même qu'elle sache que c'était ce qu'elle voulait et, au moment où Remington Tate est sorti du ring de l'Underground pour lui demander son numéro, j'ai senti des papillons dans mon ventre par procuration. Je lui ai immédiatement donné son numéro car Brooke ne l'aurait jamais fait, sinon.

Aujourd'hui, elle est plus amoureuse que je ne l'aurais jamais imaginé. Elle est couverte de blanc et je viens d'envoyer les hommes à l'église ; pas moyen que je laisse Remy et Brooke commencer avec la malchance de leur côté. Le marié ne peut tout simplement pas voir la mariée dans sa robe avant le mariage. Ils sont partis à reculons, Remington n'avait pas l'air ravi. Et maintenant la bonne vieille Joséphine, ex-garde du corps devenue nounou-garde du corps, et moi aidons à placer les dernières fleurs de cristal dans les cheveux de Brooke en attendant l'arrivée de sa mère et de sa sœur.

Nous sommes enfin toutes à l'arrière de la limousine, Joséphine à l'avant avec le chauffeur tandis que Nora, la sœur de Brooke, tient le petit Racer, quatre mois, dans les airs comme s'il piquait autant qu'un porc-épic.

– À qui le tour de porter Racer ? Il vient de baver sur ma robe et je ne veux pas qu'il vomisse dessus aussi, dit-elle, jetant des regards appuyés à la petite tache sur le corsage de la robe de Brooke.

Brooke baisse les yeux sur la tache, la frotte avec son pouce, et une déception fatiguée apparaît sur son visage.

– Brooke, ton mec ne va même pas le remarquer, je te promets ! Passe-moi Racer ! je demande en le prenant et en l'installant sur mes genoux.

Je frotte mes lèvres sur le dessus de sa petite tête ronde. Il sent le talc et lance ses bras dans tous les sens. Brooke est occupée à envoyer des messages au marié et à jeter des coups d'œil devant.

– Je te jure, les bouchons, grogne-t-elle.

– Ce n'est pas comme s'il n'allait pas t'attendre, je m'exclame, tout excitée, avant de tendre Racer à sa grand-mère, qui lui fait des gouzis-gouzis, puis je change de place et essaie de faire un câlin à Brooke en dépit de tout le tulle de sa robe.

– Brookie, Remy t'a attendue toute sa vie ! Il attendra dix minutes de plus, crois-moi.

Brooke me pointe du doigt.

– Ne va pas dire quelque chose qui me fasse pleurer, me prévient-elle, en tapotant discrètement le coin de ses yeux.

J'acquiesce avec un sourire, mais ma gorge se serre quand je prends sa main. C'est ma meilleure amie. Je suis fille unique. J'ai Pandora, mon amie gothique qui est tout le contraire de moi, négative, sarcastique, sombre, et que j'aime. Mais Brooke est Brooke, et il n'y en a qu'une pour moi. Elle ne restera pas à Seattle parce que le travail de son mari nécessite qu'il parte en tournée avec la ligue de boxe, et ce moment est très émouvant pour moi. Personne ne songe jamais à la meilleure amie quand la fiancée se marie. Mais à cet instant précis, je suis à la fois tellement heureuse que je pourrais exploser, et triste à en pleurer. Tout d'abord, parce qu'elle va me manquer, et ensuite car, depuis que je suis toute petite, j'ai toujours voulu être drapée de blanc et avoir le genre de marié qui l'attend devant l'autel, fou amoureux de moi, prêt à me protéger, à passer le reste de sa vie avec moi.

À la place, je ne suis jamais sortie avec quelqu'un plus d'un mois. À la place, hier soir j'ai presque… *Non, ne pense pas à cela maintenant.*

Brooke sort de la voiture et je suis contente d'avoir la distraction de l'aider à se préparer à entrer. Je lui ai dit que comme Pete, l'assistant de Remy, est le témoin et aussi le copain de Nora, elle devrait demander à sa sœur d'être le deuxième témoin. Qui voudrait faire face aux regards noirs de Nora pendant le reste de sa vie ? Pas moi. Donc je suis une fière demoiselle d'honneur, avec Pandora, qui est aussi en rouge, sûrement pour la première fois de sa vie. Non pas qu'elle ait l'air contente, mais ça, ce n'est pas nouveau.

En entrant dans l'église derrière Brooke, je le vois. À côté de la porte. Et mes jambes se transforment en mousse, sous ma robe. Greyson. Il a un très beau costume noir, qu'il porte aussi bien que sa confiance en lui. Mon Dieu. C'est comme si ceux qui l'entourent étaient sous son emprise.

J'ai du mal à supporter l'attrait de sa présence magnétique. Il ne sait pas que, rien qu'en étant là, sombre et puissant à l'entrée de l'église, il me tire de mes pensées, me sauve de mes peurs et de ma solitude qui me plongeaient hier dans une obscurité totale. Après vingt-cinq ans passés à ne pas être assez bien, aux yeux de cet homme je le suis. Je suis désirable. Je vaux la peine de venir ici. Ce que je ressens est inhabituel et excitant. Cru et brut, précieux et fragile. Il ne sait pas que, quand je le vois, une chaleur s'enroule dans mon ventre, me réchauffe dans des endroits secrets et fait disparaître mes craintes. Mon esprit fonctionne à toute vitesse, soudainement.

Il est venu.

Et d'après la façon dont il fixe ses féroces yeux noisette sur moi, il n'a pas l'intention de partir. Pas sans… moi.

Pendant la cérémonie, je me mets à pleurer. Je ne m'y attendais pas, mais la terreur d'hier soir se mélange avec le fait, ardemment désiré, que l'homme que je veux est là, pour moi, et avec les mots graves et rocailleux que le copain de ma meilleure amie prononce quand il lui promet sa vie.

Cela m'énerve de faire couler mon maquillage mais quand j'entends, près de moi, ma meilleure amie promettre sa vie à l'un des hommes les plus protecteurs, sexy et gentils que je connaisse, je me rappelle que c'est moi qui lui ai dit «FAIS-LE! Va le chercher!» Je me rappelle lui avoir dit «pars à l'aventure, vis ta vie, allez Brooke, c'est REMINGTON TATE, PUTAIN, personne ne lui dit non».

Et je sens une paire d'yeux noisette regarder mon profil et, quand je jette un regard vers lui, je le vois arborer son regard possessif que même le diable ne pourrait pas surpasser. Mon cœur se serre alors que j'essaie d'arrêter de pleurer, de me dire qu'au moins ce soir, je serai en sécurité. Je me sentirai en sécurité. Parce qu'il n'a pas l'air prêt à me laisser aller où que ce soit sans lui.

Mon Dieu, j'aurais pu mourir hier. Je pourrais mourir demain. J'ai toujours vécu dans le moment présent, tout en planifiant et en attendant mon avenir parfait. Et s'il n'existait pas? Peu m'importe de savoir pourquoi il est là, tout à coup rien d'autre ne compte et je sais ce que je veux ce soir.

Je renifle et essuie mes larmes, puis je croise son regard avec des yeux presque implorants, et j'ai mal au ventre quand il me retourne un regard qui signifie tellement plus que *je vais te baiser*. Il y a de l'inquiétude dans ses yeux, mais il y a du feu qui crépite, qui promet de me brûler de la façon la plus agréable qui soit. Il est là parce qu'il me veut. Il a besoin de moi et moi de lui. J'ai besoin de l'homme que j'ai rencontré un soir sous la pluie, celui qui ne voulait pas que je sois trempée et m'a posé des questions sur moi à voix basse en m'embrassant toute la nuit. Celui qui est revenu me voir pour me demander une seconde chance. Son magnétisme me tire vers lui, l'attirance est irrésistible. Sans précédent.

Et alors que les mariés se prêtent serment, je me fais un serment à moi-même. Je promets que quoi que soit cette chose entre nous – une amourette, une catastrophe, la pire décision de ma vie –, ce soir, j'y vais à fond. Je plonge et je suis mon instinct, mon cœur, et chaque pique de désir dans mon corps. Ou je ne m'appelle plus Mélanie.

13

CE SOIR
Greyson

La cérémonie dure un putain de million d'années.

Je me tiens là, armé de mon SIG automatique, un peu plus d'un kilo de métal, mais ma queue semble deux fois plus lourde et ma poitrine dix fois plus. Je suis comme un animal écrasé depuis une semaine. La voir pleurer, hier soir, m'a lessivé. Maintenant son regard est vide d'émotion quand elle me cherche dans la foule et je ne comprends pas ce que je ressens.

À l'instant où elle est descendue de la limousine avec la mariée, j'ai grogné en la voyant. Je bouillonne toujours d'envie de m'approcher d'elle, de la toucher, de la sentir.

Mélanie est un nœud de contradictions dans une robe de demoiselle d'honneur. Elle est tout sourire, mais lance des ordres comme un général. Je l'ai regardée tirer la traîne de la mariée derrière elle pour que « ce soit joli », alors qu'une brune aux sourcils froncés tendait un bouquet de fleurs à la mariée. Mélanie évitait de me regarder. Peut-être volontairement, peut-être pas.

Maintenant que les vœux sont terminés, je suis sur le trottoir devant l'église, impatient. Tout le monde parle autour de moi, mais j'entends son rire malgré le bruit. Je tourne la tête et vois le prêtre dire quelque chose qui lui plaît. Mon Dieu, je veux faire taire ce maudit rire par mes baisers. Puis je veux faire quelque chose pour le réveiller, pour qu'il sorte dans ma bouche, où je pourrai l'emprisonner. Le goûter. Jouer avec.

Lorsqu'un groupe se rassemble autour de la limousine, je ne perds pas une minute. Je parcours la distance qui nous sépare, m'arrête cinq centimètres derrière elle et prends un moment pour profiter de son image ravissante : cheveux détachés qui tombent sur ses épaules, robe serrée en soie rouge qui descend jusqu'aux chevilles, le dos ouvert en un V qui tombe presque jusqu'à ses fesses rebondies.

– Est-ce que tu m'ignores délibérément ? je murmure, en glissant ma main sur sa taille.

– Non.

Elle sourit au trottoir et remet ses cheveux derrière son oreille. Je baisse la tête et mes lèvres touchent presque son oreille.

– Tant mieux, parce que je ne suis pas quelqu'un que l'on ignore.

Grâce à ma main autour de sa taille, je la tire contre moi. Je teste les limites et je suis content de voir qu'au lieu de protester, elle s'appuie contre moi. Ça c'est bon signe, King. Merde, maintenant j'en veux plus. Je la prends par le coude, l'éloigne de la foule et la pousse vers une alcôve près de la porte de l'église.

Elle respire fort et c'est encore meilleur signe. *Elle te veut aussi, elle te veut autant que tu la veux.* Je la pousse contre la pierre avec mon corps. Ses seins appuient contre mon torse, ses cuisses contre les miennes. Un gémissement grave reste coincé dans ma gorge quand je glisse mes lèvres sur ses paupières. Dire que je suis affamé serait un euphémisme. Je voudrais avoir dix mains ; deux, ce n'est pas assez pour passer leurs paumes sur ses côtes, poser mes doigts sur ses fesses et la coller contre mes hanches pour la sentir, vivante et parfaite, en sécurité et intacte.

Elle frotte son nez dans mon cou et prend une grande inspiration, comme si elle avait besoin de sentir mon odeur. Je la serre contre moi et je la sens frissonner dans mes bras.

Je suis bien entraîné. Je sens la peur, le désir, l'excitation. Mais le mélange que je semble provoquer chez elle m'intoxique plus que n'importe quoi d'autre. Je la colle plus près de moi. Ses lèvres laissent échapper un hoquet et je dois lutter pour ne pas pencher la tête et le prendre. Non. Quand je prendrai ces lèvres peintes en rouge, je ne m'arrêterai plus tant qu'elle ne sera pas sous moi et que je ne serai pas profondément en elle. *Ce soir*, je me promets.

Je plonge la main dans la veste de mon costume et en sors le collier que je lui ai apporté, dans un sac en velours.

– Qu'est-ce que c'est ?

Elle baisse les yeux vers mon poing. Je la laisse ouvrir le sac, et elle regarde le collier de diamants dans ma main. C'est un collier de tennis de haute qualité, simple mais extraordinaire. Comme elle.

– Quelque chose pour ma copine, je murmure.

– Ta copine ?

Je prends le collier et l'attache autour de son cou.

– C'est trop, Greyson, je ne peux pas accepter, proteste-t-elle.

– Je ne peux pas le rendre et il n'est pas à ma taille.

Je passe mes doigts sur sa gorge, elle est chaude et douce.

– En plus, il est fait pour une reine, une princesse.

J'ajuste la ligne scintillante pour qu'elle suive sa clavicule, juste en dessous de son pouls. Je suis tenté de pencher la tête et d'y passer ma langue. Et merde, je suis tenté de faire plus que cela. Je pose mon doigt dans le petit creux à la place, je touche son pouls et lève les yeux vers les siens.

– Mélanie, quand tu attendras que je t'appelle, regarde ces pierres et sois sûre que le téléphone va sonner, dis-je en passant à nouveau mon pouce sur les diamants.

– Qui es-tu ? me demande-t-elle, le souffle coupé.

Mes lèvres remontent en un sourire cynique.

– Je suis une version tordue de ton… Westley, dis-je en soutenant son regard.

Nous entendons des cris à l'extérieur et nous rendons compte que la mariée a lancé le bouquet en l'air. Mélanie s'élance et me laisse en lutte pour contrôler mon Néandertal intérieur. Elle est un mètre soixante de fun et remplit tout mon être de trucs que je n'avais jamais l'intention de ressentir, encore moins de vouloir.

Merde, je suis foutu. Je la suis dans la foule, m'arrête juste derrière elle, appuyé contre son dos, et je regarde son profil. Ses narines s'ouvrent. Elle me respire encore. Je reste où je suis, pour la laisser s'habituer à moi. Ma taille, mon odeur, moi. Je tends la main, avec mon gant, pour toucher ses cheveux et elle frissonne. Je me déplace pour me tenir à côté d'elle et frotte le dos de mes doigts contre son bras nu. Sa respiration commence à s'accélérer, et je l'entends arrêter de respirer quand je croise mes doigts avec les siens pour lui dire « *tu es avec moi ce soir* ».

Nous regardons les mariés partir en limousine et Mélanie leur fait signe de la main sans lâcher la mienne. Quand la voiture disparaît au loin, elle tourne son beau visage vers moi.

– On dirait que je n'ai plus de voiture, me dit-elle.

Qu'est-ce que j'aime cette moue.

– Pas de problème, tu viens avec moi, dis-je.

– Mel ! On a tes clés ! lance un homme dans notre direction, en les secouant en l'air.

Il les rapporte et je vois que c'est le blond à tête de con qui la déshabille des yeux depuis que je suis arrivé. Il me lance un regard noir sans rien dire. Je lui rends un regard encore plus sombre. *Continue, connard, c'est moi qui la baiserai ce soir.*

L'amie brune de Mélanie lui donne un coup de coude.

– Riley, pourquoi est-ce que vous ne prenez pas la voiture de Mel ? Elle et son copain peuvent venir avec Kyle et moi, intervient-elle.

Elle me lance un regard d'avertissement, comme si je devais m'inquiéter pour je ne sais quelle raison. Je ne suis pas intimidé, et je hoche la tête. Dès que nous sommes à l'arrière de la voiture, la fille commence à parler.

– Sacré bling bling que tu as là, Mélanie.

– Je sais.

Avec un sourire heureux, Mélanie pointe son pouce vers moi.

– Il t'a donné ce collier ? dit son amie, choquée.

– Oui ! Et il s'appelle Greyson, Pandora.

– Eh bien ! Greyson, paieras-tu pour les lunettes dont j'aurai besoin après les dégâts que ces pierres vont faire sur ma rétine ? demande-t-elle.

– Tu m'enverras la facture, je réponds tranquillement.

– Et après ? Tu vas l'attacher et lui faire choisir un mot d'alerte ou quoi ?

Je souris.

– Non. Aucun mot d'alerte ne peut protéger quelqu'un de moi.

– Haha. Je suis contente que ton copain s'amuse, dit Pandora à Mélanie, en prononçant le mot « copain » comme elle prononcerait « excrément ».

Elle recentre son attention sur moi.

– Nous sommes très protecteurs avec notre Mel. Elle a cru au Père Noël pendant beaucoup plus longtemps que nous tous. Alors parle-nous de toi. Tu es comme Gatsby, avec beaucoup d'argent et un passé très mystérieux. Kyle et moi t'avons cherché sur Google mais on n'a pas trouvé grand-chose. Quelles sont tes intentions ?

– Pandora !

Mélanie donne un coup de pied dans le siège de Pandora.

– Ignore ma copine, Greyson, me dit-elle.

Mais l'amie en question n'a pas envie de m'ignorer. Elle n'arrête pas de se retourner pour me regarder par-dessus son épaule.

– Tu es content que Mélanie n'ait pas attrapé le bouquet ?

– Pourquoi est-ce qu'il serait content ? réplique Mel.

– Meuf, d'après ce collier, ce mec n'a pas l'intention de t'épouser. Juste de te baiser.

– Pandora !

Je rigole, je trouve cela excessivement amusant de voir comme cette fille est protectrice. Je n'ai aucun doute, je sais qu'un pauvre loser l'a rendue comme ça. Elle se tourne dans le siège passager pour être vraiment face à moi.

– Est-ce que tu as une femme ? persiste-t-elle.

– Quoi ?

– Est-ce que tu es marié ? Tu es gay ? C'est quoi ton problème ?

Alors, voyons voir. Pour l'instant, c'est elle le problème. Je pourrais la faire taire facilement d'un seul regard, mais pourquoi regarder cette fille aigrie alors que j'ai une princesse à côté de moi ?

– Pandora, tu gâches complètement ma soirée !

Mélanie donne un nouveau coup de pied dans son siège puis se tourne vers moi. Elle est délicieuse, tout en rouge. J'ai l'impression d'être le grand méchant loup, à fixer avidement ses lèvres qui me crient de les embrasser, et ces yeux verts innocents et extrêmement dangereux.

– Est-ce qu'elle a raison ? Tu joues avec moi ? me demande-t-elle, curieuse.

Je ne sais pas ce qu'elle a de plus que les autres mais sa façon de me regarder commence à faire gonfler ma queue. C'est ma réaction naturelle. Je ne peux pas m'en empêcher, pas plus que je n'ai pu m'empêcher de tuer pour elle hier soir. Même si l'on tente d'avoir un contrôle total sur les choses, on ne contrôle pas ses instincts. Parfois, ce sont eux qui nous contrôlent.

Je n'avais jamais tué que pour une personne dans ma vie. La différence, c'est qu'hier soir je n'avais pas de remords. Je ne changerais jamais ce que j'ai fait pour Mélanie hier. Si c'était à refaire, je tuerais les trois premiers tout aussi vite et torturerais le quatrième tout aussi lentement. Et même plus lentement, si je pouvais le prolonger. En fait, le souvenir de ses cris étouffés et désespérés sous la cagoule remue un couteau de rage dans ma poitrine.

En enroulant ma main sur sa taille, je la rapproche de moi et chuchote dans son oreille :

– Je ne joue pas avec toi.

Bon Dieu. Je suis sérieux, là. Plus sérieux que je ne l'ai jamais été dans ma vie.

– Sois honnête, me répond-elle en chuchotant.

– Je ne joue pas avec toi, je répète.

On nous regarde à l'avant de la voiture, alors d'un mouvement, je la tire pour qu'elle s'assoie sur ma cuisse et je baisse ma tête sur elle. Son odeur est tellement douce et riche que je veux enfouir mon nez et trouver l'origine de cette odeur. Je frotte mon nez à l'arrière de son oreille, excité par sa proximité, ses formes, son odeur, par elle.

Elle tremble, et mes muscles se contractent en réaction. *Qu'es-tu en train de me faire, mon doux numéro cinq adoré ?* Je tends la main et ferme ses yeux avec mon pouce, pour qu'elle ne me voie pas. Pour qu'elle ne me fixe pas avec ces yeux verts qui hurlent «sauve-moi», «garde-moi», «baise-moi», et je murmure d'une voix rendue rocailleuse par le désir :

– Quand je ne suis pas avec toi, je pense à la prochaine fois que chaque centimètre de ton corps m'appartiendra. Je joue à des jeux, j'y joue sérieusement et salement, mais si tu es un jeu, princesse, alors tu es le premier foutu jeu qui joue avec moi.

Elle ouvre les yeux. Ces putains d'yeux qui disent «prends-moi», «aime-moi».

Son amie Pandora ne dit plus rien, et la voiture est remplie de l'attirance de Mélanie pour moi, et de la mienne pour elle. Merde, j'ai été gentil avec ses amis jusqu'à maintenant, mais je ne sais pas jouer au gentil pendant longtemps. Ce n'est simplement pas dans ma nature. Je gratte le toit de la voiture.

– Dépose-nous ici.

– Ici ? C'est au milieu de nulle part.

– J'insiste.

Avec un soupir dramatique, le mec s'arrête sur un trottoir, à côté d'un terrain vague en face d'un immeuble d'habitation gris. J'aide Mélanie à sortir, puis j'appuie ma main sur le toit de la voiture, de mon bras non blessé, et je me penche pour dire à Pandora :

– Je suis content que ses amis se préoccupent d'elle. Je ne suis pas parfait, mais je te donne ma parole, personne ne lui fera de mal tant qu'elle est avec moi.

Elle me fusille du regard et ils démarrent sans rien dire.

– Elle déteste les hommes, ne fais pas attention.

Essayant apparemment de me rassurer, Mélanie me lance un sourire et passe sa main sur ma chemise.

Je prends son poignet dans ma main, un réflexe destiné à garder les gens à distance.

– La Joyeuse est le cadet de mes soucis. Tu as faim ?

En serrant son poignet, je remarque comme il est fin et délicat entre mes doigts, puis je me rends compte qu'elle est la seule chose que je m'autorise à toucher sans mes gants. Qu'elle me fait du bien. Réelle. Chaude. Comment une chose si vulnérable peut-elle avoir un si grand pouvoir sur moi ? J'ai envie de la toucher partout, sa clavicule, remonter vers son cou, et plus haut, pour prendre ce doux visage plein de vie dans ma main, le serrer et l'embrasser dans tous les sens. Ma voix est rauque quand je chuchote :

– Ne mange pas ta lèvre, je vais t'emmener quelque part.

Elle lâche sa lèvre alors que je relâche lentement son poignet, puis nous restons là à nous regarder avec presque aucune lumière autour. Les diamants étincellent sur son cou comme ses yeux brillent sur son visage. Elle croise les bras et je ne la quitte pas des yeux en envoyant un texto à Derek, nous marchons jusqu'au coin de la rue, mon regard collé à son profil.

Je ne sais pas faire la conversation aux femmes ; je les baise, les paie et m'en débarrasse. Je veux lui parler mais en même temps, je sais que je devrais m'éloigner d'elle. Je ris doucement parce que je n'aurais jamais pensé être aussi gêné dans une telle situation ; je lui mets ma veste de costume sur les épaules. Il ne fait pas froid, mais cette robe me donne envie de la dévorer. Derek vient nous chercher dans un 4x4 argenté et nous dépose devant l'un de ces restaurants qui sont ouverts vingt-quatre heures sur vingt-quatre, qui font de mauvais petits déjeuners, de mauvais déjeuners et de mauvais dîners, mais cela semble être notre seule option dans les environs.

Je guide Mélanie jusqu'à une table dans le fond, une où nos arrières sont couverts et où je peux voir la porte et toutes les entrées. Elle enlève mon manteau et le pose sur la chaise en face.

Nous sommes assis l'un près de l'autre. Mais pas assez près. Pendant que nous regardons le menu, je ne peux pas m'en empêcher, je glisse ma main sous la table, sur sa cuisse. Elle fixe le menu, mais je vois son souffle s'accélérer quand je commence à passer mes doigts plus haut.

– Qu'est-ce que tu aimes manger ? je lui demande, en la regardant mordre encore sa lèvre.

– J'aime ce qui n'est pas bon pour moi. Comme tout le monde, non ? Un peu d'alcool. Beaucoup de chocolat et de noix. Mais je me force à manger une tonne de légumes pour compenser tout le mauvais avec du bon. Une sorte de… positif plus négatif.

Ses yeux croisent les miens et ils dansent joyeusement.

– Et toi ?

Je ne veux me nourrir de rien d'autre que de ta bouche, tes seins, ta chatte, et cette putain de lèvre que tu tortures avec tes dents, des dents que je veux sentir râper contre ma queue.

– J'adore la bouffe internationale. Un peu de tout. Thaï, chinois, mexicain, japonais, j'ai des goûts variés. J'aime bien être… surpris. J'aime bien les épices.

– Tu viens en ville pour ton travail ?

– Parfois.

– Qu'est-ce que tu fais comme métier ?

J'ai l'impression d'être un salaud à cause de l'intérêt sincère dans ses yeux.

– De la sécurité, dis-je en fermant mon menu. Dans la boîte de mon père.

– Vraiment ? C'est intéressant ! Je ne te voyais pas comme quelqu'un qui bosse avec son père. Avec qui que ce soit, pour être honnête.

Mes lèvres remontent, amusées, je fais signe au serveur et lève un sourcil interrogateur vers elle.

– Tu veux dire que tu penses que je ne m'entends pas avec les autres ?

– Tu donnes juste l'impression d'être à part.

– Ah bon ?

Voilà qu'elle recommence à mordre cette lèvre.

– C'est intrigant.

– Tu donnes une impression enjouée et rassurante. Je trouve ça intrigant aussi.

Elle fait un sourire en coin, gêné, qui ne parvient pas à cacher le fait que ses yeux d'émeraude se remplissent d'une joie féminine. Je ne souris peut-être pas comme elle mais, croyez-moi, je suis tout aussi ravi. Une fois que nous avons passé commande, elle me regarde et joue avec un bracelet manchette jaune à son bras.

– Mon travail, c'est ma passion. Je suis complètement obsédée par les couleurs. Je ne peux pas sortir de chez moi si je ne porte pas au moins trois couleurs différentes. Deux, c'est trop simple. Une, c'est complètement terne et je ne veux pas être terne.

Je me surprends encore à rire, cela semble venir naturellement quand je suis avec elle.

– Impossible pour toi d'être terne. En fait, juste là, assis avec toi, je me sens gris.

Son sourire apparaît à la même seconde que le mien, et nous rions avant que nos verres arrivent, et elle boit à la paille.

– Ça me plaît, ça, dit-elle avec un long soupir de plaisir intense, en s'adossant pour se détendre.

Elle me regarde encore plus longuement.

– J'ai l'impression que c'est un rencard. Et j'ai l'impression que ça fait des siècles que je n'en ai pas eu.

Du coin de l'œil, je remarque que Derek s'est installé à une table pas loin, en face de C.C.

– Mais c'est un rencard. Tu m'as invité au mariage. Pour moi, c'est un rencard.

– Je ne t'ai pas invité. J'ai dit que tu pouvais venir…

– …et nous savons tous les deux à quel point on aime quand je viens.

Elle a un sourire malicieux, et cela n'aide pas à calmer ma libido déchaînée. Je vois qu'elle aime quand je suis mauvais. Elle aime les mauvais garçons.

Putain, princesse, tu ne sais pas que je suis le plus mauvais des mauvais garçons, me dis-je à moi-même, avant de penser *Non, je ne suis pas un mauvais garçon, je suis un mauvais homme!*

Cela me fait un peu redescendre de me dire que je ne suis pas bon pour elle.

– Allez, admets-le, j'insiste, réveillé par la lumière joueuse de ses yeux. Je suis venu, j'ai vaincu – en tout cas je me sens comme un vainqueur de dîner avec toi –, et j'ai même survécu à ta copine brune énervée.

– Pandora.

Elle rit.

– Mais elle a raison à propos de ça, c'est trop, je ne vaux pas autant.

Elle caresse distraitement les diamants à son cou, et je murmure, comme un avertissement :

– Mélanie.

– Greyson…

Merde, je peux voir les graines de doute que son amie a plantées tourbillonner dans sa tête. Je garde une voix calme, voire basse, mais sévère.

– Fais ce que tu veux avec le collier. Mais ne me le rends pas.

Je le jure, si seulement je pouvais communiquer avec cette femme par télépathie pour lui dire de faire ce que toute femme intelligente ferait pour survivre. Elle va peut-être attendre, mais quand le temps lui manquera, elle le fera. C'est ce que j'attends d'elle. De toute façon, quand elle aura passé assez de temps avec moi, elle en aura marre et tout ce qui a à voir avec moi, elle s'en débarrassera en moins de temps qu'il ne lui faut pour dire « Greyson ».

Cette pensée déclenche une colère ardente dans mon ventre. Ma main remonte plus haut sur sa cuisse. Ce besoin de la toucher me ronge. Je porte tout le temps mes gants, mais ce soir ils sont dans une poche de mon costume, mes mains sont nues et je ne peux pas m'empêcher de me régaler de la sensation de sa peau lisse sous mes doigts.

Elle tourne sa paille comme si elle cherchait quelque chose à faire mais et, c'est plus important, elle sait exactement où est ma main et ne fait rien pour l'enlever.

– Ma meilleure amie, celle qui se mariait aujourd'hui… Quand on était petites, j'étais Barbie et elle était Skipper à chaque fois que l'on jouait. J'avais toujours Ken. Elle n'avait pas l'air d'être intéressée par Ken, alors je m'assurais qu'il était tout à moi. Elle ne voulait même pas tomber amoureuse. Je voulais être heureuse, insouciante et tomber amoureuse un jour, et elle voulait les Jeux olympiques. Mais c'est elle qui a fini par tomber amoureuse. Tu sais ? Pour de vrai. D'un vrai homme. Je suis très heureuse pour elle, elle le mérite plus que tout. Mais maintenant, tu me regardes comme son mari la regarde…

Elle lève les yeux vers moi et frotte distraitement son ongle rose contre son verre.

– Mais tu n'es pas mon mari, tu n'es pas amoureux de moi. Qu'est-ce que tu veux ? me demande-t-elle en soutenant mon regard. Pandora a raison, on n'offre pas quelque chose comme ça à n'importe qui. Les hommes offrent des diamants aux femmes qu'ils veulent acheter, cacher.

– Et pourtant nous sommes visibles de tous. Je ne cacherais jamais rien d'aussi beau que toi.

Elle pose le bout de son doigt sur le bord de son verre, et je laisse mes yeux s'égarer sur son bras fin et bronzé, le long de son corps. Mon besoin de l'avoir est de plus en plus vorace chaque seconde qui passe.

– Tu es ravissante dans cette robe, princesse.

Ses joues rougissent.

– Merci. J'ai presque cru que je ne pourrais pas la porter.

– Tu es magnifique. Et tes cheveux qui bouclent en bas… Je ne peux pas te lâcher des yeux et j'ai hâte de t'enlever cette robe.

Elle baisse les yeux et fixe la table en retenant son sourire. Je me penche en avant pour tester les limites, les repousser.

– On a eu une relation intime. Tu portes mon collier. J'ai la main sur ta cuisse. Tes amis m'ont tiré les vers du nez. Pourquoi être si timide ?

Quand elle perd ce sourire parfait, je plie mon index sous son menton et relève sa tête.

– Tu as pensé à moi ?

– Tu veux dire « fait une obsession et m'être languie du mec qui n'avait pas rappelé » ?

Je lève un sourcil.

– L'homme debout devant l'église qui attendait un petit geste de ta part, c'était moi.

– Ah d'accord, merci d'avoir précisé ça !

Le son de son rire délicat me rend dur comme de la pierre. Je glisse ma main encore plus haut sur sa cuisse, en relevant la soie de sa robe pour pouvoir toucher plus de peau nue. Je m'apprête à l'embrasser lorsqu'un visage connu entre dans le resto. Mes yeux dévient sur lui et je me calme quand C.C. me fait un geste de la main pour dire qu'il s'en occupe.

Putain de merde, je n'ai pas assez d'énergie pour des conneries de criminels ce soir. Je n'ai pas dormi depuis près de quarante-huit heures. La plaie sur mon biceps me fait super mal, et je tiens uniquement grâce à l'adrénaline. Alors que j'attends que C.C. me fasse signe que nous sommes tranquilles, Mélanie joue avec sa salade, et ce vieux sentiment d'être en marge du monde s'installe.

– Merci d'être venu au mariage, dit-elle doucement.

– Tout le plaisir est pour moi, je réponds à voix basse.

Soudain, je sens toute la distance qui nous sépare comme un abysse et m'empêche de créer une connexion.

– Pourquoi ?

Mes sourcils remontent.

– Pourquoi je suis venu ?

Elle hoche la tête, et je ne sais rien mis à part que je veux encore une connexion avec elle. N'importe quelle connexion.

Je passe mon majeur sur l'intérieur crémeux de sa cuisse, tout en regardant l'intrus partir du coin de l'œil.

– Je suis venu pour toi, Mélanie.

– J'ai eu un millier de coups d'un soir, Greyson.

– J'en ai eu mille et un.

– J'en fais partie ?

– Non, princesse. Quand on l'aura refait… tu seras sur une tout autre liste.

Nous nous fixons, sans sourire ni l'un ni l'autre, mes yeux avides absorbant la curiosité silencieuse de son visage, ses longs cheveux dorés, ses beaux petits seins contre le tissu de sa robe en soie, la courbe tendre de ses épaules et, bon Dieu, je veux tout cela plus qu'elle ne le saura jamais.

Elle pose sa main sur ma cuisse.

– Quelle liste ? Elle penche la tête et me dévisage. Qu'est-ce que ça sera ?

La sensation inattendue de sa main sur ma cuisse envoie une chaleur primitive dans mes veines. À un instant nous discutons, et la seconde d'après j'immobilise son visage entre mes mains en regardant ses yeux verts, soudainement sauvages, tandis que je regarde son petit nez, sa bouche généreuse.

– Pour moi, c'est un fantasme. Tu es un fantasme. Pour toi, ce sera une erreur. Une erreur longue et plaisante.

Je vois ses yeux s'assombrir, je n'ai jamais mâché mes mots.

– Je vais être tout ce que tu n'as jamais voulu, je la préviens dans un souffle rauque. Rien dont tu aies besoin.

Je glisse mon autre main plus haut sur sa cuisse.

– Parfois je devrai partir pour mon travail et je ne t'appellerai pas. Je t'énerverai.

Je frotte mon majeur contre le V soyeux qui recouvre son sexe.

– Je serai égoïste. Je prendrai tout ce que je veux, quand je le veux. Je ne suis pas l'homme de tes rêves, Mélanie. Je suis ton pire cauchemar.

Ses yeux s'embuent, elle empêche ma main de la caresser et presse ses lèvres contre mon oreille.

– Je ne suis pas ton putain de jouet.

Je la prends par les épaules et la tire vers moi.

– Mais tu me laisseras jouer avec toi.

– Si j'étais juste en manque de sexe, je pourrais trouver ça chez n'importe qui.

– Pas le genre de sexe que tu connaîtras avec moi.

Je mets mon pouce dans sa bouche, je veux qu'elle me goûte. Mon corps entier ressent ce coup de langue.

– Je ferai en sorte que tu le veuilles. Je t'enverrai un message avant de décoller pour que tu sois excitée et trempée quand je sonnerai à ta porte.

Elle mord mon pouce et me fait perdre la tête de désir, je suis prêt à plaquer ma bouche sur la sienne. Merde, peut-être que je n'aurai jamais de connexion valable avec personne dans ma vie. Mais je peux avoir ça, je peux l'avoir elle, son corps, son plaisir chaud et sauvage. Je peux avoir ça. *Oh oui, j'aurai ça ce soir.*

Je me penche vers elle, prêt à prendre une grande bouchée juteuse de cette lèvre qui me rend fou, mais elle se lève.

– Tu es un connard, chuchote-t-elle, la respiration saccadée. Emmène-moi quelque part. Juste pour cette nuit. Emmène-moi.

Je sors un billet de cent dollars de la liasse dans ma poche et le pose sur la table, glisse ma veste sur ses épaules et la guide vers l'extérieur.

14

WEEK-END
Mélanie

Nous roulons jusqu'à un appartement dans un quartier chic, tellement cher et convoité que tous mes collègues seraient prêts à vendre leur corps pour décorer un appartement dans cette zone. Il y a un portail gardé, chaque entrée et chaque sortie sont très bien sécurisées. L'appartement lui-même est rempli de fenêtres qui vont d'un mur à l'autre, avec un sol en roche calcaire et des cheminées en pierre.

J'assimile ce grand espace, pour ainsi dire vide, en le balayant de mes yeux écarquillés avec la mâchoire qui pend.

– Tu viens de prendre un appartement ici?

Je lui tends son manteau, et son regard sur moi est délicieux, palpable alors que je rentre dans la pièce.

– Tu aimes bien?

Sa voix est neutre, mais quelque chose dans ses yeux me dit qu'il veut que cela me plaise. Je remarque que le seul meuble est un immense matelas king size au milieu de la pièce, et voir ces draps blancs et ces oreillers gonflés me donne des frissons. Nous deux. Dans ce lit. Se toucher, s'embrasser, se peloter.

La fenêtre la plus proche du lit donne sur mon immeuble, et pendant une seconde je me demande s'il a remarqué que, même s'il est assez loin, mon appartement est exposé dans cette direction.

– L'espace est génial, mais très vide ! J'écarte les bras. Je visualise déjà exactement ce que je mettrais et à quel endroit. Puis-je dire que je suis la femme de la situation ?

– Puis-je avouer que je ne te demanderai pas tes services ? Je n'aime pas le fouillis.

Pourtant, mon offre a l'air de l'amuser ; ce presque sourire que j'ai fini par vraiment aimer flotte sur sa bouche charnue et grivoise. Mon Dieu, je suis toujours tellement excitée par le connard sexy qu'il est. Il me donne envie de le claquer et de le baiser ; aucun homme n'a jamais eu autant d'effet sur moi !

– Comment tu sais que je suis décoratrice ?

Il a les bras croisés, plus ce quasi sourire… je n'arrive plus à respirer.

– Tu n'es pas la seule qui sait se servir de Google.

– C'est Pandora qui t'a cherché sur Google, pas moi.

– D'accord, admet-il.

Je ris car il m'a clairement percée à jour, puis avoue :

– Il n'y avait rien sur toi. Absolument rien.

– Et il y a pas mal de choses sur toi.

– Eh bien, je peux donner vie à cet endroit en un claquement de doigts ! Je suis comme une Mary Poppins de la décoration d'intérieur !

– Princesse, il y a déjà assez de vie quand tu y es.

Surprise par son compliment, je ramène mes yeux sur lui, et la façon dont il se tient me crie qu'il est quelqu'un de fort, quelqu'un que l'on n'embête pas, quelqu'un qu'il vaut mieux avoir de son côté. Ses vêtements noirs ne cachent ni les muscles qu'il a en dessous, ni la grâce et la virilité de ses mouvements.

Je peux à peine le regarder sans me jeter sur lui comme une fusée – une fusée détraquée. Je marche nerveusement dans tout l'appartement, en me demandant s'il regarde mon cul quand je me déplace.

Je laisse volontairement mes hanches se balancer plus que d'habitude et marche dans le couloir ; il siffle pour me dire de revenir.

— Cette pièce est interdite.

— Quoi ? Qu'est-ce que tu veux dire ?

Il vient et pose sa main dans le bas de mon dos, son toucher rugueux me remplit d'un sentiment de sécurité.

— Tu te rends compte que le fait de m'avoir dit ça était une invitation à essayer de crocheter la serrure pour savoir ?

— Tu ne pourras pas l'ouvrir. J'ai plein de bordel là-dedans, rien d'intéressant pour une fille.

Il a piqué mon intérêt, je m'éloigne de sa main et fais demi-tour pour tourner la poignée. La porte est en acier, presque comme un coffre-fort.

— Mélanie… m'avertit Greyson.

Je rigole et recule.

— OK. C'est ta grotte, je ne rentrerai pas. Ne sois pas si inquiet.

— Je ne suis pas inquiet. Tu ne pourrais pas ouvrir cette porte même avec une tronçonneuse. Ce qui m'inquiète, c'est ta détermination à faire exactement le contraire de ce que je te dis.

— Je suis curieuse ! je réponds, en riant encore.

Mon rire, je ne sais pas pourquoi, mais il semble avoir un effet sur lui. Il a l'air pressé de me faire taire avec sa bouche. Quand il lèche ses lèvres et fixe les miennes, le souvenir brusque de sa bouche sur la mienne me traverse, de mes tétons contre sa langue, et un frisson d'impatience court dans ma colonne vertébrale.

— Ça t'embête si je vais me rafraîchir ? je lâche.

— Poupée, tu es l'incarnation du printemps, mais vas-y.

Je ferme la porte de la salle de bains derrière moi et m'appuie sur le lavabo. Je peux à peine respirer, je tremble de partout, de la tête aux pieds. C'est un foutu trou du cul qui a avoué ouvertement vouloir se servir de moi et j'aurais dû le gifler, mais au lieu de ça, je vais le baiser car il me rend folle. Parce qu'il est responsable d'une atroce palpitation pressante entre mes jambes. Toutes ces journées passées à me demander ce qu'il attendait de moi, s'il allait venir ce soir. Peu importe ce qu'il dit, il a toujours le même regard, et sa manière de me regarder me dit autre chose. Qu'il me veut. Qu'il me veut, m'attend, a peut-être même désespérément besoin de moi, comme il l'a dit chez moi.

Je n'ai jamais porté quelque chose qu'un homme m'avait offert. Maintenant, ma gorge est ornée d'une ligne de diamants blancs étincelants et je n'aurais jamais cru qu'un geste comme celui-là pouvait stimuler mon esprit, mon cœur et mon corps à ce point. Il veut m'utiliser sexuellement ce soir ? Alors je l'utiliserai aussi parce que j'en meurs d'envie. Sa façon de me regarder me tue. Son odeur, sa démarche, le son de sa voix. Ce soir je ne dors pas seule chez moi, peu importe ce qu'il se passe.

Je me lave rapidement les mains, les aisselles, puis je soulève ma robe et jette un coup d'œil triste aux bleus sur mes cuisses. Je sors mon maquillage de ma pochette et commence à recouvrir les taches violettes d'anti-cernes, une par une.

Une fois que j'ai fini, je vois une serviette tachée de rouge et je me demande s'il s'est coupé. En se rasant, peut-être. Je suis prise d'une vague d'instinct protecteur. Est-ce qu'il va bien ? Évidemment qu'il va bien, Mélanie. Cet homme est aussi pénétrable que sa porte blindée.

En attrapant la poignée, le battement lancinant entre mes jambes ne s'arrête pas. Le temps que j'ouvre la porte et que je traverse silencieusement la pièce jusqu'au lit, mon cœur bat à toute vitesse.

Je n'ai jamais été dans un appartement aussi luxueux ni aussi vide. Il est comme un Spartiate, sans objets personnels. J'ai jeté un œil dans son placard et il a trois chemises identiques, trois vestes identiques, trois paires de chaussures dans le même style. Comme une sorte de super héros méthodique. Et s'il n'avait pas l'intention de rester longtemps ?

J'ai un pincement au cœur en y pensant, mais il est vite remplacé par l'éclair de désir que je ressens en le voyant. Il est étendu sur le lit, un bras replié derrière la tête, et regarde par la fenêtre. Mais pourquoi est-ce que cela me plaît autant ? *Parce qu'il regarde ton immeuble.*

Je me sentirai peut-être protégée par le fait qu'il puisse me voir d'ici, même s'il n'appelle jamais. Même s'il n'essaie plus jamais de me contacter. J'ai besoin de ce petit sentiment de sécurité et je m'y accroche.

– Tu peux voir mon appartement d'ici ? je demande.

Je commence à ouvrir la fermeture Éclair sur le côté de ma robe. Il se tourne vers moi, et le clair de lune se reflète dans ses yeux alors qu'il me regarde m'approcher. Mon cœur frappe dans ma poitrine. Il a une présence imposante et sûre d'elle, et une autorité qui fait faiblir mes genoux. Il est fort. Magnétique. *Vital.* Et il remplit tout mon être d'un désir fou, sauvage.

– Ouais, c'est pour ça que j'ai pris l'appart.

Je sais qu'il plaisante mais ses mots sont sérieux, et il me regarde droit dans les yeux.

– J'aurais cru qu'un coureur comme toi aurait mieux à faire que de regarder par la fenêtre en essayant de m'apercevoir, je me moque.

– Je fais plus que regarder par la fenêtre, princesse. Cela nécessite que j'enlève mes gants.

Salaud. Putain de salaud parfait. C'est comme rouler en moto à toute vitesse. J'ai l'impression de sentir le moteur, la vitesse, le vent… Je m'arrête au bout du lit et je ressens une onde d'excitation en voyant la façon dont il me regarde, avec des yeux qui scintillent comme un éclair.

– Déshabille-moi, ou déshabille-toi pour moi. Honneur aux dames.

Il parle calmement et succinctement, et il ne fait aucun mouvement pour me plaquer sur lui. Sérieusement ? Il fait entièrement confiance à ce courant magnétique, électrique, qui me tire vers lui ?

Mon regard gourmand parcourt ses jambes musclées, la bosse qui me rend folle, son torse qui étire, de la meilleure façon qui soit, le tissu de sa chemise blanche comme neige. Je me sens lourde et chaude, mon pouls tonne dans mes veines, je rampe sur lui, et son regard me transperce, plein d'une impatience silencieuse.

– Je crois que tu es un connard. Mais tu es tellement sexy dans ce costume… je murmure en commençant à enlever la ceinture de son pantalon, à cheval sur lui, si bien que, si je voulais, je pourrais laisser tomber mes hanches et frotter l'endroit le plus douloureux de mon corps contre cette grosse bosse délicieuse entre ses jambes.

– Et je veux te baiser méchamment parce que tu m'as fait croire que tu étais mieux que ça, tu m'as fait croire que tu me voulais pour plus que ça, j'ajoute. Pauvre con.

Il prend sa ceinture lorsque je la tire, la jette bruyamment, et il bouge aussi rapidement qu'un éclair pour me mettre sur le dos et relever mes bras au-dessus de ma tête. Je sursaute, et il sourit.

– Je t'ai eue, dit-il dans un râle, en glissant une main le long de l'intérieur de mon bras.

Commençant à haleter sous l'exquis poids de son corps sur le mien, je libère une de mes mains, sors sa chemise de son pantalon et commence à la déboutonner par le bas, en remontant de plus en plus vite.

Il lâche mon poignet et remonte doucement ma robe sur mes hanches.

– Tu as une bouche incroyable, Mélanie. Tu sais que je pourrais la remplir de foutre, juste comme ça, pour que le prochain son qui en sorte soit celui de toi qui avale ?

– Peut-être que le prochain son sera celui de toi qui cries quand je mordrai le bout de ta grosse bite rose, je souffle.

Toutes mes pensées s'évanouissent quand il grogne « Tais-toi maintenant » et m'embrasse. Fort et délicieux. En réalité, le prochain son dans la pièce est celui de deux langues mouillées et glissantes qui s'emmêlent, et le frottement du tissu de ma robe, qu'il remonte un peu plus. Je fonds sous sa bouche, chaude et puissante, et plus affamée que toutes les bouches qui se sont posées sur la mienne… Et c'est vraiment comme si tout ce que nous avions dit ne signifiait rien, et que ceci voulait tout dire.

Son odeur me remplit comme une chaleur qui s'enroule dans mon ventre quand il relève ma robe jusqu'à ma taille pour voir mon string noir en dentelle. L'air caresse mes fesses nues, et la seconde d'après, il les prend dans ses mains tièdes.

– Tu es contente de me voir, maintenant, Mélanie ? murmure-t-il d'une voix grave et rocailleuse, tandis qu'il se sert de mes fesses pour me plaquer tout contre lui.

Je suis tellement excitée que ma respiration est saccadée.

– Pas encore, je mens.

Il frôle mes lèvres avec les siennes, pour me provoquer.

– Tu es sûre ?

Encore fois, il me frôle avec ses lèvres chaudes de velours. Le sang dans mes veines est chaud et épais. Désormais, je ne peux penser à rien d'autre qu'à ce baiser que je veux plus que tout. Mais je ne peux pas laisser un homme comme lui le voir, ou il me brisera.

– Je suis sûre, je mens encore, en m'accrochant à l'arrière de sa nuque et en sortant ma langue pour la passer sur le bord de ses lèvres.

Ce coup de langue se révèle être notre fin. Il grogne et sa langue vient jouer avec la mienne, ses lèvres se refermant sur les miennes dans une position parfaite. Nous sommes tous les deux traversés par un frisson. J'ai même l'impression que nous gémissons en même temps, et notre baiser passe de lent et sensuel à rapide et sauvage. Je déboutonne le reste de sa chemise, et mes mains tremblent d'être aussi pressées. Il prend le haut de ma robe bustier et le tire jusqu'à ma taille, et expose tout mon corps mis à part mes hanches, cachées par le cercle de ma robe.

Lorsqu'il recule pour regarder mes seins, assez petits, et mes tétons plutôt expressifs, je me noie presque dans une timidité soudaine. Mais cela ne dure pas longtemps, car il les prend dans ses mains comme s'il tenait des diamants et fait très attention aux petites perles dures au bout. Ses pouces y font attention, les frottent, les caressent.

— Tu n'es peut-être pas encore contente, gronde-t-il dans mon oreille, mais ces petites beautés sont enchantées de me voir. Enchantées… de me voir.

Lorsqu'il en suce un dans sa bouche, un plaisir exquis recroqueville mes orteils. Ma tête tombe en arrière et s'enfonce dans ses oreillers. Ma gorge émet un râle profond. Il bouge ses hanches pour m'exciter avec son érection. Je suis excitée, torturée, consumée, palpitante. Je frémis et me mets à me frotter aussi contre lui. Putain, il va me torturer et je le sais.

Il tire ma robe au-dessus de ma tête, puis ses mains explorent mes cuisses et montent jusqu'à mon ventre tendu, puis viennent pincer mes tétons. Ma chatte me brûle et se contracte quand je glisse ma main dans l'ouverture de sa chemise, et que je passe mes mains contre son torse chaud et musclé.

Je touche sa cicatrice, puis tire sur son piercing au téton avec mon pouce et mon index. Son corps se contracte de plaisir, je le vois. Je vois comme il réagit à mon toucher, alors je laisse ma main courir sur son torse, et le moindre de ses muscles est dessiné sous mes doigts.

– Tu aimes ça ? je murmure.

Je ne le laisse même pas répondre car ma bouche se mélange à nouveau à la sienne, je le pousse et le chevauche encore une fois. Je baisse mon corps et sens son érection parfaitement logée entre mes jambes, elle pousse, grande et chaude, contre sa braguette. Mon Dieu. J'ouvre sa chemise, me penche et commence à lécher son piercing, et je frissonne quand il glisse le bout de ses doigts dans l'élastique de mon string… et plonge dans le V en dentelle.

– Viens là, ma petite femme sexy, murmure-t-il en tenant l'arrière de ma tête et forçant mes lèvres à revenir sur les siennes.

À la seconde où sa bouche est sur la mienne, son doigt est en moi. Mon sexe se contracte et un gémissement m'échappe, je balance mes hanches, j'ai besoin de la friction de son érection contre mon clitoris alors qu'il bouge son doigt en moi. Il se frotte également comme si lui aussi avait besoin de ce contact, et la cicatrice sur la paume de sa main caresse mon téton quand il prend mon sein.

– Chatte pulpeuse, seins pulpeux, princesse blonde pulpeuse.

Lorsqu'il lèche un de mes tétons, je me cambre et lance ma tête en arrière, laissant échapper un hoquet d'agonie. Je balance instinctivement mes hanches, j'en veux plus, j'en ai besoin et nous essayons tous les deux de nous rapprocher. Il me mord et me suce, puis appuie sa langue sur le bout de mon sein pour le faire pointer encore plus. Je passe mes mains dans ses cheveux, et j'essaie de retirer sa chemise de ses épaules musclées et massives.

Il sort son doigt et m'arrête des deux mains.

– Laisse-la, murmure-t-il, avant de me tourner sur le dos et de lever mes bras au-dessus de ma tête.

– Mais je veux te toucher, je souffle en ondulant mon corps sous le poids du sien.

Il maintient mes bras en place avec une main et retire sa cravate de l'autre, puis il l'attache autour de mes poignets.

– Ce soir, il n'y a que moi qui touche.

– Pourquoi ?

– Parce que je l'ai décidé.

Je ne peux contenir un frisson d'excitation quand il enlève ma culotte. Il baisse la tête et des flammes lèchent mon corps à chaque baiser qu'il dépose sur moi, et je remonte mes hanches lorsqu'il plonge sa langue dans mon nombril. Je sursaute, mon corps le réclame comme du sucre, comme du chocolat, comme du sexe.

– S'il te plaît, oh…

Il murmure *chut* et ouvre ma chatte avec ses doigts, et me dévore avec sa bouche. Ma tête tombe en arrière et un râle de plaisir sort de ma gorge lorsqu'il commence à enfoncer sa langue dans mon sexe. Il le caresse d'une façon qui me donne des convulsions de plaisir frénétique.

– Mon Dieu, tu me rends fou, souffle-t-il en me goûtant à nouveau.

Je frémis sous lui, la colonne vertébrale cambrée, les cuisses grandes ouvertes, avide de son toucher, de sa langue, de sa proximité.

– Greyson, dis-je, en prenant de grandes inspirations déchirantes.

Il est comme tous les garçons que j'ai embrassés sous les gradins, tous les garçons que j'ai voulus et qui ne voulaient pas de moi, tout ce qui m'était interdit. Je grogne quand il fait un cercle avec sa langue autour de mon clitoris.

– Oh ! Grey… Greyson… *s'il te plaît*… Tu es…

Ma respiration râpe dans ma gorge lorsqu'il remonte sa tête et je vois une possessivité évidente dans ses yeux. Il embrasse mes tétons tendus, puis il m'observe, attachée pour lui dans son lit. Je me sers de mes jambes et enroule mes cuisses autour de ses hanches pour le tirer vers moi.

– Je n'ai jamais supplié personne, mais je te supplie de me toucher.

– Pourquoi est-ce que tu me supplies, Mélanie ? Ça devrait être moi qui supplie pour te toucher.

Ses mains passent sur mes côtes. Les sensations sont si intenses que, chaque fois qu'il me touche, le bout de ses doigts crépite et me brûle. Mes muscles se contractent et se nouent tandis que mon corps est à nouveau envoyé à cet endroit où il est le seul à pouvoir m'emporter, où il ne fait pas que soulager une douleur physique, mais atteint un état où il peut ouvrir mon âme en deux.

Je ferme les yeux en sentant qu'ils deviennent humides et me brûlent, je garde les bras au-dessus de la tête, attachés par sa cravate, et son pouce joue avec mon clitoris. Il le fait plus fort, plus profondément, comme un expert. Nos regards se croisent, il s'abat sur ma bouche et chuchote :

– Je ne supplie pas, jamais, mais je supplierai pour cette chatte, dit-il dans un gémissement tandis que ses doigts me préparent, car il est si gros qu'il faut que je sois mouillée et préparée et oh mon Dieu, je suis plus que prête.

– Oui… je dis, et l'orgasme est si proche qu'il est audible dans ma voix.

Puis sa bouche est à nouveau sur la mienne, nos langues s'entremêlent et il continue à me caresser, ses mains sont brûlantes quand il les pose sur moi et enfonce un doigt profond. Je soulève mon pelvis, affamée du moindre centimètre. Une fois qu'il m'a assez excitée pour que je sois sur le point d'exploser, il se relève et ouvre la braguette de son pantalon.

Ma vision est brouillée d'avoir tant voulu cela. Il n'enlève même pas son pantalon. Il le baisse jusqu'à ses genoux, déchire l'emballage d'un préservatif et le déroule.

Nos bouches vagabondent l'une sur l'autre pendant qu'il aligne nos deux corps.

– Fort ! je demande en coinçant autour de sa nuque mes poignets attachés pour le garder près de moi, et en faisant pleuvoir des baisers sur sa mâchoire.

Hier soir, alors que j'étais effrayée et sale et vulnérable, je ne voulais que lui. Que lui.

– J'ai tellement envie de toi. FORT, dis-je dans un souffle, brusquement vulnérable, tremblante, en manque.

Je mordille son piercing au téton avec gourmandise, il répond par un grognement et me force à me mettre sur le dos.

– Impatiente, gourmande la petite fille.

Il prend sa queue et met la capote, et il a l'air aussi à cran que moi quand il commence à me pénètrer.

– C'est ce que tu veux ?

Le plaisir fait rouler mes yeux dans leurs orbites et je crie :

– Oui, en entier.

Il gronde en voyant ma première larme couler, et quand il pose sa main sur mon visage comme pour les retenir et commence à me baiser pour de vrai, mon corps fond dans le sien et le monde est plein de lui. Juste lui. Uniquement lui.

Il s'enfonce plus profondément, et je m'envole de plus en plus haut. Je sens mes tétons frotter sa chemise, son souffle chaud sur mon visage, son corps dans le mien ; la Terre tangue sur son axe. Ses mains ne lâchent pas mon visage, il me tient à chacun de ses coups de reins puissants, rapides, experts.

– C'est ça, c'est exactement ça, laisse-toi aller pour moi, laisse-toi aller pour moi, Mélanie, je m'occupe de toi, murmure-t-il en embrassant ma gorge.

Les bouts de mes seins sont comme deux bourgeons roses à cause du frottement de sa chemise ; j'adore ça. J'adore son odeur, ses mains, sa voix.

– Oui, je laisse échapper lorsqu'il s'enfonce plus fort.

Mon rythme est maintenant complètement aléatoire. Tout ce que je veux, c'est plus de lui, plus de lui, LUI TOUT ENTIER.

– Oui, oui.

Il rugit, la tête en arrière, et des veines ressortent alors qu'il commence à éjaculer. J'ouvre les jambes encore plus grand, il prend mes hanches et donne des coups plus forts et me regarde perdre la tête. Je gémis et me mets à trembler, consciente que ses yeux me dévorent alors que je me disperse en un million d'étoiles rayonnantes.

Quelques instants plus tard, je sors de ma stupeur hébétée et remarque qu'il caresse mon visage humide avec sa main, l'autre sur mes cuisses, là où j'ai des bleus. Son toucher fait fondre en moi un endroit caché qui souffre quand je me souviens, mais à ce moment précis, dans ses bras, c'est une satisfaction et une paix qui passent entre nous. Je le sens également dans son corps. Comme s'il aimait essuyer mes larmes.

Je pousse un soupir détendu quand il embrasse ma tempe et essuie le reste de mon visage, je passe mes mains liées autour de son cou et je me presse contre son torse.

– Personne ne me pousse aussi loin que toi, j'explique d'une voix cotonneuse.

– C'est parce que je ne suis pas bon, dit-il.

Il glisse sa main le long de mon bras, jusqu'à mes mains accrochées derrière sa nuque.

– Je ne suis pas – il embrasse une de mes paupières – bon pour toi, putain.

Il embrasse ma seconde paupière, puis ma bouche, et ses doigts recommencent à jouer avec ma chatte. Mon corps me surprend, et il réagit alors que je ne pensais même pas que c'était possible.

– Prête à recommencer ?

Je hoche la tête. Je ne sais pas quel nom donner à ce que je ressens quand il est à l'intérieur de moi, alors je ne vais peut-être pas essayer. Est-ce qu'un mot existe pour ça, au moins ? Cette connexion entre deux êtres humains. Entre une femme et un homme.

Un *putain de connard*. Je le regarde, et il ne me fait pas peur. Il m'attire. Il me tente, me grise. Il me donne envie de le déclarer mien, comme si je possédais une part de moi qui avait été perdue. Me donne envie de le dompter. De le laisser me dompter.

Il déroule un autre préservatif sur son épaisse queue et se met à genoux, et je me sens vulnérable et à découvert mais je ne veux pas me cacher. Je lui montre ouvertement ma faim en léchant et en embrassant son cou puissant alors qu'il agrippe ma taille et se pousse en moi. Un frémissement incontrôlable me parcourt quand il est entièrement en moi, et je mords un tendon qui jaillit de sa gorge, près de ma bouche.

Le son étouffé qu'il produit me fait comprendre qu'il aime ça. *Tu aimes bien quand je suis coquine ?* Mes yeux s'ouvrent, et il me regarde avec un désir sauvage, affamé et possessif, mais aussi étrangement respectueux et doux. Cette fois, nous baisons paresseusement, sans l'urgence du début, les mouvements de nos corps sont synchronisés jusqu'à ce que je voie de petites étoiles quand un autre orgasme monte.

— Vas-y, mords-moi autant que tu veux, petit chaton, dit-il dans ma bouche, ses yeux rivés sur les miens tandis que je m'exécute et le lèche, le savoure. Tu veux que ce soit ma queue dans ta bouche ?

Son murmure enroué me provoque dans mon oreille, avec un souffle chaud.

— Est-ce que tu veux sucer cette bite ? La mordre ?

Je prends une inspiration, avec une voracité retrouvée.

— Quand je la mordrai, je vais mordre fort.

Avec mes bras autour de son cou, mes ongles griffent une partie de son cuir chevelu, et mes hanches vont et viennent plus rapidement pour suivre son rythme qui s'accélère. Son rire est redevenu sombre, sensuel, intime lorsqu'il passe son pouce mouillé sur mes lèvres, tandis que le lit grince en dessous de nous.

– Si tu crois que j'ai peur d'un petit peu de dent, il faut que tu apprennes à mieux me connaître, princesse.

Juste après, il mord ma lèvre inférieure et l'aspire dans sa bouche, en donnant des coups plus forts pour me faire gémir. Je le mords à mon tour, et ses grognements sont si sexy qu'ils rendent le sexe encore plus intense. Mon corps mouillé et enlacé s'agrippe à lui avidement car je veux l'avoir en moi aussi longtemps que possible, mais le plaisir est trop extrême pour me permettre de tenir aussi longtemps que je le voudrais. Le sommier couine en dessous de nous, de plus en plus fort, comme ses coups de reins. Je suis tout aussi bruyante. Et Greyson ? Il lâche aussi des sons de plaisir graves, masculins.

– Prépare-toi, princesse, je vais jouir très fort, dit-il dans un râle.

– Jouis, je le supplie.

Il n'imagine pas comme j'attends de le sentir se lâcher en moi, se lâcher avec moi. Il attend de me sentir me resserrer autour de lui. Puis, au moment où cela débute pour moi, il lâche tout. Il jouit à pleine puissance, son corps se tend comme un arc et quand je le sens tressaillir en moi, ses mains cramponnées à mes hanches, le plaisir explose en moi, intégralement, au point que je ne peux pas garder les yeux ouverts.

Oh. Mon. Dieu. Je reste allongée un moment dans un silence essoufflé, et je réalise que Greyson me détache. Il caresse mes poignets avec l'intérieur de son pouce, puis se laisse tomber sur le dos et fixe le plafond, sa poitrine monte et descend, son piercing au téton reflète les fins rayons de soleil qui passent à travers la fenêtre.

Le soleil se lève déjà. Je ne voulais vraiment pas qu'il se lève parce que je ne veux pas encore partir. En silence, je vais dans la salle de bains, et quand je reviens au lit, il regarde la ville par la fenêtre, l'air satisfait et épuisé, sa chemise toute froissée, ses cheveux en désordre, sa bouche magnifique gonflée à cause de moi. Je devrais y aller. Oui sûrement, je devrais. Mais je le fixe, lui et sa bouche, et je me demande combien de femmes ces lèvres ont embrassées.

Beaucoup, Mélanie.

Il m'avait prévenue, mais je n'ai pas envie d'être dissuadée. J'ai l'impression que quelque part, au fond, il se fout de moi. Pourquoi m'aurait-il donné ce collier, sinon ? Pourquoi me lancerait-il, encore et encore, LE REGARD ? Peu importe, il faut que j'y aille, alors je marche jusqu'au grand lit en balayant le sol du regard à la recherche de ma robe, bien que l'idée de rentrer seule à mon appartement me retourne l'estomac. Je pourrais appeler Pandora, mais il faudra que je me prépare à ce qu'elle me sorte les vers du nez, j'imagine.

– Est-ce que tu as vu ma robe ? je lui chuchote.

Sa voix est rauque et ses yeux voilés à cause de la fatigue ; il soulève le drap pour moi.

– Ouais, je l'ai rangée pour éviter la pagaille. Viens dormir un peu.

Oh merde, je n'avais vraiment pas envie de partir, mais je ne veux pas non plus qu'il sache à quel point j'ai envie de dormir ici cette nuit.

Alors je reste plantée là, nue et indécise pendant une seconde.

– Je ne suis pas obligée de rester, dis-je.

Mais il a cette façon de regarder les gens, comme s'il donnait un ordre. C'est très étrange. Je n'ai jamais rencontré personne qui avait autant de pouvoir dans un seul regard. Je cède et me vois m'approcher sans rien dire. Ses lèvres remontent quand il lève le drap plus haut et je vois son corps nu sous la couverture.

Bizarrement, je me sens gênée quand je me glisse dans le lit avec lui, je m'assois d'abord sur le côté pour tresser rapidement mes cheveux ; je n'arriverais jamais à m'endormir autrement, je ne supporte pas de me réveiller et de sentir des cheveux sur mon visage.

Je sens que son regard curieux scrute mes moindres gestes ; lorsque je soupire et m'allonge sur le côté, face à une cheminée en pierre à l'autre bout de la pièce, il rigole derrière moi.

– Tu as vraiment l'intention de dormir au bout, là-bas ?

– Je ne veux pas déranger ! je ris nerveusement. Je ne reste pas en général.

– Tu aimes baiser et t'en aller, pas de problème, princesse. Sauf que je n'en ai pas fini avec toi.

Il tend le bras et me tire vers lui, et comme je ne proteste pas lors de la manœuvre et qu'en réalité j'ai envie de me pelotonner plus près de sa chaleur, il souffle doucement.

– Tu es vraiment drôle, toi, murmure-t-il, en prenant ma tresse dans sa main pour m'obliger à me retourner et à être face à lui. Puis il colle ma tête contre la sienne, front contre front.

– Peut-être que je vais dormir cette nuit, tu sais fatiguer un homme.

– Qu'est-ce que tu veux dire ? je lève les yeux vers lui et remarque sa mâchoire serrée. Tu ne dors pas ?

– Pas bien, mais je vais essayer si ça ne te dérange pas, plaisante-t-il.

– Alors essayons, dis-je, un sourire aux lèvres.

J'ai l'impression que nous ne bougeons pas pendant plusieurs minutes, lui avec les lèvres à peine étirées alors que j'ai un grand sourire, regardant tous les deux dans les yeux de l'autre. Je n'ai aucune idée de ce qu'il peut bien voir dans mes yeux qui captive autant son attention, mais je ne peux pas non plus lâcher son regard. Il est si fermé et mystérieux, mais en même temps, je vois un naturel impétueux, comme s'il attendait désespérément quelque chose de moi.

Pas quelque chose… tout de moi.

– Viens là, grogne-t-il.

Il bouge le premier, passe un bras autour de moi et me tire contre son flanc. Je m'enroule contre son corps imposant, un peu tendue au départ, douloureusement consciente de chaque endroit où nos corps nus se touchent. Là où mes seins appuient sur ses côtes, ma joue sur son torse, une de mes jambes coincée entre les siennes.

Putain, c'est la situation la plus intime que je puisse connaître avec un homme et je suis incapable de me détendre, je ne peux pas m'oxygéner, je ne peux pas former une seule pensée cohérente.

Sa respiration commence à ralentir et… oh, wow. Il dort. Il s'est endormi en me tenant, avec son bras calé autour de mes épaules, et je ne comprends pas pourquoi cela me donne des papillons dans le ventre.

Il y a un peu de sang sur sa chemise, sur la manche du bras qu'il a enroulé autour de moi. Je touche la tache rouge, je me demande si je l'ai griffé. Puis je lève la tête vers ce beau visage viril et je me pose des questions sur lui. Pour la première fois de ma vie, je veux être allongée auprès d'un homme et l'écouter respirer, lentement et profondément, comme il respire en ce moment. Je ne comprends pas les réactions viscérales qu'il provoque chez moi.

Cet homme sexy avec sa salle secrète. Mais qui a une salle secrète dans ce monde ? Lui, il en a une. Et je suis tellement curieuse, j'observe les traits de son visage et je me dis que je pourrai dormir quand je serai toute seule… Alors je touche son piercing et le regarde, étendu dans son grand appartement vide, endormi avec un bras autour de moi, et je me demande combien d'autres secrets il me cache.

***

Un téléphone émet un bip, bip, bip. Je gémis et me retourne, sentant quelque chose contre mon corps de si chaud et si dur que ce n'est certainement pas un coussin.

– C'est quoi, ce bruit?

Des yeux noisette endormis s'ouvrent, croisent les miens, et mes poumons se serrent de la plus agréable des manières. *J'ai vraiment dormi dans les bras de ce mec? Cet homme qui m'a dit qu'il allait être mon pire cauchemar?* Il s'assoit dans le lit et masse sa nuque, étire ses bras puis il jure alors que le bip continue, attrape la machine de malheur, saute du lit et marche, cul nu jusqu'au balcon de son appartement. Je regarde ses fesses avec un petit chatouillis au fond du ventre. Quel jour sommes-nous aujourd'hui? Samedi? Dimanche?

Brooke. Remy. Mariage. Je me souviens. Toi et Greyson.

Je fonds. Je sors du sommeil et me rends compte que je suis ici depuis plus de trente-six heures. Toute la matinée de samedi et maintenant, est-ce qu'on est déjà dimanche?

Je m'étire, mon corps me fait souffrir de partout. Je me rappelle hier. Manger par terre avec lui, genre pique-nique. Paresser dans le lit. Le titiller. Regarder *Blow* avec lui. Putain. Je n'avais jamais passé un week-end aussi génial, même en rêve.

Hier soir, il m'a parlé de mes fantasmes. J'ai ri.

– Eh bien... J'en ai peut-être un mais je ne t'en parlerai pas, j'ai chuchoté malicieusement en levant les yeux vers son visage. Et les tiens?

– Les fantasmes, c'est pour les gens qui ne font pas ce qu'ils veulent.

– Donc tu as tout fait, alors?

– Tout ce que j'ai eu envie de faire.

– Dont moi?

Il a ri, un son délicieux.

– Dont toi. Et plusieurs fois, maintenant.

– Y compris un plan à trois ? j'ai insisté.

– Évidemment.

– Vraiment ? La curiosité m'a réveillée, et j'ai posé mon menton sur son torse. C'était bien ?

Il a passé son pouce le long de ma colonne vertébrale en regardant mon sourire, lui-même un sourire aux lèvres.

– Pour le mec, oui. Les filles n'ont pas l'air capables de comprendre que ce n'est pas une compétition.

– Tu ne fais des plans à trois qu'avec deux autres filles ? j'ai demandé. C'est très salaud de ta part.

– Bébé, je ne partage pas mes nanas avec d'autres hommes, c'est pas mon genre.

– Ça, je ne pourrais pas te partager avec une autre fille non plus. Je la foutrais par terre tout de suite. Je voudrais tes deux mains sur moi, pas juste une. Pfff !

Il a ri et jeté un peu sa tête en arrière, sa voix était sourde et rocailleuse, et sa pomme d'Adam remuait.

– Tu es suffisante pour n'importe quel mec, crois-moi.

Une telle sensualité émanait de lui que j'avais une envie folle de le lécher. La façon dont il me baise est tellement… Je ne peux même pas l'expliquer. Je n'ai jamais ressenti une connexion aussi forte, une conscience aussi primaire de lui en tant qu'homme, et de moi comme… femme.

– Et la sodomie ?

Son rire était tellement obscur et sexy.

– Bien sûr, c'est toujours sympa.

Il m'a regardée, puis la compréhension a germé dans ses yeux, et ils se sont mis à briller, presque trop fort, quand il a pris ma fesse dans sa main chaude aux longs doigts.

– Viens par là, Mélanie.

Mon cœur s'est précipité à cause de la luxure qui épaississait sa voix. J'adore le sexe. C'est la seule connexion que j'aie jamais trouvé avec le sexe opposé. Mais jamais comme ça. Jamais quelque chose de risqué, une chose pour laquelle il fallait que j'aie assez confiance en l'homme avec qui j'étais pour qu'il ne me fasse pas mal.

– Tu veux te faire doigter les fesses, princesse ? a-t-il murmuré dans mon oreille, et le sang était chaud bouillant dans mes veines lorsqu'il a plongé son pouce dans la fissure entre les courbes de mon derrière.

Tout mon corps s'est tendu quand il s'est dirigé vers cet endroit.

– Grey ! ai-je dit, avec des joues rouge vif alors que son pouce me caressait, comme le contact d'une plume.

– C'est agréable, princesse ?

Il me regardait avec des yeux liquides, comme du whisky, ses cils avaient l'air lourds et j'ai coincé ma lèvre entre mes dents pour m'empêcher de faire un son honteusement exubérant. J'étais si mouillée que j'ai entendu le son humide de son pouce passer sur mes lèvres avant qu'il remonte sa main dans l'autre sens, en excitant chaque nerf, doux et langoureux.

– J'aimerais bien être prise comme ça, j'ai confessé, en le regardant droit dans les yeux. Mais seulement avec quelqu'un en qui j'aie confiance. Qui se soucierait de moi et de ma sécurité.

– Viens ici, m'a-t-il dit en m'étalant sur lui. Je ne me servirai que de mon doigt. Tu trembles déjà tellement.

– C'est vrai que j'aime bien, c'est excitant, mais je ne sais pas… Greyson…

– Chut.

Il a passé ses lèvres contre les miennes pour me faire taire. Il était dur sous moi. Il aime me toucher, me chuchoter des choses et m'embrasser, et je me suis détendue doucement. Il a mis son pouce dans mon cul et quand j'ai gémi, il a penché ma tête en arrière et m'a encore embrassée doucement.

– Détends-toi, laisse-moi entrer.

Il m'a excitée en bougeant son pouce très lentement, le faisant entrer et sortir, et j'ai commencé à trembler encore plus, je bougeais sur lui et j'ai senti que le bout de sa queue était mouillé contre mon ventre.

Il m'a retournée sur le ventre. Sans rien dire, il s'est penché et a mordu une de mes fesses, en tenant l'autre dans sa main alors que son pouce glissait encore dans mon cul.

— Mets-toi sur tes genoux, Mélanie.

Il a passé sa main dans mon dos alors que je faisais ce qu'il me disait, la respiration saccadée.

— Greyson, c'est très intense…

— Laisse-toi emporter, princesse. Donne-moi ça. Putain, laisse-moi te regarder craquer comme ça.

Il frottait mon dos avec sa main alors que l'autre continuait à me pénétrer. Les sensations m'ont submergée. J'ai gémi, fermé les yeux car son toucher enivrant me faisait des choses nouvelles et profondes. Il a mordillé mon autre fesse et m'a baisée avec son pouce trois fois de plus, et quand il a glissé son majeur dans ma chatte, je me suis mise à jouir, et jouir, et jouir.

Il a appuyé sa bite contre moi pendant mon orgasme, pour que je la sente proche, qui me tentait, dure, palpitante, et sa voix était rauque à cause de l'excitation, près de ma nuque, découverte car il avait poussé ma tresse sur le côté.

— Bonne fille, a-t-il ronronné, en pinçant mes tétons et en caressant l'extérieur de mon petit cul alors que les contractions se calmaient.

— C'était… incroyable.

Je me suis retournée, il s'est mis sur le dos et a replié ses bras derrière sa tête tandis que j'essayais de reprendre mon souffle. Mais c'était trop dur de respirer tant l'air était rempli du désir, de la luxure, de cette attirance animale et chimique que je n'avais jamais ressentie. Je voulais sa queue en moi, je voulais tout faire avec lui, mais est-ce qu'il ferait attention à moi ?

Son corps respirait la tension, ses muscles en étaient pleins, sa bite à nouveau dressée.

– Tu as eu beaucoup d'amantes ? j'ai chuchoté, en le prenant dans ma main, étonnamment jalouse.

– Des amantes, pas vraiment. Des plans cul, oui. Il a pris mon visage dans une main et a serré mes joues entre ses doigts. Mais je n'ai jamais baisé une petite bouche comme la tienne. Allez ouvre, princesse.

J'étais à nouveau mouillée lorsqu'il s'est mis sur ses genoux, en me tirant par ma tresse. Quand il m'a remplie, je l'ai regardé dans les yeux, et il n'a pas détourné le regard, il regardait chaque caresse de ma langue, chaque centimètre que je léchais, chaque souffle.

– Putain, a-t-il lâché dans un râle.

Je faisais courir ma langue sur lui, et nos yeux étaient connectés comme des aimants.

– Tu aimes ça, hein ? a-t-il dit.

Sa façon de me parler m'excitait. S'il m'avait touchée une fois de plus, j'aurais eu un orgasme. J'aurais pu glisser ma main entre mes jambes pour me toucher. À la place, j'ai attrapé sa queue, je voulais qu'il fantasme sur cette pipe quand il partirait…

Il a commencé à jouir et, d'habitude, je me retire quand les hommes en sont là, mais quand je l'ai senti se contracter et que j'allais reculer, il a dit :

– Mon foutre est à toi jusqu'à la dernière goutte, Mélanie.

Il a serré ma tresse dans son poing, ses yeux étaient exigeants, dominants, et tout à coup je voulais lui faire plaisir, le goûter, et c'est ce que j'ai fait.

Je ferme brièvement les yeux et expire tous les souvenirs d'hier. Quand je les rouvre, il est sur le balcon, toujours au téléphone.

Ses jambes, massives comme des troncs, sont écartées, longues, musclées, et frottées par le vent. Ses mollets sont puissants et bien proportionnés, son teint doré, son cul parfait, moulé aussi parfaitement que le triangle inversé et musclé de ses larges épaules et ses hanches étroites. Et il est dehors, cul nu, visible pour quiconque a des jumelles. Il se tient juste là. Un putain de dieu du sexe.

Quand Greyson fait coulisser la porte vitrée, il est encore au téléphone, toujours aussi nu qu'avant, il rentre dans la chambre et raccroche. Je remarque qu'il a un gros bandage sur un biceps et il est taché de rouge. Alors qu'il approche, je soulève les draps parce que j'ai besoin de sa chaleur, de sa proximité, de son odeur sur ma peau.

– Le travail ? je demande.

– On peut le dire comme ça, dit-il en se glissant avec moi sous les couvertures.

Je retiens mon souffle parce que son sexe durci me dit qu'il a envie de moi aussi. J'embrasse sa gorge et enroule mes doigts autour de sa queue, j'adore qu'elle soit redevenue dure si vite. Demi-molle quand il était au téléphone, elle est à nouveau complètement gonflée. Oh putain, j'adore vraiment ce mec. Ce qu'il murmure quand on baise…

J'ai des picotements partout sur la peau en y repensant.

Il me regarde avec des yeux ensommeillés et mes orteils sont tout recroquevillés. Quand il fait ce sourire sensuel, je meurs. Sans prévenir, il retire le drap de mon corps. La lumière du soleil brille à travers la fenêtre, et quand il pousse le tissu sur le côté pour me regarder, je me tortille sur le lit.

– Arrête, je proteste, en essayant de remonter les draps, et je couine, gênée.

– Non, réplique-t-il calmement.

Il prend les draps dans son poing et les jette à nouveau, en me poussant pour me mettre sur le dos.

Je pense tout de suite aux cicatrices de mon rein.

– Je n'ai pas l'habitude qu'on me voie comme ça.

– Habitue-toi à ce que je te voie comme ça, dit-il avec douceur.

Bien que je sois écarlate, il m'hypnotise tellement que je reste immobile sur le lit, mes seins montent et descendent pendant qu'il me regarde. LE REGARD qu'il pose sur moi est comme un toucher vivant, physique. Il voyage dans chaque centimètre de mon corps, du dessus de ma tête jusqu'à mes orteils, comme un frisson. Je n'aurais jamais pensé qu'un regard pouvait avoir autant de pouvoir.

Il me fait oublier mes cicatrices, toutes mes blessures. On pourrait penser que, comme la greffe de rein a été faite quand j'étais bébé, la cicatrice est toute petite. Mais non. C'est un grand trait sur la droite de mon ventre, et elle a grandi avec le reste de mon corps. Elle a une couleur rose très clair et le maquillage fait des merveilles, mais le maquillage est parti, maintenant.

Et Greyson la voit. Il passe son doigt le long de ma cicatrice et pose ma main sur la sienne. Ce geste ne fait que me le faire aimer encore plus. Parce qu'il a une marque, lui aussi, mais il n'en a pas honte.

Lorsqu'il se penche et appuie ses lèvres contre ma cicatrice, les larmes me montent aux yeux.

– Qu'est-ce qu'il s'est passé, ici ? murmure-t-il.

Je ne sais pas pourquoi il m'émeut mais je ravale les larmes et glisse ma main sur son torse, jusqu'à sa propre blessure.

– Qu'est-ce qu'il s'est passé là ? je rétorque, d'une voix remplie d'émotion.

– Honneur aux dames, dit-il doucement, en reculant un peu et en me regardant avec des yeux qui ne sont plus endormis, mais sombres et patients.

Je ne suis pas sûre de vouloir qu'il sache qu'un de mes reins n'est pas le mien. Que je suis une greffée. Que je dois prendre des pilules pour être sûre que mon corps ne rejettera pas l'organe de mon donneur. Que dans quelques années, je devrai peut-être l'échanger contre un nouveau, s'il commence à faiblir.

Ce ne sont pas des choses que l'on dit à un homme quand on commence seulement à se voir, ou à baiser, peu importe ce qu'on fait en ce moment. Il y a cette émission qui s'appelle *Millionaire Matchmaker*, et je n'oublierai jamais comment la spécialiste, Patti, s'est acharnée sur une fille qui avait balancé des problèmes sérieux à un pauvre célibataire. *On ne fait pas ça!* Les mecs se fichent de ça s'ils ne sont pas encore vraiment intéressés par toi!

En silence, je touche le piercing de Greyson au lieu de répondre, et en l'entendant retenir son souffle quand je joue avec, je souris vers ses yeux brusquement très sombres et affamés et je dis:

— Je devrais me faire un piercing au téton.

Il rit, puis redevient sérieux et secoue la tête.

— Ouais, ça n'arrivera jamais.

— Pourquoi pas?

Il caresse mes fesses.

— Pas moyen que ça arrive. Personne ne touche à mes affaires.

Je réalise que le gros bandage sur son bras droit est taché de sang, et je me redresse, inquiète.

— Qu'est-ce qui s'est passé? Je t'ai griffé?

Il esquisse un sourire pour lui-même en resserrant le bandage.

— Il faut plus qu'une petite griffure de chaton pour me faire saigner.

— Laisse-moi t'aider.

Je me rapproche, prends le bandage et l'enroule autour de son bras en faisant attention.

— Est-ce que ça va? je demande.

— Ça va, dit-il l'air de rien.

Quand je finis de serrer le bandage, je dépose un baiser dessus sans réfléchir, les yeux fermés, traversée par un élan de tendresse. Ressentir une telle tendresse pour un homme, cela m'est tellement étranger. D'habitude les hommes sont justes… des mecs, pour moi. Même pas humains. Plutôt des ennemis, qu'il faut manipuler avec précaution. Utiliser, à l'occasion. Mais ce que je ressens pour celui-là est la chose la plus forte que j'ai ressentie de toute ma vie. Presque comme si je l'avais connu avant. Dans une autre vie… Dans mes rêves…

Avant que je puisse relever la tête, son nez trouve mon oreille, me fait sourire contre son bandage et m'agiter quand son souffle me chatouille. Il frôle ma colonne vertébrale avec sa main et la pose dans le bas de mon dos. Cet homme fait tourner le bas de mon corps à plein régime, mais le haut de mon corps travaille tout autant, il suffit de voir mon cœur, qui n'a pas battu normalement depuis plus de trente-six heures. Et est-ce qu'il me jette encore le regard ? Je lève la tête, et je frissonne des doigts aux orteils. Son sourire est paresseux, endormi, et il me fait fondre.

– C'est pas mal, dit-il d'une voix gutturale.

– Quoi ?

– L'infirmière Mélanie, chuchote-t-il.

Quelque chose en moi tremble, bondit et je grommelle contre la réaction stupide et instantanée de mon corps, puis je penche ma tête en tenant la sienne pour l'embrasser. Il frôle mes lèvres, me provoque avec un sourire.

J'émets un grognement de protestation quand l'alarme de mon portable hurle de toutes ses forces, je me rappelle qu'on est dimanche.

– Pfff, je dois déjeuner chez mes parents.

Comme il ne semble pas vouloir lâcher ma taille, je pousse ses larges poignets.

– Monsieur, je dois y aller.

— Je propose que tu annules, dit-il paresseusement.

— Je ne peux pas. Je suis la seule qui vient déjeuner, et nous faisons toujours un brunch le dimanche.

Je commence à ramasser mes sous-vêtements et à chercher ma robe.

— Tu peux venir si tu veux, je lance, et en remarquant son expression fermée, j'ajoute : Pas d'obligation. Je veux dire, c'est juste un petit déj. Même pas, un brunch.

— Nan, je pense pas.

Il est encore somnolent dans le lit et s'étire en regardant son téléphone, d'abord un premier, puis il en sort un deuxième.

— Est-ce que je peux me servir de ta douche, vite fait ? je demande nerveusement.

— Sers-toi de tout ce que tu veux.

Une fois encore, je me sens timide… Je ne sais pas pourquoi il a cet effet sur moi. Normalement, dans ces situations, je suis désinhibée et je peux faire ce que je veux d'un pauvre garçon, si je veux. Mais de toute évidence, je ne ferai pas ce que je veux de celui-là. Consciente de ses yeux sur mon cul quand je me retourne, je marche jusqu'à la salle de bains et ouvre l'eau chaude en entrant dans la cabine de douche. J'expire doucement pendant que l'eau coule sur ma tête.

Greyson débarque dans la salle de bains juste quand je sors de la douche, et alors que j'enroule une serviette autour de mes cheveux et une autre autour de mon corps, il fait couler l'eau et se douche en une minute, pas plus.

C'est une première, être dans la salle de bains avec un homme. Brooke m'a dit que quand Remy a fini son entraînement, ils prennent une douche ensemble et baisent comme des fous. Je trouve cela incroyablement perturbant. Ça me nique le cerveau. Et ça me donne envie de niquer, aussi.

En fait, je finis par perdre mon cerveau et par rester plantée là, à le mater pendant qu'il s'essuie les cheveux, nu, ses épaules qui travaillent, ses abdos qui se contractent, le V qui plonge vers sa superbe bite qui est si grosse, même au repos, que…

– Je viens de t'en donner. Mais on dirait que madame a encore envie d'un peu plus ?

Sa voix fait sauter mes yeux vers les siens et vers ce sourire qui me tord le cœur, alors qu'il enlève le plastique qu'il avait mis sur son bandage pour qu'il reste sec.

– Comme si tu n'essayais pas de me tenter exprès, je réponds avec un sourire suffisant, alors que je bave en voyant son cul musclé avancer jusqu'au placard.

– Tu es sûr que tu ne veux pas venir ? je demande.

– Ouais, je suis sûr.

Il revient avec des vêtements entassés sur son bras et s'arrête devant moi avec un sourire.

– Je suis assez «venu» pour un moment.

– Connard. Mais ça, on le savait, n'est-ce pas ?

Je m'appuie sur le meuble et commence à mettre mon maquillage du matin.

– Tu n'étais pas sérieuse. M'inviter ? Dis-moi, princesse ? demande-t-il avec un air clairement inquiet.

Je fais une grimace.

– On ne fait que discuter et prendre un petit déjeuner. C'est pas comme si on complotait pour diriger le monde, il n'y a rien de top secret que tu ne pourrais pas entendre. Ce n'est pas un rendez-vous «rencontre avec les parents». Mais oublie, tu me regardes bizarrement.

Je commence à me brosser les cheveux avec les doigts quand il arrive derrière moi et me fait un câlin, soutenant mon regard dans le miroir. Il prend mon visage dans sa main et le tourne, sa bouche est près de mon oreille, et sa voix est aussi épaisse que la sensation de sa queue contre mon ventre.

– Ces derniers temps, tout ce que je veux, c'est t'emmener dans le lit et te baiser de derrière, de côté, puis de plusieurs angles par l'avant, pour que chaque muscle de ton corps se rappelle de moi quand tu bougeras aujourd'hui. Chaque respiration te fera mal, chaque pas que tu feras. Je veux te nourrir, et étaler mon prochain repas sur toi. Je veux lécher mon repas, de ta tête à tes pieds, et te nettoyer sous la douche, puis je veux te savonner et peloter chaque centimètre de ton petit corps soyeux pendant que je te donnerai ma queue à manger. Quand je te sortirai de la douche, je veux te sécher avec une serviette, masser tes beaux petits seins, te retourner, et te donner ce long et doux coup de bite dans le cul que tu attends.

Tout mon sang a déserté mes organes pour se concentrer cruellement sur ceux de mon sexe. J'essaie de le pousser et de ne pas me laisser exciter par ce qu'il fait.

– Pas maintenant, s'il te plaît.

– Tu me veux ici, Mélanie ?

Il mordille mon oreille et envoie un courant de désir vers mes cuisses mouillées en prenant mon cul dans sa main comme s'il lui appartenait, et m'effleure là avec son majeur. *Là. Encore.*

– Ici, bébé. Tu me veux, long et dur, plus gros que jamais, juste là ? Je veux être l'homme avec qui tu te laisses aller.

– Tu vas me mettre en retard pour le brunch, et je vais m'énerver ! je crie, en donnant une claque sur sa main, puis je me retourne rapidement vers le miroir pour ajouter du gloss sur mes lèvres.

– Tu vas t'énerver ? Son murmure rieur ricoche sur ma peau tandis qu'il me tient par les hanches et me regarde dans les yeux par-dessus ma tête. Tu sais, j'ai un faible pour les princesses en colère. Ça m'excite.

– Va vivre en Europe, alors !

Il masse mes fesses dans ses mains.

– Toi qui te mets en colère, qui me montre cette petite flamme, ça m'excite beaucoup, ajoute-t-il avec sa voix enrouée du matin.

– Oh, tu ne m'as pas vue énervée, je lui affirme, en pivotant sur mes talons. Il en faut beaucoup pour me mettre en colère, mais quand ça arrive, c'est un vrai spectacle. Très peu d'objets environnants y survivent.

– Oh ?

– Les chaussures ou… les lampes peuvent se mettre à voler… s'écraser… et mourir.

– C'est vrai ? demande-t-il avec une lueur moqueuse dans les yeux.

– Très vrai. Je ne me mets pas vite en ébullition mais quand je bous, je bous !

Je me force à me glisser dans mes vêtements ; il est toujours nu, et avant même que j'aie pu zipper ma robe, il m'a plaquée contre un mur vitré, mes seins écrasés contre lui.

Mes nerfs crépitent quand ses lèvres me frôlent. Je pose ma main sur son torse pour le pousser, mais mes doigts ne font que rester coincés là, à l'absorber, à s'étaler sur un pec ferme et délicieusement musclé.

– Je dois y aller, je chuchote, en frottant son piercing avec mon pouce.

De la malice s'empare de ses yeux lorsqu'il effleure ma bouche avec la sienne.

– Tu sais où est la sortie.

Il lèche le bord de mes lèvres.

– Je dois vraiment, vraiment y aller.

J'enroule mes bras autour de sa nuque avec l'intention de l'embrasser rapidement mais il a un autre baiser en tête, plus lent et plus enivrant. Et il met son idée en œuvre.

Sa main s'enfonce dans mes cheveux mouillés et s'installe sur mon cuir chevelu alors qu'il penche la tête sur le côté et m'embrasse, profondément. Nos bouches ont un goût de dentifrice et de chaleur, mon corps se cambre pour se rapprocher de lui et il semble ne pas bouger, chaud et dur, il nous soutient tous les deux et je fonds sous sa bouche.

– Greyson, je râle.

Il passe ses doigts dans mes cheveux et me prend un baiser depuis un autre angle.

– Personne ne te retient, Mélanie.

Je tourne la tête pour avoir un meilleur accès à sa bouche, je frotte ma langue contre la sienne, mes tétons contre son torse.

– Mon Dieu, tu es dangereux, Grey.

– Tu n'as même pas idée, princesse.

Sa langue est violente et sans scrupules. Un autre baiser, long et profond, le genre de baiser qui nous laisse entendre notre respiration, nos bruits lents et humides.

– Je crois que tu as réellement l'intention de m'attacher et de me faire choisir des mots d'alerte, je souffle entre deux aspirations lentes et affamées de sa langue.

– Trouves-en un seul.

Je laisse échapper un petit gémissement quand ses lèvres caressent ma gorge pendant que je réfléchis à mon mot.

– Tête de nœud.

Son rire répercute une vibration en plein entre mes jambes, où mon clitoris est exceptionnellement sensible ce matin et soudain très, très douloureux.

– Cette bouche de cochonne qui me supplie de la faire taire, gronde-t-il. Mais pour info, le mot que je veux t'entendre dire la prochaine fois que je suis en toi, c'est *Greyson*. C'est le mot que je veux entendre quand je serai derrière toi…

– On ne va pas… On ne va pas faire ça.

J'entends presque les palpitations de mon ventre transparaître dans ma voix lorsque j'essaie de m'échapper. Il passe sa main sur le bas de mon dos et me coince contre lui.

– On le fera, bientôt, me promet-il doucement.

– Non. Je ne te fais pas confiance !

Il saisit mon menton, me regarde droit dans les yeux et parle volontairement lentement, comme si j'étais débile.

– Tu peux être sûre… que je ne laisserai aucun autre trou du cul… profiter de ton trou du cul, doux et étroit ; tu peux me faire confiance là-dessus.

Je grogne.

– Ta bouche est plus sale que la mienne. Pourquoi tu en as après moi, déjà ?

– Pour la même raison que tu sors, niques un mec pour oublier ton cerveau, en ressors blessée et repars chercher ce que tu veux. Il y a trois choses que je n'affectionne pas. La confiance. Que l'on me donne des ordres – j'en reçois assez de mon père. Et m'interdire ce que je veux.

– Et ce que tu veux, c'est moi ?

Je m'immobilise sous le contact chaud de ses lèvres brusquement appuyées sur ma gorge, qui remontent jusqu'à mon oreille, où il chuchote un avertissement :

– C'est un euphémisme, mais oui, je te veux.

Il fait un pas en arrière.

– Je veux cela, même si je n'ai pas le droit de le vouloir, Mélanie. Mais ne me confonds pas avec ton prince charmant.

Ses mots me frappent. Directs et vrais. Ils me frappent si fort qu'ils m'assomment.

– Si je t'avais confondu, tu viens de faire tomber l'illusion, dis-je en levant les yeux au ciel. Au revoir, Greyson.

Je déteste le silence qui me suit quand je sors.

15

LÀ OÙ JE VAIS
Greyson

— Avant même de t'en rendre compte, tu iras à l'église le dimanche pour chanter dans une foutue chorale, ricane Derek, qui me conduit jusqu'à la maison des parents de Mélanie.

Pourquoi me conduit-il chez ses parents, me demanderez-vous ? Car il semble bien que je prenne un brunch, aujourd'hui.

— Ferme ta gueule, je marmonne.

Derek pouffe et secoue la tête, je regarde par la fenêtre, morose. *Aaaahhhhh, mon Dieu, je n'y crois pas,* je me dis en passant mes mains sur mon visage, et je regarde mes vêtements propres. J'ai pris le risque de n'emporter aucune arme avec moi et je me sens pire que nu, con. Comme un lycéen qui va chercher sa copine.

Il existe certaines choses que l'on sait être bonnes ou mauvaises. Et je sais que m'asseoir à la table des parents d'une femme pour un brunch n'est pas ma place. Mon sweatshirt me gratte. Je tire dessus, énervé, en marchant vers leur maison de ville. Je sais exactement où est leur maison parce que j'ai piraté tous les comptes de Mélanie, lu toutes les pages, les articles, le moindre ticket de caisse où son nom apparaît. Je pourrais être un fléau sur pattes qui approche de la maison à deux étages, c'est dire combien je me sens hors sujet quand je frappe à la porte. Il y a des parterres de fleurs à côté. Cela sent… la pelouse fraîchement tondue. Je me souviens avoir aidé ma mère à tondre la pelouse, il y a une dizaine d'années. Dans une maison comme celle-là. Cela fait treize ans que je n'ai pas franchi une porte comme celle-ci, dans un quartier comme ici. *Ce n'est plus ma putain de place.*

Derek me fait coucou de la main dans la voiture. Je lui réponds par un doigt d'honneur, et je lance :

— Je te ramènerai les restes.

Il me rend mon doigt d'honneur.

— J'ai bouffé un burrito à la station essence mais tu es la quintessence de la bonté ce matin, boss.

J'ignore son sarcasme car bien sûr je n'étais pas d'humeur radieuse sur le chemin — et puis merde, je ne le suis jamais —, et je frappe à la porte une troisième fois. Je ne suis pas certain de la façon dont va réagir Mélanie en me voyant, mais je vais l'aider un peu et faire comme si je savais déjà qu'elle allait être ravie de me voir. Un point c'est tout.

Une bonne ouvre la porte.

— Oui ?

Son regard court sur moi comme si elle ne pouvait pas s'en empêcher, puis j'entends une voix qui ressemble à celle de Mélanie :

— Qui est-ce, Maria ?

— Merci, je vais trouver mon chemin.

J'entre dans la maison et me dirige vers le bruit, et je débarque tranquillement dans la salle à manger.

Le père de Mélanie se lève de sa chaise, surpris mais pas inquiet. Un peu de poivre et sel dans sa chevelure fournie, et le genre de visage qui arbore un sourire permanent. La mère de Mélanie, en revanche, reste assise les yeux écarquillés ; c'est une belle femme à l'expression pâle et sensible, et ses yeux ont presque exactement la même teinte que ceux de Mélanie.

— Mélanie ? demande son père.

Je parcours son corps du regard, et quand nos yeux se croisent, je la vois tirer distraitement sur une mèche de cheveux rebelle, cherchant nerveusement une explication. Quoi, maintenant elle me laisse en plan comme un idiot? Des flots d'électricité passent entre nous, et je sens mon corps réagir.

– M. et Mme Meyers, dis-je aux gens assis à table. Excusez-moi du retard.

– Maman, Papa, voici Greyson. Il est venu avec moi au mariage de Brooke et Remy. C'est…

Elle lève les yeux vers moi pour que je l'aide. Ses yeux sont grands et brillants, et bon Dieu, elle m'embrouille le cerveau. Des images d'elle clignotent dans ma tête; la femme joueuse, la sirène dans mon lit, l'infirmière qui a refait mon bandage et m'a embrassé après, et je sens le feu de mon ventre se mélanger à mon âme.

Je dis doucement:

– Je suis son nouveau copain, et je suis ravi de vous rencontrer tous les deux.

Je serre la main de son père et ne lâche pas son regard. Sa mère se jette sur moi et se désintègre presque dans mes bras.

– C'est un tel plaisir de vous rencontrer!

Sacrément mal à l'aise à cause de toute cette chaleur humaine, je me délivre et me dirige vers Mélanie. Mon corps est comme électrisé dès que je suis près d'elle. Au moins, le désir, je peux comprendre.

– Ce n'est pas mon copain, c'est juste un ami, rigole Mélanie, qui joue un rôle pour eux.

Elle me regarde avec un sourire amusé, puis lance:

– Changement de programme?

Je tire la chaise à côté de la sienne.

– On dirait bien.

Sa mère tape dans ses mains d'un air ravi.

– Oh, nous allons avoir un nouvel adversaire avec qui jouer aux mimes!

Putain de bordel. Je n'ai jamais vécu un repas familial de toute ma vie, même quand ma mère était avec moi. Jamais avec mes deux parents à table. Je ne mange pas à table. Je ne passe pas mon temps avec des familles. Chez elles.

Je ne sais pas pourquoi je l'ai suivie. N'importe quoi, je sais pourquoi. Elle est ma cible, mais c'est elle qui m'a transpercé. La culpabilité, une émotion que je connais mal, tournoie dans un coin de ma tête lorsque les parents de Mélanie se mettent à lister tous ses talents pour moi. J'imagine que j'ai l'air d'un mec bien. J'ai l'air mieux que bien. Ils pensent que si je lui plais, je la mérite. Putain, ça fait mal.

– Greyson King, huummm… J'essaie de trouver des King que je connais…

Son père se gratte le menton.

– Nous sommes dans le comté de King, après tout. Et la chaîne de télé KING-5 ?

– Non, je ne suis pas du coin.

– Greyson, je voudrais juste dire que notre petite sauterelle n'est pas seulement une exceptionnelle décoratrice d'intérieur, elle sait aussi faire une crème glacée maison parfaite, cela vient du temps où Lucas et moi avions une petite boutique de glaces. Elle sait cuisiner, ça oui !

– Seulement quand on m'y oblige, répond-elle avec un sourire.

Bordel, elle est adorable, vulnérable d'une certaine façon, et joueuse. Elle me donne chaud, putain. Elle me rend dur. Possessif. Protecteur. *C'est quoi ce bordel ?*

– Alors, comment vous êtes-vous rencontrés ? veut savoir sa mère.

Mélanie soupire.

– Il a sauvé ma voiture de la pluie, un jour.

Les yeux de sa mère sont immenses, tout à coup.

– Quand tu t'es retrouvée dehors sous la pluie ? demande-t-elle à Mélanie, comme si elles avaient déjà parlé de la nuit où nous nous sommes rencontrés.

Mélanie rougit ; comment rater ce moment où ses joues deviennent rouge vif ? Le feu dans mon ventre prend encore plus d'ampleur quand je comprends qu'elle a parlé de moi à sa mère.

– Greyson, j'espère que tu ne nous trouves pas trop enthousiastes, mais Mel n'a jamais ramené un garçon à la maison en vingt-cinq ans. Même un ami.

– Vingt-quatre, corrige la princesse.

– Dans un peu plus d'un mois ça fera vingt-cinq, dit sa mère en levant les yeux au ciel avant de me scruter à travers ses cils. Notre Mel organise toujours une fête, me dit-elle, les mains jointes sous son menton. Nous avons hâte de voir ce qu'elle prépare pour cette année !

Pour la première fois, je remarque que ma fêtarde cherche ses mots.

– Je ne sais pas si je vais le faire cette année, tout coûte si cher.

– N'importe quoi. C'est tes vingt-cinq ans ! dit son père.

Le silence de Mélanie est plombé par une peine palpable. Soudain, je me rends compte que nous la regardons tous les trois alors qu'elle fixe son assiette, la lèvre coincée sous ses dents. Mes doigts sursautent, et un éclair d'inquiétude me traverse quand je comprends qu'elle est triste, l'éclair de douleur est suivi par un éclair de détermination à la consoler.

Mon Dieu, elle illumine tant la pièce que, lorsqu'elle est triste, c'est comme si une lumière s'éteignait. Je vis assez dans l'obscurité comme ça, il faudra me passer sur le corps pour éteindre sa lumière.

– Allez, passons aux mimes ! s'exclame son père en frappant dans ses mains avec un enthousiasme feint.

Sous la table, je touche discrètement la cuisse de Mélanie et la caresse d'un mouvement lent et apaisant, quelque chose que je n'ai jamais fait à une femme mais qu'elle provoque chez moi, puis je plane quand ses joues rougissent et qu'elle retrouve son sourire, sa tristesse oubliée. Je le jure, son sourire frappe directement dans ma tête, comme un coup de foudre à l'envers.

Je devrais avoir l'impression d'être un voleur, je vole ce moment qui ne m'appartient pas. Mais c'est beaucoup trop facile de faire comme s'il me revenait de droit.

– Sauterelle, qu'est-ce que tu en dis, filles contre garçons ? Hein, Greyson ?

Mélanie se retrouve à tourner en rond et elle met la tête en avant, pince les lèvres, se penche et picore dans le vide. Elle est sexy, drôle et rigolote, et ce qu'elle est en train de faire envoie des litres de sang directement dans ma bite. Apparemment, ce jeu se joue avec des cartes. Nous devons choisir une catégorie, le père a sélectionné les animaux. Et elle se comporte comme un animal bizarre.

– L'équipe qui gagne le plus de points en devinant gagne, me dit son père en me donnant une claque sur le bras. Ne t'inquiète pas, notre petite sauterelle ne trouve jamais la bonne réponse... Une grue ! hurle-t-il brusquement.

– Oui ! s'exclame-t-elle.

– Tu commences ou j'y vais le premier ? me demande ensuite son père.

– Je vous en prie, monsieur. Je n'ai pas une folle envie de me ridiculiser tout de suite.

Il rit et sort une carte, je vois que c'est un ours. Il ouvre grand les bras et marche.

– Gorille ! crie Mélanie.

Il me fait un petit sourire et lève les bras en l'air, plus haut.

– Étalon ! lance madame Meyers.

Il m'adresse un coup d'œil et lève les sourcils, façon de dire *Tu vois ? Ces femmes sont nulles.* Il continue à jouer la comédie et je me mets à rire en les regardant, jusqu'à ce que mon tour arrive.

Je jette un œil dehors pour être sûr qu'on ne m'observe pas ; si Derek voit ça, c'en est fini de Zéro. Plus aucun respect pour Zéro. Je sors une carte et tombe sur un chien. Je me mets à grogner et fais la première chose qui me vient à l'esprit, j'attrape un coussin et mordille le coin.

— Loup ! crie la mère.

Je le coince entre mes dents et le secoue de droite à gauche.

— Oh la la ! dit sa mère.

Mélanie est morte de rire, et je me sens très con. Putain, je veux qu'elle devine, mais merde, je ne vais pas pigner comme un chien. Je lâche le coussin et abandonne, et elle rit en se tenant le ventre ; elle est tellement sexy quand elle vient et prend le coussin, puis passe ses doigts dans mes cheveux. Je vois la dynamique familiale très clairement, maintenant.

— Ma grand-mère disait, me dit-elle en caressant une dernière fois mes cheveux, que ceux qui jouent ensemble restent ensemble.

Elle a été protégée toute sa vie. Heureuse. Elle jouait à des jeux innocents et amusants. Elle brille. Ils brillent tous. Ils sont ridicules et imbéciles et, de toute ma vie, je n'ai jamais voulu être ridicule et imbécile. Je tue, je fais chanter et j'arnaque les gens ridicules et imbéciles.

— Celui qui fera le meilleur tour aura le dernier brownie !

— Alors fiston, me dit son père après cette annonce, s'il y a un tour que tu sais faire, c'est le moment. Ces brownies sont déments, je te le dis.

— Tu commences, Papa ! lance Mélanie.

M. Meyers commence à faire une danse russe, avec les petits cris inclus. Sa mère fait un gorille plutôt réaliste. Mélanie me regarde, puis elle met ses mains devant sa bouche et crie comme un âne. Enfin, ils me regardent tous.

Merde. *Sérieusement ? C'est débile, putain.* Mais… cette sa façon qu'elle a de me regarder, curieuse, heureuse. Cela me ramène vers elle.

Et je regarde partout dans la salle à manger pour trouver ce que je peux faire. Je vois un vase avec des marguerites, sur la table. Elles sont fuchsia, une vraie couleur de princesse.

Je prends un couteau à viande et fais quelques pas en arrière, lance le couteau à travers la pièce, entre eux. Et j'épingle le cœur d'une marguerite au mur opposé.

Silence.

– Bon sang de bonsoir ! s'exclame son père.

– C'est un tour impressionnant ! lance sa mère.

Mélanie m'apporte le brownie pendant que je décroche la fleur, et quand elle me tend le gâteau, je lui tends la marguerite.

– C'était un tour intéressant, me dit-elle, m'examinant tout en reniflant la fleur. Ils vous apprennent ça à l'école de sécurité ?

– Ils vous apprennent le langage des ânes en première année de décoration ?

Je veux la faire rougir, et cela fonctionne. Elle rit. L'effet que j'ai sur elle agit comme une drogue et là, elle me monte direct au cerveau.

– Ça, c'était un sacré tour, j'entends le père murmurer à la mère.

Mais je suis absorbé par ma princesse coquine qui se tient près de moi, haletante et excitée, joueuse et chaude, pleine de promesses que je n'ai jamais connues. Je lui offre un peu de mon brownie, et elle en mord un morceau. Je commence à caresser ses cheveux pour les pousser au-dessus de son front et quand je lève les yeux, ses parents nous regardent avec des sourires jusqu'aux oreilles, comme s'ils étaient enchantés que leur sauterelle ait enfin trouvé un « ami ».

Et je vois, ici et maintenant, tout ce que l'Underground m'a volé.

16

DETTES
Mélanie

Nous avons baisé avant qu'il quitte la ville. En sortant de chez mes parents, il m'a suivie vers mon appartement, dans l'ascenseur, jusqu'à ma porte. Je suis restée là, j'ai commencé à lui dire au revoir. Il a plaqué ma bouche sur la sienne, m'a soulevée dans ses bras, et direction la chambre.

Il m'a jetée sur le lit et a arraché mes vêtements, puis les siens. Mon corps tremblait et ma respiration était irrégulière quand il s'est laissé tomber sur moi. Il me tenait, une main sur mon épaule et l'autre sur ma hanche, et m'a baisée fort. Je criais et je me tordais, mes ongles griffaient son dos.

– Regarde-moi.

J'ai essayé, en gémissant. Il a glissé sa main le long de mon dos, sous mes cheveux, et a tenu l'arrière de mon crâne, pour remonter mon visage.

– Dis que tu adores ça, m'a-t-il ordonné. Dis que tu adores ça, putain.

– J'adore ça, j'ai geint.

Sa bouche s'est écrasée contre la mienne et il m'a donné le baiser d'une vie, le coup d'une vie. Quand il a décollé ses lèvres, il a ralenti le rythme et a répété, d'une voix plus grave, « Regarde-moi », en me remplissant complètement de chair chaude et palpitante. Je l'ai regardé tandis qu'il me fixait aussi, avide, fort, il rentrait et rentrait encore en moi. Il ne se retenait pas. Chaque mouvement me disait qu'il avait besoin de cela autant que moi.

L'orgasme s'est emparé de moi comme une tempête. À chaque tremblement qui me traversait, un second, plus profond, passait à travers lui jusqu'à ce que nous soyons tous deux essoufflés et anéantis. J'ai resserré mes cuisses et mes bras autour de lui, pour tenir son corps dur et lourd contre moi, pour le garder un peu plus longtemps en moi.

Je ne voulais pas le lâcher. Mon visage était à nouveau mouillé à cause de mon orgasme, mais tout à coup je me sentais prête à pleurer un océan de larmes. J'ai peur de ce que je ressens pour lui, et de la réalité de ma situation. J'ai peur de devoir tout cet argent, et de ne pas avoir d'acheteur pour ma Mustang. Lorsque je n'aurai plus de temps, trois jours après mon anniversaire, une douzaine de mafieux en colère viendront frapper à ma porte et personne ne pourra m'aider. Personne ne pourra les arrêter. Pas même lui.

Je ne sais pas ce que je vais faire. Je ne sais pas quoi faire. Mais personne ne me fait me sentir aussi vulnérable émotionnellement et protégée physiquement que lui quand il me tient dans ses bras. Le fait qu'il soit venu pour le brunch, alors que je ne m'y attendais pas, veut dire plus que toutes ses mises en garde. Il a soufflé dans mon cou et nous a tournés dans une position plus confortable, en me gardant contre lui, et j'ai senti des émotions étranges m'assaillir.

Ne lui en demande pas trop, me suis-je dit, mais j'avais l'impression d'être un imposteur. Je me suis quand même entendue murmurer :

– Tout ce que mes parents ont dit… Ne les crois pas. Ils croient juste que je suis parfaite, mais je fais semblant.

Je me suis décollée de lui et j'ai serré les draps autour de moi. Il s'est assis dans le lit.

– Faire semblant, ça me connaît.

– Ma vie a coûté très cher et c'est dur d'être à la hauteur.

Tout de suite, il a tendu le bras et a posé sa main sur mon épaule, en traçant un cercle sur ma peau avec son pouce.

– Ma vie a coûté cher aussi. Chaque jour de ma vie.

Il a repoussé une mèche de cheveux qui était devant mon visage, et nos yeux se sont accrochés.

– Tellement de jours passés à essayer d'y trouver un quelconque sens tordu.

Sa révélation m'a laissée bouche bée, et j'ai attendu et attendu encore d'en savoir plus ; j'ai vu qu'il y en avait plus dans ses yeux mais il s'est levé et a pris ses vêtements.

– Je suis content que quelqu'un veuille de moi ici, Mélanie, a-t-il dit avec un de ses nombreux sourires de vainqueur.

Lorsqu'il a commencé à s'habiller, je me suis tournée vers la fenêtre et ai croisé les bras sur mon ventre, tentant de calmer la douleur. Rha… je déteste le fait qu'il parte à nouveau. Je déteste que ceci puisse être des adieux. Je voulais demander si l'on se reverrait, mais avant que j'aie le temps de le faire, il m'a parlé sur le pas de la porte.

– Prends soin de toi, princesse.

Je me suis forcée à répondre.

– Au revoir, Greyson.

Comment est-ce que je peux en savoir si peu sur quelqu'un et pourtant avoir autant besoin de lui ?

Il n'a pas appelé mais ce lundi matin j'ai reçu un autre appel, une proposition pour ma Mustang. Je demande à Pandora, pendant que nous nous installons au bureau :

– Donc, qu'est-ce que tu en penses, tu crois que c'est un bon prix ?

Sa réponse est une question : pourquoi est-ce que je vends ma voiture ? Merde. J'essaie de penser à n'importe quoi sauf à la vérité – qu'il faut que je la vende et probablement tout ce que je possède aussi, à part ce que j'ai sur le dos, et que même dans ce cas-là je n'aurai peut-être pas assez. Ça, je ne peux pas lui dire.

– Elle n'est pas pratique.

– Meuf, tu adores tout ce qui n'est pas pratique.

– Elle a été inondée ! Elle couine de partout maintenant.

– C'est mignon, sachant que tu couines aussi.

– Rhaaa, tu es impossible.

– Mélanie… arrête d'acheter des conneries et tu n'auras pas besoin de vendre ta voiture. Tu vois ce haut ? Je fais un truc qu'on appelle le laver, trois fois par semaine. Il ne m'en faut que deux comme ça et c'est bon. Tu vois ces bottes ? C'est ma marque de fabrique. Je n'ai pas besoin d'une autre paire de chaussures.

– Ce n'est pas un problème de shopping, c'est un autre type de problème.

– Quoi, genre une addiction ?

L'inquiétude lui fait plisser le front.

– Je veux la vendre, c'est tout, je marmonne.

– Tu veux la vendre, ou tu dois la vendre ?

Ses yeux noirs perspicaces me scrutent en silence.

– J'ai une idée. Vends le collier que ton copain t'a offert.

– Pfff ! Je ne crois pas, non !

Je balaie cette idée d'un revers de main puis je me fais plus sérieuse.

– Je veux vendre ma voiture et je dois te demander ton avis. Est-ce que c'est une offre intéressante, Pan ?

– Je suis une foutue décoratrice, comme toi, je n'y connais rien en voitures. Demande à ton père. Et merde, demande à ton copain chéri.

– Tu sais quoi ? C'est ce que je vais faire ! Je vais lui demander tout de suite ! Il sera ravi d'avoir de mes nouvelles.

Je sors mon téléphone.

– Il est même venu prendre un brunch.

– Wow, tu l'as tiré jusque chez tes parents. Sérieusement ? dit Pandora.

Puis elle claque la langue en signe de désapprobation.

– Oh la ferme, sorcière ! je crie, en colère.

Je lui donne un coup avec le coussin tapissé d'un client, dont je vérifiais la qualité. Je ne lui dirai plus rien. Je ne vais même pas m'embêter à lui expliquer la complexité de deux personnes célibataires qui font… qu'est-ce qu'on fait ?

On couche ensemble, voilà ce qu'on fait. Mais je ne veux pas que cela ne soit que sexuel. Je ne sais pas combien de secrets garde Greyson, mais il a une salle secrète, et il refuse de parler au téléphone à côté de moi, deux choses louches. Mais bon, j'ai un secret moi aussi, donc ce n'est pas juste de lui en vouloir pour cela. J'adorerais le lui dire, juste à lui, mon secret. Pourtant, en même temps, je prie pour qu'il soit le dernier à le savoir.

Comment raconter à un mec avec qui tu sors, ou avec qui tu couches, ou peu importe, un mec dont tu veux l'admiration et le respect, que tu as demandé – voire supplié – à un groupe de mafieux d'avoir plus de temps parce que tu leur dois plus d'argent que tu n'en as jamais eu ? Comment lui dire qu'ils ont soulevé ma jupe et m'ont dit qu'ils m'accorderaient une rallonge, de leur queue, si je ne payais pas à temps ?

J'ai envie de vomir quand je repense à cette soirée dans la ruelle. Je ne pourrai jamais parler de ça à voix haute, à personne. Je regarde nos échanges de messages. Il est le dernier à avoir écrit. Il y a des siècles, quand il a visité mon appartement, que j'ai demandé qui venait, et qu'il a répondu *Moi*.

Je me dis que je ne veux pas repasser par toutes ces devinettes. S'il me veut, il me veut. Non ? Mais ma règle d'or me turlupine. Les relations sont tellement plus égales de nos jours. J'inspire doucement et tape : Tu seras en ville ce week-end ?

Et à ma grande surprise, il répond immédiatement : OUI.

Mon cœur commence à s'emballer. J'écris : QUELQUE CHOSE DE PRÉVU ?

« J'AI PRÉVU D'ADMIRER MA PRINCESSE. »

Aaaah. J'aime beaucoup trop cela. « ELLE VEUT TE PRÉPARER UN DÎNER. TU VIENDRAS ? »

« OUI. ET TOI AUSSI. » J'ai un sourire béat. Quel mufle sexy. « 20 HEURES VENDREDI ? »

Je suis la plus heureuse du monde quand je le dis à Pandora.

– Il vient à Seattle ce week-end juste pour me voir, j'exagère.

Elle a l'air de s'ennuyer.

– Youhou pour toi.

***

Pendant la semaine, je me plonge dans le travail et m'occupe d'envoyer certaines de mes affaires à une boutique eBay pour pouvoir liquider, et vite. Mon placard a l'air immense maintenant que je n'ai plus qu'une paire de baskets, de ballerines, de sandales, une paire de Uggs et une paire de bottes en caoutchouc. Je me suis également limitée à trois pantalons, deux jeans, un assortiment réduit de hauts, et mes robes les plus simples. Ce dont il a été le plus dur de me séparer a été mes accessoires. Mais j'ai gardé les plus colorés, pour être sûre de pouvoir continuer à porter trois couleurs tous les jours, même si cela ne viendra que de mes accessoires.

Vendredi après-midi, je vais faire des folies dans une épicerie fine parce que je ne vais pas cuisiner un repas bon marché pour Greyson ; je ne peux pas. Alors je rentre avec un sac rempli de produits frais et bons pour la santé, enfile le seul tablier que j'ai gardé – un jaune à froufrous de chez Anthropologie – et prépare un dîner maison pour lui parce que cela me semble être quelque chose de sympa à faire pour lui dire «bienvenue à la maison».

Question menu, j'ai choisi salade de roquette et de poire avec fromage de chèvre et une vinaigrette légère, ma spécialité de pâtes au pesto, un pain fait maison, et une tarte aux pommes saupoudrée de cannelle en dessert.

J'ai toujours eu mes meilleures réflexions en faisant la cuisine. Cette fois, alors que je coupe et prépare la nourriture, je songe que je commence enfin à reconnaître mes propres besoins en tant que femme, des besoins qui ne peuvent être satisfaits en couchant avec une dizaine de mecs différents, des besoins qu'il est impossible de satisfaire sans une réelle connexion, effrayante, puissante, inexplicable, avec quelqu'un. Quelqu'un que l'on n'attend pas. Le visage de Greyson me hante : sérieux, souriant, pensif. Je n'arrête pas d'y penser et de me repasser ses différents types de sourires. Le suffisant, le sensuel, l'indulgent, l'endormi, le plat qu'il fait à Pandora, et celui qui est presque là, mais pas tout à fait, comme s'il ne se donnait pas la permission de s'y abandonner…

C'est celui que je préfère. Car il me donne l'impression que je suis allée le chercher même si lui ne le voulait pas. Comme s'il me cédait quelque chose qu'il n'avait pas l'intention de me donner.

— Il y a quelque chose qui sent bon par ici, et je parie que c'est toi.

Mon sang ne fait qu'un tour et je reconnais la voix douce et chaude derrière moi. Je ne sais pas comment, mais Greyson est entré et m'a surprise ! Sans faire un seul bruit. Et maintenant il passe son grand bras autour de ma taille et me fait tourner, un mouvement qui place plus d'un mètre quatre-vingts de bad boy à un cheveu de mes lèvres. Mes sens sont sous le choc le temps que j'absorbe sa proximité, et je glisse mes mains dans une exploration rapide et gourmande de ses bras épais.

— Hey, je sursaute. Je…

Il m'embrasse pendant une minute entière. Une minute et demie. Nos lèvres bougent, se mélangent, mes jambes sont en coton car ses baisers sont mieux que tout ce que j'ai jamais connu. Et maintenant je ne peux plus penser ni parler ou à peine tenir debout sur mes deux pieds.

Il recule un peu et je me sens rougir à cause de sa façon torride de me regarder.

— J'aime bien, ça, murmure-t-il en désignant mon tablier.

La lueur comblée dans ses yeux me donne l'impression d'avoir gagné Top Chef, alors qu'il n'a même pas encore goûté mes plats.

— Tu vas aimer encore plus quand tu sauras que j'ai prévu de te faire manger le dessert moi-même, je murmure.

Son esprit mal placé semble prendre le dessus, et il affiche instantanément un air affamé. Je ris et l'assois sur un des deux tabourets au bout de l'îlot de cuisine.

— Ce n'est pas ce que tu crois, c'est de la vraie nourriture !

— Est-ce que tu vas l'enlever pour moi ? dit-il en tirant sur le cordon de mon tablier.

— Peut-être, si tu finis toute ton assiette comme un gentil garçon.

Il lance un rire au son fort et riche, et son sourire me dévaste et s'empare de mon cerveau.

— Tu préfères quand je suis méchant, me fait-il remarquer.

Je retiens un sourire en coin, sors le plat de pâtes avec un gant, et je sais qu'il a vu que je ne portais qu'une robe courte sous mon tablier, peut-être a-t-il même vu que je n'avais pas de culotte. Cette idée fait courir un chatouillis dans mon corps.

Il y a un silence et le tabouret grince quand il se penche en arrière, enlève ses chaussures. Sa voix rauque a un ton incertain, presque amusé, lorsqu'il me parle, et il se gratte la mâchoire en me regardant tourner dans la cuisine.

— Je me demande tout le temps ce que tu es en train de faire.

Il fait une pause, puis sa voix est plus grave et épaisse que jamais.

– Est-ce que je te manque?

– Qu'est-ce que c'est que cette question?

Il me lance un sourire espiègle.

– Une question dont je veux connaître la réponse.

Je lui rends son sourire en nous servant tous les deux, et quand je pose la salade et les pâtes, il serre sa main nue autour de mon poignet.

– Je te manque?

Nos yeux se croisent et il attise doucement la flamme à l'intérieur de moi en passant son pouce sur l'intérieur de mon poignet.

– Alors? demande-t-il calmement.

– Oui, je chuchote.

Je laisse glisser ma main libre le long de sa mâchoire et ai le réflexe de me pencher vers lui pour lui faire un bisou sur la joue. J'ajoute, près de son oreille

– Beaucoup.

Il me regarde comme un prédateur tandis que je vais m'asseoir sur le tabouret, de l'autre côté de l'îlot. Nous nous sourions, un de ces sourires qui semblent écarter nos lèvres simultanément; dès que nous nous sommes rencontrés, cela a été comme ça. Je remarque qu'il a apporté du vin et je le regarde ouvrir la bouteille, fouiller mes placards pour trouver des verres, et revenir me servir un verre, avant de s'en servir un autre.

Nous trinquons, sourions, et avant de boire, il murmure:

– À toi, princesse.

– Non, à toi, je réplique avant de boire une gorgée.

– Tu aimes bien me contredire, non? dit-il, alors qu'il est encore en train de tourner et de renifler son verre.

Je ris, et quand je commence à manger, j'ai l'impression d'être la chose la plus sexy de l'univers. Comme si chacun de mes mouvements avait pour but de l'aguicher, de l'exciter et de le griser. Même ma respiration ne le laisse pas indifférent.

Je le sens regarder mes doigts, mes bras nus, mes épaules nues, mes lèvres. Je mange de la salade et je le regarde déchirer un morceau de pain et le mettre dans sa bouche. Nous buvons en silence, nous nous regardons, savourant la compagnie de l'autre. Le regard de l'autre. L'énergie de l'autre. Je suis une décoratrice qui croit au feng shui. Je crois au yin et au yang. Je n'ai jamais ressenti un tel yang pour mon yin. Jamais.

– Est-ce que tu aimes le repas? je lui demande.

– Je suis le premier homme pour qui tu cuisines?

Je plisse les yeux, bois un peu de vin rouge pour me donner du courage, mais rien ne calme le tournoiement nerveux dans mon ventre.

– Honnêtement? Oui, tu es le premier. Alors réfléchis bien à ta réponse, je le préviens.

– Chaque bouchée est aussi délicieuse que toi.

Je souris.

– Vraiment?

Je suis peu sûre de moi, je regarde son assiette et je vois qu'il n'en a pas laissé une miette. Il se penche en arrière, et son regard descend de mes yeux à mes épaules, puis de mes épaules à mes seins.

– Je suis prêt pour le dessert.

– Une seconde, monsieur, ce n'est pas terminé. J'ai un vrai dessert, qui n'est pas moi, tu sais!

J'enroule mes pâtes un peu plus vite autour de ma fourchette et les fourre dans ma bouche, et je lèche du pesto au coin de mes lèvres. Greyson me regarde attentivement, il est si massif, sombre et sexy dans mon appartement, je ne suis pas habituée à ces petites crampes intérieures de désir dans ma poitrine.

– Comment s'est passée ta semaine? demande-t-il.

Une vague d'émotions me frappe quand je pense à toutes les nuits que j'ai passées allongée dans mon lit, plus effrayée que je ne voulais l'être, et plus seule que je ne l'avais jamais été de toute ma vie. C'est peut-être parce que, maintenant, je sais avec qui je veux être. Peut-être que c'est parce que je me sens vulnérable et que j'ai peur.

– Bien, en fait, je réponds en mentant. Je voulais te demander. J'ai eu une offre pour ma voiture.

– Tu vends ta voiture ?

Je lui lance un regard désespéré et je remarque un air triste sur sa bouche.

– Oui, je la vends.

Je me lève pour prendre ses couverts et lui annonce le prix que l'on m'a proposé.

– Tu penses que c'est correct ?

Il ne dit rien le temps que je mette son assiette dans l'évier, mais il me suit des yeux puis demande :

– Pourquoi est-ce que tu dois la vendre ?

Je ne peux m'empêcher de remarquer qu'il a l'air plus que curieux. Il a l'air déterminé. Alors j'essaie de paraître enjouée, et j'ajoute un petit haussement d'épaules à mon explication.

– J'ai juste prévu d'acheter autre chose.

Il lève un de ses sourcils, puis l'autre, puis il pose une question clairement intelligente.

– Une autre voiture ?

Il ne me croit pas. Je fouille mon cerveau à la recherche d'une réponse la plus éloignée possible de la vérité, jusqu'à ce qu'il parle, en soupirant comme si je le fatiguais :

– Ils te font une offre minimum. Ne vends pas ta voiture, princesse, pas pour ça, pour aucune raison.

– Pourquoi pas ?

– Parce que, grince-t-il, tu as besoin de ta voiture.

– Pas pour aller au travail, je conteste doucement, et je peux profiter de la voiture de mes amis pour sortir le week-end.

Comme il a encore l'air contrarié, je deviens suspicieuse.

– Pourquoi es-tu aussi protecteur avec ma voiture, Greyson ?

Après un silence plutôt intéressant, pendant lequel mon cœur fond dans ma poitrine, je réponds pour lui.

– Parce que grâce à cette voiture pourrie, on a passé une nuit ensemble.

Il hausse une de ses grandes épaules d'un air énervé.

– Cette voiture, c'est toi. Elle ne va à personne d'autre.

J'ai des vertiges en pensant qu'il se sent peut-être protecteur de l'endroit où nous nous sommes rencontrés, mais je suis aussi triste de ne pas pouvoir lui expliquer que peu importe combien je suis attachée à cette voiture, je suis plus attachée à ma vie.

– Mon acheteuse a dix-huit ans, elle s'amusera autant avec que moi quand je l'avais.

Lorsqu'il reprend la parole, sa voix a une force incroyable, c'est presque un ordre.

– Personne ne peut s'amuser autant que toi. Tu es la joie incarnée, Mélanie. Et la vie. Et c'est la même chose pour cette jolie petite Mustang bleue.

Je lève la main pour étouffer mes gloussements, parce qu'il est terriblement mignon et protecteur, et quand il fait la grimace, je lui dis :

– Je trouve ça adorable, Greyson.

– Ce mot et moi, ça fait deux, princesse.

– C'est adorable. Tu es adorable.

Il se lève comme s'il allait me le faire payer. Je cours jusqu'à ma chambre en riant et lui dis, sur le pas de la porte :

– Greyson, je sais que cela va briser ton cœur d'artichaut, mais je dois vraiment vendre ma voiture. Je vais juste demander mille dollars de plus. Qu'est-ce que tu en dis ? Mon Dieu, même cette grimace que tu fais est adorable.

Il jette sa tête en arrière et rit, un rire profond et puissant. Il ne peut pas saisir le caractère désespéré de ma situation, je m'isole dans ma chambre un instant pour appeler l'intéressée et demander de monter le prix.

La fille me dit qu'elle va en parler à son père et qu'elle me tiendra au courant. Quand je ressors, Greyson est debout, les bras croisés, et me regarde avec le regard qu'a un homme quand il ne sait pas quoi faire de quelqu'un.

– J'ai fait une contre-offre, j'explique.

Et une fois encore le mot « adorable » me traverse l'esprit alors qu'il passe sa main dans ses cheveux, par frustration.

– Ah, princesse. Vraiment. Je ne peux même pas…

Il secoue la tête, visiblement frustré.

– Greyson, ce n'est pas important ! je m'exclame. Même si je n'ai plus la voiture, tu resteras toujours mon héros et le sien, tu sais.

J'ai vraiment besoin de l'apaiser – son énergie explosive est comme une tornade dans cette pièce. Je m'approche de lui et glisse ma main dans ses cheveux décoiffés en essayant de les aplatir ; j'adore leur douceur, peut-être bien la seule chose douce sur cette tête dure. Il grogne, me prend par la taille, et il me surprend en baissant la tête et en plaçant son nez entre mes seins pour embrasser mon décolleté avec une tendresse féroce.

– Si tu ne comptais pas m'écouter, chuchote-t-il d'une voix étouffée par mon tablier, pourquoi est-ce que tu m'as demandé ?

– J'aime bien connaître ton avis.

– Montre-moi que tu aimes ça en m'écoutant, Mélanie.

– Je suis désolée, je murmure, en frottant sa tête pour lui rendre son sourire. J'aime faire plaisir et je ne supporte pas qu'il ne soit pas content. Pas lui.

– Je me ferai pardonner.

– Huumm. Soudain, ses yeux brillent comme deux torches. Fais-toi pardonner en me disant comment tu veux passer ton vingt-cinquième anniversaire, suggère-t-il.

Un moment d'hésitation s'installe entre nous. Et si je lui disais que je veux passer la journée avec lui ? Ne rien faire d'autre que me le faire, toute la journée ? Que je veux qu'il me parle de sa vie, de sa famille, que je veux simplement être avec lui car ces derniers temps, c'est comme ça que je suis la plus heureuse ?

Je me détache de ses bras et l'oblige à s'asseoir, j'apporte la tarte aux pommes à la cannelle sur un plat, puis je saute sur l'îlot de cuisine juste en face de son tabouret. Je me sers de mes genoux comme d'une table, pose mes pieds nus sur ses cuisses et prends une cuillère pour lui donner son dessert.

– Qu'est-ce que tu as fait pour tes vingt-cinq ans ? je demande, en posant la cuillère dans sa bouche.

Il mange chaque cuillerée que je lui donne, et le geste n'est pas sexy comme je l'imaginais… il l'est dix fois plus. À cause de ses yeux. Sa façon de me regarder le nourrir, comme un prédateur qui prend son mal en patience avant le vrai repas.

– J'étais sûrement bourré. Dans un endroit pas exceptionnel. Tu te fais aussi une tresse quand tu cuisines ? demande-t-il brusquement en tirant sur mon élastique pendant que je lui donne une autre cuillerée.

Une chose extrêmement intime flamboie entre nous. À chaque seconde, il ouvre à la fois mon cœur et mon âme, et je ne peux pas bloquer le mélange d'émotions qui m'assaille. L'impatience, la tendresse, le désir, la faim, le besoin, la peur, le bonheur.

– C'est pour que mes cheveux restent sur ma tête et pas dans mon assiette, lui dis-je.

– Ah…

Ses yeux pétillent quand j'amène une autre cuillerée de tarte jusqu'à sa bouche. Regarder sa langue prendre la cuillère et tourner autour excite tous mes sens. Une sensation glissante traverse mes jambes quand je contemple ses lèvres se refermer sur la cuillère, la façon dont il la savoure et me regarde en mangeant sa tarte, avec des yeux brillants, affamés, splendides comme ceux d'un salaud qui sait que je suis mouillée et prête pour lui. J'ai l'impression qu'il me cuit de l'intérieur, comme le four a cuit ma tarte. Lorsqu'il mange le dernier morceau, il prend le bout de ma tresse et le passe sous mon menton, caresse ma gorge, puis… mon décolleté.

Mon entrejambe est soudainement inondé de chaleur, mon sexe se contracte, impatient de le sentir à nouveau en moi. Pourquoi est-ce que tout ce qu'il fait est aussi sexy ? Mon cœur s'emballe et mon cerveau me crie : Touche-le ! Embrasse-le ! Monte sur lui et sens-le, montre-lui que tu le veux ! Fais-le te vouloir aussi, juste comme ça ! Donne-lui envie de RESTER !

Mais je ne bouge pas car j'ai aussi envie, j'ai aussi besoin qu'il fasse le premier pas. Alors je descends et je marmonne :

– Je vais débarrasser.

Avec un grognement grave inattendu, il serre ses mains sur les miennes et guide ma main jusqu'à son érection, qui bat entre ses jambes plus fort que je ne l'ai jamais sentie, puis il tourne la tête et prend ma bouche dans un baiser rapide et enivrant au goût de cannelle, de pommes et de lui.

– Princesse, ça fait des heures que je suis comme ça. Des heures. Depuis que je suis monté dans l'avion pour venir ici…

– Si tu es comme ça depuis si longtemps, tu peux me laisser dix minutes de plus pour tout nettoyer, et je n'aurai rien d'autre à faire de la soirée qu'être à toi, je murmure d'une voix sensuelle.

Puis je ris joyeusement quand il me dit, avec un désir pur et puissant dans les yeux :

— Cinq minutes.

— Ce n'est pas une course, je rétorque, puis je me mets à bouger plus lentement, exprès, pour l'aguicher.

Il observe le moindre de mes mouvements, me fait l'amour avec ses yeux alors que je commence à débarrasser le reste de la table. Pour rire, je donne une claque sur la main qu'il pose sur mes fesses. Il rit doucement quand je retourne mettre les plats dans l'évier, et ce son m'affecte tellement que je ne peux plus combattre les pulsations dans mon corps, qui me supplient de sentir ses doigts, ses lèvres, ses dents, sa langue. Il bande depuis des heures mais il ne sait pas que je suis mouillée et en manque depuis tout aussi longtemps.

Il m'aide à porter les autres plats jusqu'à l'évier et ce geste, ainsi que sa proximité écrasante, me rend nerveuse. Pendant qu'il finit de débarrasser la table, je commence à faire la vaisselle, nos doigts se frôlent, nos corps se touchent à plusieurs endroits et chaque point de contact fait bouillir mon système nerveux.

Pendant que je lave la dernière assiette, il se tient derrière moi, son corps comme un mur de brique, et la paume de sa main caresse mes fesses quand il commence à embrasser ma nuque d'une manière incroyable.

— Ce soir, j'ai eu l'impression de rentrer chez moi après une longue absence, Mélanie, dit-il, et je détecte de la gratitude dans sa voix.

— Aucune fille ne t'avait jamais fait à manger ?

Je suis amusée et me retourne avec un air rieur, mais ma joie s'éteint lorsque je le regarde dans les yeux. Il y a quelque chose de très sérieux dans son regard, et de très, très tendre. Sa mâchoire a l'air encore plus carrée à cause de la puissance de sa faim lorsqu'il tend le bras pour défaire le nœud de mon tablier derrière ma nuque, pour le laisser tomber sur ma taille tandis qu'il dénoue le nœud dans mon dos.

– Personne n'a cuisiné pour moi depuis mes treize ans, dit-il, me coupant le souffle avec ce que je vois tournoyer dans ses yeux.

De la faim, mais pas seulement physique. Une faim d'être nourri, pris, accepté. Je connais cette faim. J'ai faim de la même chose. Il me regarde comme si j'étais l'acceptation qu'il avait toujours voulue, il entrelace ses doigts dans les miens et me pousse jusqu'à la chambre.

Il me fait reculer et mon pouls s'accélère, il laisse son pouce caresser mon visage. Lorsqu'il m'embrasse, son baiser est comme du velours, j'ai l'impression de pouvoir m'envoler. Son corps est appuyé contre le mien, me remplissant d'un désir ardent. Je ferme les yeux quand il plonge ses doigts dans ma tresse et la défait lentement. Je secoue mes cheveux et y passe la main, il y enfouit ses doigts avec les miens comme pour comprendre comment faire. Je ferme les yeux et le sens démêler mes cheveux avec ses mains, maladroitement mais tendrement.

Est-ce que cela vous est déjà arrivé de vouloir que quelqu'un vous regarde, mais qu'il ne voie que les bons côtés ? C'est ce que je veux avec lui. Je ne veux pas qu'il voie que, parfois, c'est le bordel à l'intérieur de moi. J'essaie d'être la copine parfaite. Et je sais que lui aussi essaie d'être le copain parfait. J'imagine que ce n'est pas juste. Je veux qu'il ne voie que les bons côtés, mais je veux tout voir de lui. Même les mauvais côtés. Nous nous embrassons pendant un moment, et nous parlons de souvenirs de son enfance, de son oncle Éric, avec qui il allait souvent chasser dans un ranch au Texas. Nous parlons de mes cours de danse quand j'étais petite, de ma honte quand je suis tombée pendant le premier récital. Nous parlons ce soir. Je veux en savoir plus, sur chaque pièce du puzzle qui le constitue.

Il ne mâche pas ses mots, me dit ce qu'il aime chez moi et combien il a envie de moi. J'en veux encore plus, mais nos baisers sont de plus en plus intenses, si intenses que je ne respire plus normalement. Il a enlevé sa chemise et ne porte maintenant plus que son pantalon, tandis qu'il m'a enlevé mon tablier et que je suis dans ma petite robe légère.

Je suce son piercing au téton. Mon Dieu, ce que j'aime ce piercing. Le grognement qui suit. J'adore comme son autre téton pointe aussi quand je le touche du bout des doigts.

– Tu as une cicatrice et pourtant je n'imagine pas que tu aies pu être blessé, je murmure en frottant mes mains sur les formes musclées de son torse, en m'attardant sur la longue marque de sa cicatrice en relief.

J'accorde beaucoup d'importance aux cicatrices. À l'histoire qu'elles racontent. Au sens qu'elles portent.

– Ma cicatrice, dis-je, puis j'hésite avant de chuchoter, Tu sais d'où elle vient ? C'est parce que j'ai eu besoin d'un rein quand j'étais petite.

Choquée par ma propre révélation, je me recule et croise les bras, comme pour me protéger.

– Mélanie, viens là, ordonne-t-il, avec une étincelle d'émotion indescriptible dans les yeux.

Je fais un pas vers lui, et il fait glisser ma robe de mes épaules, sur ma taille, et par terre. *Je suis à nu…* Je fixe mes pieds, je me sens rougir alors que je ne m'y attendais pas. Je n'ai pas de culotte et je n'ai pas recouvert ma cicatrice.

Greyson expire, c'est un son long et tranquille, alors qu'il s'habitue à ma nudité, puis il serre ma taille dans une main et me tire plus près de lui, et sa voix est grave et tellement rauque qu'elle casse.

– Toi, princesse, tu n'es rien de moins que parfaite.

– Est-ce que tu te rends compte que je n'en ai jamais parlé à personne ? je murmure.

Il touche la cicatrice sur ma hanche du bout du doigt.

– J'ai vu que tu prenais des pilules pour ça tous les matins.

– C'est pour que mon corps ne le rejette pas. Mais la dose est minime, parce que c'était ma vraie jumelle. Mon corps… l'a accepté presque comme si c'était le mien.

Impulsivement, je me penche et pose mes lèvres sur la plus grosse coupure en bas de sa cage thoracique.

– Maintenant, tu me dis comment tu t'es fait ça ?

– Il y a longtemps, mon frère… commence-t-il en me caressant les cheveux. Mon demi-frère s'est battu. J'ai dû le sortir de là et j'ai gagné un souvenir. Ce n'est rien.

Je remonte mes lèvres le long de sa cicatrice vers son cou, ces grands tendons que j'aime beaucoup et la pomme d'Adam qui fait trembler sa voix. Il remonte ma tête en tirant mon menton et me regarde, avec des yeux incandescents qui se promènent sur mes seins, mon ventre, ma chatte parfaitement épilée à la cire, et la manière dont il me regarde, comme s'il me photographiait mentalement, envoie une décharge électrique étourdissante dans mon corps.

– Je veux être en toi, me perdre en toi.

Son énergie est aussi chaude et chaotique qu'un orage d'été lorsqu'il me soulève et me porte jusqu'à mon lit. Il commence à m'embrasser dans le noir, prend ma tête dans ses mains et ne se nourrit que de ma bouche pendant de longues minutes torrides.

Puis il me touche. Chaque fois qu'il tire sur mes tétons, j'ai le souffle coupé. La paume de sa main sur mon sexe. Je gémis à cause de la pression et du roulement de sa bouche sur la mienne, en plus de son pouce qui se glisse derrière moi et me tue à petit feu en caressant petit cul.

– Oh mon Dieu, Grey, je m'écrie quand sa main libre descend sur mon ventre, plus bas, de plus en plus bas, pendant que sa langue prend la mienne.

J'écarte les cuisses dans un soupir, il me caresse pour m'ouvrir, mes lèvres sont mouillées sous ses doigts, et soudain tout disparaît.

Ma dette. Mes rêves. Mon travail. Ma liste de choses à faire. Tout a disparu, sauf la bouche et les mains de Greyson en moi, la douce friction de sa barbe naissante contre ma joue. Sa respiration aussi rapide que la mienne.

– Ton odeur sent aussi bon que ce que je sens en toi.

Son murmure guttural est chaud contre ma bouche. Son corps tremble d'une puissance déchaînée. Même dans le noir, je vois la beauté pure, crue, agressive sous le vernis. J'adore comme toutes les barrières tombent entre nous quand il me baise. Comme il épluche mes couches extérieures jusqu'à me rendre vulnérable et tremblante. Comme il est aussi perdu que moi dans ce qu'il fait.

– Dis quelque chose pour me prouver que ce n'est pas vraiment en train d'arriver, je chuchote.

– Je ne crois pas, je n'ai pas encore envie de gâcher la soirée.

Le désir résonne dans sa voix rauque et il me regarde avec des yeux brillants, sauvages, qui m'engloutissent.

– Baise-moi fort.

J'essaie de reprendre mon souffle alors que sa langue humide tourne sur ma peau, et il plonge son majeur entre les lèvres de mon sexe, me titille, me fait mouiller.

– Mouillée, serrée et prête, grogne-t-il avec un plaisir non dissimulé, et un petit rire sombre et profond lorsqu'il pousse deux doigts en moi.

Le besoin de lui monte et s'enroule autour de mes nerfs, s'emmêle dans chacun de mes muscles. Mon cœur tambourine dans ma poitrine quand il suce un de mes tétons et quand ses doigts pénètrent à la fois ma chatte et mon derrière, je hurle.

Des mouvements chauds de succion me traversent et je bouge mes hanches sur ses mains, tandis que mes doigts agrippent ses cheveux comme mon corps s'agrippe à ses doigts, terrifié de les perdre.

– Dis-moi que tu veux que je te baise, fort, longtemps et partout, dit-il, son visage tordu dans un masque de plaisir.

– Je veux, j'ai besoin que tu me baises partout, j'implore. Rien que toi. S'il te plaît.

– Ici ?

Avec un visage sauvage de désir, il caresse l'extérieur de mon cul avec son pouce et glisse le bout de son doigt à l'intérieur.

Je ravale un autre cri de plaisir.

– Greyson, je veux ça avec toi.

Je me lèche les lèvres et mon corps se contracte involontairement, nous avons tellement chaud qu'un voile de transpiration recouvre déjà nos corps.

– Tu sais à quel point je veux ça avec toi.

– Je vais nous pousser à bout, Mélanie. À bout, est-ce que tu es prête à venir avec moi ? m'avertit-il, sa langue frottant contre mon oreille.

Ma chair fond quand il commence à descendre sa bouche, à sucer mes seins jusqu'à ce que je me cambre et prenne une grande inspiration, puis il continue à descendre, suivant un chemin chaud sur mon nombril et vers mon sexe.

– D'abord, je veux te savourer jusqu'à ce que tu en aies des convulsions, princesse.

Il aspire mon clitoris dans sa bouche et je gémis, comme dans un délire.

– Oh mon Dieu.

– Dieu ne peut rien pour toi, bébé, mais moi si.

Il souffle de l'air sur mon clitoris, de la façon la plus sexy qui soit.

– Je veux embrasser cette chatte parfaite, la goûter, la sucer.

Il le prend délicatement entre ses dents, puis suce doucement. Du feu court dans mes veines lorsqu'il plaque ses mains sur mes cuisses et ouvre plus grand les lèvres de ma chatte pour y mettre sa langue.

– Greyson… je m'écrie, alors que le plaisir explose dans mon corps, grand ouvert pour son baiser, et je serre les draps dans mes poings.

Quelque part, c'est comme s'il me récompensait pour avoir cuisiné pour lui. Mais aussi comme s'il me réclamait quelque chose. Comme s'il me réclamait, moi. Chaque partie de moi. Quand son pouce entre encore à cet endroit, je ne réfléchis plus, je ne fais que grogner, couiner, gémir et supplier, tandis que mes hanches bougent de haut en bas.

– Est-ce que tu es prête pour ça, Mélanie ?

Ses pupilles sont dilatées, mais ses yeux sont perçants et attentifs quand il m'observe. Je ferme les yeux et grince :

– Oui, s'il te plaît !

Un grondement sort de sa poitrine et il se penche. Sa langue passe à nouveau sur mon clitoris, puis dans mon sexe, elle sonde et pousse. Toutes les vannes de mes sens s'ouvrent. Le bout de son pouce pénètre mon derrière, plus profondément, et stimule des nerfs dont je ne soupçonnais même pas l'existence.

Un choc résonne dans mon corps alors qu'il joue dans mon cul avec son pouce, tout en maintenant mes hanches avec son autre main pour contrôler ma position, notre proximité ; ses lèvres donnent du plaisir à mon sexe mouillé et douloureux, et chaque tendon dans mon corps le réclame comme jamais…

Lui. Lui. LUI.

Il lève la tête et ses lèvres sont humides, couvertes de moi, et il est la plus belle chose que j'ai vue de ma vie.

– Je veux te baiser sans rien, murmure-t-il en me regardant intensément dans les yeux et en glissant deux longs doigts dans ma chatte, dont il se sert pour l'étirer. Pas de préservatif. Juste toi et moi, Mélanie.

Le sentir en moi ? Chair contre chair ? Rien d'autre entre nous ? Ma gorge me fait mal et je hoche vivement la tête.

– J'ai toujours été prudente…

Je vois un éclair noir et obsédant dans ses yeux.

– Je ne suis pas prudent, princesse, mais je suis clean et je te veux sans rien dès que j'aurai un labo pour te le prouver. Est-ce qu'une autre sorte de contraception poserait problème avec ton traitement anti-rejet?

– Je… Non, Grey.

– Tu es sûre?

L'inquiétude sincère que je vois dans ses yeux ne me donne que plus envie de lui.

– Oui! Mon médecin m'a déjà dit que je pouvais prendre une pilule minidosée si besoin.

Son expression se change en une détermination féroce, comme si faire cela était une sorte d'engagement pour nous. Je sens qu'il a besoin de me prendre, de me prendre sauvagement et comme il n'a jamais pris aucune autre fille.

– Viens là, dit-il en prenant mes cheveux. Je veux t'embrasser fort, mais te baiser encore plus fort.

Il plaque sa bouche sur la mienne et ajoute, entre mes lèvres:

– Mais commençons par le début.

Je geins alors que nos corps se frottent instinctivement pendant ce baiser, je passe ma main sur son visage et enfouis mes doigts dans ses cheveux doux et épais, et je m'entends murmurer son nom contre sa mâchoire. Son corps frémit, à cause d'une puissance déchaînée.

– Dis-le encore.

– Greyson.

– Maintenant mets-toi sur tes genoux et tes coudes.

Oh, merde… On va vraiment le faire.

Mon corps entier est pris de frissons. Je ne pourrais faire confiance à aucun autre homme pour faire cela. Il n'y a aucun homme avec qui j'ai vraiment voulu le faire. Et je veux qu'il prenne possession de chaque partie de moi, qu'il baise chaque trou avec sa queue, ses doigts, sa langue. Il passe encore ses doigts sur mes lèvres, teste d'abord ma chatte, et ramène le liquide vers la raie de mes fesses.

– Plus tu seras mouillée, plus ce sera facile pour moi d'entrer.

– Je suis tellement chaude. Grey, la façon dont tu m'as regardée quand je te donnais à manger était assez pour des préliminaires.

– Mélanie, regarde ce que tu me fais.

Il frotte le bout de son érection énorme entre mes fesses et les serre l'une contre l'autre pour que je sente la friction. Je sens chaque battement dans sa longue queue, combien il est dur et palpitant. Il se sert de son gland humide pour étaler le liquide de ma chatte sur mon cul et m'exciter. Je tremble sur mes coudes et mes genoux. Je tremble.

– Greyson… je gémis.

L'attente me tue, le sentir si près, et si loin à la fois. Son odeur me fait tourner la tête, mais mes yeux ne peuvent pas le voir et ont faim de lui.

– Chut, bébé, j'ai envie de ça plus que toi, dit-il d'une voix suave derrière moi en passant sa main dans mon dos, caressant ma colonne vertébrale. J'ai fantasmé là-dessus. Je rêve de faire ça avec toi. De te faire ça.

J'entends le bruit d'un préservatif qu'on déroule, me lèche les lèvres, et je fixe le mur en face de moi. Mais je vois flou, mon corps est au bord des convulsions tant il a besoin du sien, et ma chatte vibre, jalouse.

– Ça va me faire mal ?

Ma respiration est rapide et saccadée tandis qu'il presse doucement son gland contre mon anus.

– Peut-être… ricane-t-il en passant à nouveau ses longs doigts sur ma colonne vertébrale avant de prendre une poignée de mes cheveux dans sa main et de tirer ma tête en arrière pour murmurer dans mon oreille. Ou peut-être pas. Avec toi et moi, il n'y a pas de certitudes. Pas de règles. Seulement ce qu'on veut. Et je veux chaque centimètre de toi. Je veux ce que tu n'as donné à personne. Ce coup est à moi.

Il glisse une main pour palper mes seins, et pince le bout de mes tétons sensibles. Le plaisir me brûle comme des flèches, et ma chatte comme mon anus se contracte en réaction.

– Vas-y, Grey, dis-je dans un souffle.

Sa réponse, un murmure caverneux, est comme une caresse pour moi.

– T'inquiète, je vais y aller princesse. Tu ne peux pas allumer un homme en lui disant que tu veux une grosse, grande bite dans ton joli petit cul étroit et ne pas avoir ce que tu demandes. Détends-toi maintenant, je mets du lubrifiant.

Je couine quand il introduit son doigt en moi, puis… quelque chose de plus épais, tellement plus grand, tellement plus dur. Délicieusement huilé et qui rentre en moi.

– Pousse en arrière vers moi, bébé, voilà, putain ce que c'est bon, princesse, roucoule-t-il, doucement, en avançant coup par coup, frottant une main sur mon ventre pour descendre jusqu'à ma chatte.

– Mon Dieu, Grey, je hurle, et je me tourne pour mordre mon bras.

Je gémis pendant qu'il m'étire tellement que c'en est presque douloureux, mais c'est trop bon pour faire mal et j'aime trop ça, la façon dont il le fait, lentement, dont il caresse mon sexe gonflé pour me mouiller et me préparer. Il se penche et commence à frôler ma nuque avec ses dents, sauvage, comme un loup-garou qui voudrait me mordre.

Je ne me suis jamais sentie si pleine, si excitée, et si vulnérable émotionnellement. Je halète pour sortir les mots…

– S'il te plaît, Greyson. Bouge. Baise-moi.

Il prend mes hanches et se retire, et il dit une chose qui provoque un nouvel éclair de chaleur à travers moi :

— Comme vous voudrez.

Comme vous voudrez. Comme dans mon film préféré, et il le sait. Dans le film, ces mots sont lourds de sens quand Westley les murmure. Et Greyson les chuchote en ce moment, quand je lui offre mon seul fantasme. Au moment où il entame un rythme lent et prudent, je suis défaite émotionnellement et physiquement. Des larmes coulent sur mon visage, de plaisir, de bonheur, et du déluge d'émotions desquelles il me remplit.

On frappe à la porte, et mon corps se tend et tremble, j'attends en me tenant parfaitement immobile. Il ne s'arrête pas et garde son rythme, je sens ses pulsations quand il reste en moi ; il entre et sort avec plus de facilité à chaque fois. Ses mains tremblent sur mes hanches, et je sens l'effort de nos corps, notre souffle qui quitte nos poumons.

— Hé, Romeo, tu vas répondre au téléphone !?

Je ne sais pas qui crie dehors, mais il crie FORT.

Greyson grogne doucement mais ne s'arrête pas, et mon pouls tambourine dans mes veines, mon cœur est sur le point d'exploser. *Oh putain, pas maintenant.*

— Hé, ROMEO !

Greyson caresse ma chatte, il respire bruyamment dans mon oreille et murmure :

— Je ne réponds pas à Derek tant que tu n'as pas joui. Je ne sors pas de toi tant que tu ne t'es pas tordue et contorsionnée dans un orgasme. Alors, qu'est-ce que tu dis quand je te dis de jouir, Mélanie ?

Je gémis alors que sa voix sexy se répand dans mon corps, le plaisir est si total que je ne peux pas respirer, ou penser, je ne peux que me sentir prise, labourée, pleine et sienne.

– Je ne sais pas, je geins.

– Qu'est-ce que tu me dis, princesse ?

Il donne un autre coup de rein, doux, et caresse mon clitoris avec des mouvements circulaires de ses deux doigts, et quand je tourne la tête pour lâcher *comme vous voudrez,* il m'embrasse avec la langue, lentement et chaudement, et je jouis plus fort que jamais, chaque partie de moi explose, mon corps, mon esprit, mon âme, mon cœur, et je pleure doucement en le sentant jouir violemment à l'intérieur de moi. Il serre un bras autour de ma taille et me colle contre son corps, il souffle pendant que nous avons un orgasme ensemble.

Quand c'est fini, nous ne bougeons pas. L'oreiller est mouillé et je sanglote sans bruit. Greyson palpite encore en moi, vivant, et je ne veux pas le perdre. Toujours en moi. Je sens ses pulsations délicieuses. Il est encore dur. Je grogne quand il se retire et s'allonge sur le dos, il tend la main vers mon visage et y cherche un signe de gêne.

– Tes larmes. Bonnes ou mauvaises ? Bonnes ou mauvaises, bébé ?

– Bonnes, je réponds d'une voix rauque, en essuyant ma joue avec la paume de sa main. C'était bon pour toi aussi ?

– Wow, bon est un mot bien trop faible, dit-il tendrement.

Puis il essuie le reste de mes larmes avec ses lèvres, ses yeux sont liquides lorsqu'il embrasse mon nez, ma bouche, dans une sorte de gratitude masculine pour ce que je l'ai laissé me faire. Pour ce qu'on a fait, tous les deux. Je tremble un peu et il murmure :

– Reste là, princesse.

Il se débarrasse du préservatif et va se laver, puis il revient, me tire contre lui, pousse mes cheveux derrière mes oreilles, et mon corps est enlacé par le sien.

– Est-ce que c'était aussi bien que ce que tu avais imaginé ?

Ma poitrine est si remplie que je suis persuadée que je vais exploser.

– Jamais, dans mes rêves les plus fous, j'aurais pu imaginer un mec comme toi ou les choses que je ressens avec toi.

– Princesse, les trucs qui se passent entre nous, ce n'est pas normal.

Ses lèvres sont pressées l'une contre l'autre pendant un instant, et son regard est sombre.

– La manière dont tu envahis parfois mes pensées ne me va pas très bien, Mélanie. Dans le milieu où je travaille, les distractions sont à éviter.

– C'est ce que je suis pour toi?

– Une distraction? Putain, tu es une obsession. Même plus un fantasme. Tu auras ma peau, princesse, et je m'en fous désormais. Mais je ne veux pas avoir ta peau.

Des yeux brutaux et scintillants fixent les miens pendant que j'assimile ses mots. Quelqu'un frappe encore à la porte.

– Eh, PATRON! Code 104. Je répète un-zéro-quatre!

Sa mâchoire se serre car il semble comprendre ce que cela signifie, puis il se lève avec un grognement mauvais. J'avale ma salive et m'allonge sur le dos, ma poitrine monte et descend, j'essaie encore de récupérer.

– Est-ce que c'est Derek? Il est bourré?

Greyson prend ses vêtements et, cette fois, il hurle sa frustration en écrasant son poing contre le mur sur son chemin. Il sort de la salle de bains, enfile son pantalon et une chemise blanche propre, mais il ne s'embête même pas à la fermer en allant ouvrir la porte. Il claque la porte derrière lui et je reste allongée là, je tremble et je respire fort.

Ce qu'on a fait était… *Oh mon Dieu.* Je saute du lit et vais dans la salle de bains, me nettoie, passe un peu d'eau sur mon visage, puis je me glisse dans des vieux vêtements confortables. Un tee-shirt que je sors quand j'ai passé une mauvaise journée.

On dirait que mon sixième sens ne s'est pas trompé. Grey revient et dépose un baiser sur mon front qu'il tient entre ses mains, puis me regarde avec ses yeux noisette liquides, chaleureux et désolés, puis il embrasse mes paupières.

– Va te coucher, je reviens le plus vite possible. Derek sera là si tu as besoin de quoi que ce soit. Il te conduira où tu veux, je lui ai demandé de garder un œil sur toi.

Je crois que je fais un mouvement de la tête qui ne veut rien dire, mais quand il part, je hurle dans mon oreiller à cause de notre soirée gâchée. Je n'ai pas faim, mais je mange quand je suis stressée, alors je prends des céréales et je regarde la télé pour essayer de calmer mes sens déchaînés. Je réorganise mes tiroirs. Je m'arrête même pour tourner tous les verrous sur les fenêtres et les portes quand la peur habituelle s'installe. Quand je m'endors dans mon lit, il est tard et je l'attends encore.

Mais au petit matin, Greyson m'appelle pour me dire qu'il doit s'occuper de quelque chose et qu'il ne reviendra pas tout de suite.

***

Pandora s'amuse bien avec cette histoire, j'aurais dû savoir qu'il ne fallait pas me morfondre au travail.

– Il part à cause d'une urgence mystérieuse, me dit-elle sur la route du bureau, nos cafés à la main. Il t'offre des diamants, genre la deuxième fois qu'il te voit. Qui est-ce qui fait ça ? Les mecs qui ont des maîtresses, c'est tout. Les mecs qui ne peuvent pas se pavaner avec leur copine parce que leur femme finirait par savoir.

– Wow, tu es aigrie, ma fille.

– Imagine que ce soit vrai ! Tu viens de te faire sodomiser par ce mec.

– Je ne changerai ça pour rien au monde, rien.

Je prends une gorgée de café mais il est si chaud qu'il me brûle les lèvres, et je souffle dans l'ouverture du couvercle.

– Écoute, il a dû partir mais il va revenir. Je sais qu'il va revenir.

– Quand? Ton anniversaire, c'est ce week-end.

– Et? On s'en fout, parce que…

Ma voix faiblit, et je chuchote :

– C'est le bon. C'est le bon, quand je suis avec lui, j'ai envie de me pincer pour vérifier que ce n'est pas un rêve. Et pourtant depuis le début, Pandora, pas une fois tu n'as été contente pour moi. Pourquoi? Pourquoi est-ce que tu es une putain de rabat-joie?

Pandora s'arrête en plein milieu du trottoir et me regarde la bouche grande ouverte. Ce qui m'oblige à faire demi-tour et à me planter devant elle pour m'expliquer.

– Tu as parlé de tous les mauvais côtés que tu as pu trouver, et plus encore, je lui rappelle. Tu veux que je te parle et tu veux m'encourager mais tu sais quoi? Tout ce que tu fais, c'est me donner envie de ne plus rien te dire parce que tu juges, et tu juges sévèrement, Pandora. Personne n'aime la compagnie des gens comme toi.

Elle cligne des yeux, fait une grimace et se remet à marcher en regardant ses pieds, et elle a un air désolé dans la voix.

– Excuse-moi de ne pas être Brooke.

– Je ne veux pas que tu sois Brooke, je veux que tu sois contente pour moi, je clarifie. Ou, au moins, moitié moins méchante!

– N'importe quoi, tu veux que je sois Brooke, et tu sais quoi? Elle s'arrête et prend mon bras pour que je m'arrête aussi, et me regarde avec des yeux qui brillent de détermination. Je suis désolée de ne pas pouvoir être comme ta meilleure amie pour la vie mais elle est partie, Mel. Alors envoie-lui autant de textos que tu veux et attends deux heures qu'elle te réponde parce qu'elle est trop occupée avec un vrai homme, un vrai bébé et une vraie vie! Je suis la seule vraie amie que tu aies en ce moment et j'essaie de faire attention à toi.

– C'est gentil de t'inquiéter pour moi, mais ce que tu dis me blesse et tu ne t'en rends pas compte. Ça plombe mon optimisme. Ça fout en l'air tous les espoirs que j'ai pour nous, pour lui et moi. Tu sais que je me sens très mal quand il part ? Tu le sais ? J'ai cette paranoïa bizarre et je me dis que je ne vais plus jamais le revoir et quand j'arrive au bureau, je me sens encore plus mal à cause de toi. Comme si je ne valais pas le coup qu'il revienne.

J'attends qu'elle réponde, mais elle ne dit rien, alors je continue.

– Je comprends que tu essaies de me protéger, mais c'est trop tard, Pan. Je suis déjà en train de tomber amou…

– Putain, ne dis pas ça ! Ne tombe pas !

Je plonge mes doigts dans mes cheveux, et je manque de me les arracher.

– Merde, s'il te plaît, pour ton propre bien, dis-moi le nom du mec qui t'a rendue comme ça ! je la supplie.

Elle hésite et jette un regard noir au trottoir.

– Cherche dans le *Livre des records*, dans la catégorie «Plus gros CONNARD du monde», marmonne-t-elle.

– Donne-moi juste son nom pour qu'on lui fasse une poupée vaudou ou un truc comme ça ! je m'exclame.

Elle grogne et se tient le ventre.

– Je ne peux pas. Je ne peux pas dire son nom.

– Mais pourquoi ?

– Parce qu'il est partout, putain, et ça me rend folle. Folle ! Je ne le prononcerai pas. Jamais.

– Pan, dis-je doucement, mais elle secoue la tête.

– Écoute, je suis désolée de gâcher tes fantasmes, mais j'essaie d'être réaliste et tu fonces à toute vitesse, Mélanie. Tu le rencontres, il t'offre des bijoux. Il te dit que son chauffeur est là si tu as besoin de quoi que ce soit, et le mec te suit – elle pointe du doigt l'endroit où est Derek, qui tourne clairement autour du pâté de maisons.

Vous faites une partie de jambes en l'air merveilleusement coquine et il disparaît. Et tu ne te poses pas de questions ? Tu attends sagement qu'il t'appelle ? Où est passée la Mélanie que je connais ? La Mélanie que je connais ne tient pas en place et elle ne laisserait pas un mec qu'elle connaît à peine lui donner des ordres. Ton anniversaire est dans deux jours. Pour la première fois de ta vie, tu n'as rien de prévu. Il faut que tu fêtes ça. Point.

– Cette année j'économise, d'accord ? L'année prochaine je ferai sauter le toit de la maison, mais pas cette année, alors laisse-moi tranquille.

Nous montons toutes les deux dans l'ascenseur dans un silence morose et nous dirigeons vers nos bureaux, et c'est là que Pandora m'informe de son habituelle voix monotone :

– Regarde tes messages. Ta meilleure amie n'est pas contente qu'il n'y ait pas de fête. On nous a envoyé des billets.

– Quoi ?

Je ne comprends pas, je sors mon téléphone et vois le message de Brooke.

« MEL !!! VIENS À DENVER ! C'EST TES VINGT-CINQ ANS, JE VEUX TE VOIR, ET PETE S'EST DÉJÀ CHARGÉ DE PRENDRE DES BILLETS POUR TOI ET P. »

Je sursaute, cligne trois fois des yeux et tourne mon fauteuil pour regarder Pandora. Elle a un rictus, son expression la plus proche d'un sourire.

– Brooke nous a pris des billets ! DES BILLETS D'AVION ! On va voir Brooke ! je crie.

– Yep, dit Pandora, en hochant et hochant la tête.

Le sourire aux lèvres, je réponds à Brooke :

« PUUUUTAIN DE MEEERDE ! MERCI ! TU ME MANQUES TELLEMENT ! »

Brooke : MA BFF[2] ME MANQUE ET PANDORA M'A DIT QUE TU AVAIS DES PROBLÈMES DE CŒUR.

---

2. NdÉ : B.F.F. : *Best Friend Forever*, soit meilleure amie, pour la vie.

Moi : Si on veut. Je suis juste extrêmement perdue et extrêmement accro à lui et j'ai peur qu'il ne le soit pas. J'ai besoin de ma BFF ! J'ai hâte de te voir.

Je range mon portable et souris à Pandora.

– Ouais, je sais que tu m'adores, marmonne-t-elle.

– Oui, c'est vrai, je réponds. Toi et Brooke, je vous aime tellement. On va voir un combat ?

– Évidemment, neuneu ! Qui a payé nos billets, à ton avis ?

Cela me fait sourire, je retourne à mon ordinateur et joue distraitement avec mon collier de diamants, et la sensation des diamants de Greyson sous mes doigts tord brusquement mon cœur d'une douleur nouvelle. Un espoir frais, sauvage s'accroche à l'intérieur de moi et ses mots me reviennent pour m'exciter et me torturer.

Mélanie, quand tu attendras que je t'appelle, regarde ces pierres et sois sûre que le téléphone va sonner.

17

PLUS
Greyson

Bouillant de l'intérieur, je regarde derrière mon épaule et vois mon demi-frère, Wyatt. Je ne devrais même pas être là. J'ai mieux à faire que jouer au baby-sitter et à l'idée que j'ai dû faire le tour de la ville avec C.C. pendant vingt-quatre heures, à chercher mon frère «perdu» au lieu de passer le week-end à Seattle, j'ai envie de frapper quelqu'un.

J'écrase la pédale de freins, gare le 4x4, me retourne, et envoie mon poing dans la tête de Wyatt.

– Aïe! s'écrie-t-il.

Puis je sors, je fais le tour de la voiture pour le sortir et le pousser vers le vieil entrepôt transformé en bar où les combats de l'Underground auront lieu ce soir.

– Tu ne peux pas traîner avec nos boxeurs, surtout pas avec le Scorpion, c'est un salaud tordu, je peste, pendant que C.C. descend du siège passager et nous suit. Il n'y a pas d'amitié entre eux et nous, que du business. Tu m'as compris, Wyatt?

– J'ai compris que tu es un foutu trou du cul, Grey, dit-il en essuyant le sang qui coule de son nez.

– Je ne suis pas là pour gérer une école maternelle. Soit tu comprends comment ça marche, soit tu débarrasses le plancher. C.C. ne paiera plus pour toi, et moi non plus. J'ai des trucs à faire.

– Ouais, pourquoi on ne parlerait pas un peu de ça, parce que tu es plus lunatique qu'une nana qui a ses règles ! dit-il avec un sourire en coin. Alors, comment elle s'appelle, hein ?

Je l'attrape par sa chemise et le soulève pour que nos yeux soient à la même hauteur, je perds patience.

– Tu ne peux pas t'attaquer au fils du chef de la police à cause d'un putain combat de coqs ! Il était bourré, tu étais bourré, et le Scorpion était complètement perché. On a de plus gros problèmes en ce moment, Wyatt, et tu nous as tous mis sous les projecteurs.

Je le lâche et pousse la porte, Wyatt fonce à l'intérieur.

– C'était même pas mes coqs, j'aidais juste à accrocher les griffes à lames.

– C'est juste dégueulasse, Wyatt, dit C.C. quand nous entrons.

– Tout le monde se fout de ce que tu penses, C.C., lance Wyatt.

Je regarde mon demi-frère. Amoché. Imprudent. Négligent. Si C.C. n'avait pas payé sa caution pour lui éviter la prison, Wyatt serait déjà mort ou au trou.

– J'en ai tellement marre que tu essaies de lui montrer ce que tu vaux, je lui dis en le poussant, énervé. Maintenant rentre et va bosser avant que notre père apprenne ce qu'il s'est passé.

– Tu ne vas pas lui dire ?

Je serre la mâchoire et secoue la tête dans un silence furieux. Dieu sait que je devrais. Je devrais lui dire. Mais voir le genre de punition que mon père lui infligerait ne me ferait aucun bien.

– N'en parle pas non plus à Big É, ce con me déteste. Putain, je ne sais même pas pourquoi, c'est toi qui lui as arraché son œil.

Nous le regardons partir d'un pas rapide, et C.C. me regarde.

– Désolé d'avoir appelé. Je me suis dit que l'ultimatum devait venir de toi ou d'Éric. Mais il est bien assez occupé comme ça avec ton père.

Je vais déposer le fric de mes deux dernières cibles dans le coffre-fort et remplis le livre de comptes ; je suis prêt à sortir de là pour aller travailler sur mes dernières cibles. J'ai besoin que le boulot soit fait, et j'ai besoin de le terminer le plus vite possible.

Autour du long couloir où nous sommes installés, le grincement des échafaudages se mélange au bruit des hommes qui s'activent pour aménager l'espace. La saison de combat de l'Underground a commencé. Deux ou trois combats par semaine, un lieu différent à chaque fois. Avant mon vol pour Portland, où vit l'une de mes dernières cibles, je vais voir l'équipe.

Wyatt surveille les caméras pendant qu'une demi-douzaine d'hommes installent le ring. Sur les écrans, je vois que Léon aide à monter les gradins. Je vois aussi que Zedd est près de l'entrée, il s'assure que les portes de sortie fonctionnent bien. Harley mange de la pizza. J'entends Thomas dans le couloir, avec les voix féminines de quelques groupies, j'imagine.

Dans l'une des plus grandes pièces, mon père est assis en silence, entouré de son matériel médical. Je m'arrête en passant à côté. Une infirmière lui donne à manger et il a l'air d'avoir maigri. Je suis pris d'un soupçon de remords en me demandant si cet homme, que j'ai vu torturer et tuer mais aussi me protéger, est vraiment en train de mourir. Je suis debout près de la porte et Éric se lève. Aux côtés de mon père depuis des jours, il a l'air crevé.

– Je ne m'attendais pas à te voir ici.

– Comment va-t-il ?

Pourquoi je demande ? Pourquoi ça m'intéresse ?

– Il est faible mais il s'accroche. Il veut vraiment te voir y arriver, dit Éric.

Je sens les muscles de ma mâchoire se contracter après cette phrase, parce que je ne veux pas de l'Underground, je veux savoir où est ma mère. Mais je m'avance et, surpris par la pitié dans ma voix, une pitié qu'il ne m'a certainement pas transmise, je dis :

– J'ai presque fini, Père. Plus que quatre et tu auras tous tes noms et tout ce qu'on te doit. J'attends surtout d'avoir des nouvelles de ma mère.

Il esquisse un faible sourire.

– Cet endroit était pour toi. Nous vivions comme des gitans, mais c'était chez toi. Mon rêve, c'est que tu me montres… que tu es un homme, assez pour que cela t'appartienne. De la bonne ou de la mauvaise façon. Tu m'as montré que tu étais mon fils… mais tu es aussi le fils de ta mère, n'est-ce pas ? C'est pour ça que cela ne fonctionnera pas avec Wyatt. Seulement avec toi.

Une fois encore, je vois du respect dans ses yeux, et je grince des dents.

– De la bonne ou de la mauvaise façon, tous les noms de ta liste seront rayés, je promets.

***

Des combats de coqs, avec un des boxeurs les plus crades, à la pire réputation, qui a poussé Wyatt à se battre avec le fils du chef de la police… Je n'aime pas cet aspect de la personnalité de mon demi-frère.

Mon frère me lance toujours des regards furieux. Je me dis que l'on ne s'est jamais entendus. Quand je suis arrivé, il était plus jeune et était le jouet de mon père, jusqu'à ce que mon père décide que c'était plus drôle de jouer avec moi. Si je l'avais laissé me casser, il m'aurait peut-être laissé tranquille, mais comme je ne l'ai pas fait, cela l'obsédait de plus en plus. Wyatt ne sait pas la chance qu'il a eue, il ne comprend pas.

– Tina est passée, grommelle-t-il. Elle a quelque chose pour toi mais elle a refusé de me le donner.

— Je la contacterai, mais je ne peux pas tout de suite. Rends-moi service et fais quelque chose d'utile.

Je veux qu'il sorte s'occuper, pas qu'il reste là à ruminer sa rancune.

— Prends-moi rendez-vous avec elle pour ce week-end, pour qu'elle puisse me donner ce qu'il me faut.

Il me jette un regard noir et hoche la tête. Je vole un morceau de pizza froide à Harley, l'avale, et je m'assure que Wyatt a bien noté.

— Très bien, merci, dis-je en lui donnant une claque dans le dos. Mets de la glace là-dessus, je conseille en désignant son nez.

— Va te faire foutre.

— D'accord, Wyatt, fais comme tu veux.

J'enfile mes gants et me dirige vers l'aéroport.

Un vol plus tard, alors que le soleil est sur le point de se coucher, je saute dans un taxi et regarde par la fenêtre sans vraiment voir, je me demande comment va ma princesse. Soudain, je vois l'image de ma mère enlevée, avec le visage de Mélanie, et une nouvelle sorte de rage bouillonne en moi. Il faut que j'y retourne. Il faut que je finisse ce que j'ai à faire, pour y retourner vite. Derek est bon, il peut protéger Mélanie. Mais il n'est pas moi. Wyatt me demande pourquoi je suis autant sur les nerfs et comment elle s'appelle. Il le saura bientôt. Ils le sauront tous.

Je sors deux téléphones, j'enregistre son numéro dans mon nouveau prépayé, et avant d'éteindre le vieux, je lui envoie : CHANGÉ DE NUMÉRO. JE T'APPELLE À NEUF HEURES.

Je désactive l'ancien portable et envoie à Derek un code numérique depuis le nouveau, pour qu'il sache que c'est moi et que j'ai un nouveau numéro. Il répond par un autre nombre. Un autre code qui signifie que tout va bien et que Mélanie est au travail. Quand le taxi me dépose, je sors, remonte ma cagoule noire sur ma tête, garde mes lunettes accrochées sur mon col et me dirige vers l'immeuble de bureaux. Harley et Wyatt sont des hackers. Ils m'ont inscrit dans la liste de rendez-vous de ma cible sous le nom d'une de ses connaissances. Les cibles, elles détestent quand on vient dans leur maison ou leur bureau. Ils se sentent vulnérables et menacés par le fait qu'un homme comme moi leur vole leur espace. Et c'est ce qu'il faut : faire en sorte qu'ils ne se sentent plus en sécurité. Comme s'ils ne pouvaient se cacher nulle part. Pas moyen de m'échapper à cause du putain d'argent qu'ils doivent.

Je murmure mon faux nom au réceptionniste, récupère un passe et mets mes Ray Ban en me dirigeant vers l'ascenseur. J'ai mes gants, des chaussures neuves, des vêtements propres, mon corps est récuré, mes cheveux sous ma capuche ; aucune trace, je suis comme un fantôme. La clé est de garder la tête baissée pour que les caméras ne filment pas mon visage.

Je sors de l'ascenseur et répète le nom à la secrétaire du dixième étage. Quand j'entre dans le somptueux bureau de ma cible, il sourit derrière son ordinateur car il croit que je suis un jeune ami de fac de son fils venu pour parler d'un stage.

Il lève la tête et se met debout.

– Daniel ! lance-t-il tout content, les bras ouverts.

Ma main se referme autour de mon SIG.

– Désolé, Daniel n'a pas pu venir. Ne tente rien.

Mon arme est pointée droit sur son crâne.

– Crois-moi, vieux. Tu ne veux pas mourir pour ça.

Son visage pâlit et il baisse doucement la main qu'il avait passée sous son bureau.

– Vous êtes qui ?

– Assieds-toi, relax, dis-je à l'homme.

Il s'assoit derrière son bureau, le dos droit comme une planche, et je m'affale confortablement sur l'un des deux fauteuils en face de lui, mon arme sur le genou, pointée vers son cœur.

– Mais qui êtes-vous ? demande-t-il avec un mélange d'horreur et d'effroi.

– Pas quelqu'un dont tu dois te soucier. Mais ça ?

Je sors la copie d'un document qui porte sa signature et la fais glisser sur son bureau.

– C'est pour ça que je suis là. C'est un document qui appartient à mes employeurs. Un document où tu leur promets, à eux et à moi, beaucoup d'argent. Deux cent mille balles, pour être exact. Aujourd'hui, je viens les chercher. Tu as eu deux mois d'avertissements, alors j'espère que tu es enfin prêt à payer.

Le mec ne dit plus rien. Il ne fait pas non plus de mouvement pour payer. Je soupire et sors une de mes caméras.

– Ou alors, je pourrais rendre ce petit film public.

Je sors la carte mémoire d'un stylo-caméra et lance la vidéo de lui se faisant royalement sucer par quelqu'un dont j'ai la certitude qu'elle n'est pas sa jeune épouse.

– Tu en es à ton troisième mariage, c'est ça ? Je crois aussi que cette troisième femme a été maligne et a fait établir un contrat de mariage, non ?

La vidéo tourne toujours sous les yeux terrorisés de l'homme. Il pose ses mains sur sa tête et grogne. J'enlève délicatement la carte et la jette sur son bureau.

– Tiens. Tu peux la garder. J'ai une copie.

Il sort son carnet de chèques, écrit la somme et me tend le chèque d'une main tremblante.

– Si vous laissez quelqu'un d'autre voir ça, je suis ruiné. Vous m'entendez ? Ruiné, murmure-t-il, la sueur perlant sur son front.

Je prends le chèque.

– Notre but n'est pas de vous ruiner. Nous sommes heureux de faire affaire avec vous. Mais si quelqu'un me suit quand je sors ou si vous parlez de ce qui s'est passé ici, la vidéo sera lâchée, chèque ou pas chèque.

Un silence morose me suit jusqu'à l'ascenseur. Ils ne comprennent pas. Les hommes riches ne comprennent pas. Ils croient qu'ils sont intouchables, qu'on les laissera tranquilles à cause de leur nom. Ou de leurs relations. Ils ne comprennent pas que c'est l'Underground qui gagne. L'Underground gagne toujours.

***

Je prends une chambre dans un hôtel pas cher, sous un autre faux nom. Demain je prends à nouveau l'avion, je m'attaque à une autre cible, et j'aurai presque fini.

Putain, je suis épuisé. Mes muscles sont las, ma nuque est raide. Je laisse tomber mon manteau près du lit, coince mon flingue sous l'oreiller, pousse mes couteaux sous le matelas, puis je m'allonge sur le dos, soupire et fixe le plafond.

Je me rappelle qu'elle a cuisiné pour moi, qu'elle s'est donnée à moi. La façon mon corps s'est jeté dans le sien et comme elle a instinctivement poussé en arrière pour plus de moi. Et après, l'état dans lequel j'étais quand j'ai dû partir, comme si je m'étais pris un coup de poing et qu'elle en avait fait les frais.

Ma vie, c'est l'Underground. L'Underground, ma vie, mais aussi le moyen de retrouver ma mère. Je m'y suis fondu comme le noir se fond dans les ombres. Je n'ai pas besoin que l'on me dise, à moi, le roi de ce putain d'Underground, que cet endroit n'est pas fait pour ma joyeuse petite princesse. Je le SAIS.

Putain, mais je la veux avec moi. J'ai fantasmé sur cette fille pendant des mois, mais ce n'est pas le désir qui me pousse à revenir à chaque fois. Quelque part au fond de moi, j'ai toujours su qu'elle était faite pour moi. Quelque part, peut-être longtemps avant que je naisse et longtemps avant que j'aie tué quelqu'un, avant que mon âme soit salie et cassée, on m'a donné cet ange et je parierais ma vie sur le fait qu'elle m'a été donnée pour que je puisse la protéger. Elle est pour moi, et je suis pour elle.

Je n'ai jamais eu de copine, ça ne m'a jamais intéressé. Seulement des coups d'un soir. Seulement des putes. Seulement des rencontres dans des bars. Rien qui ait duré plus des quelques heures qu'il me fallait pour en avoir fini avec elles. Comme si une partie de moi savait que je ne faisais qu'attendre mon heure avant qu'un jour cette fille me regarde sous la pluie ; et qu'à partir de cet instant il n'y aurait rien de plus important qu'elle.

Il est neuf heures moins deux et bien que j'aime être précis, je prends mon téléphone et tape son numéro. Une sonnerie, deux, et elle répond, essoufflée. Mon ventre s'ouvre en deux quand j'entends sa voix.

– Allô ? dit-elle.

– Ne réponds jamais à un numéro inconnu si je ne t'ai pas avertie avant.

J'entends un rire dans sa voix, sous son ton sévère, bien sûr.

– Alors ne m'appelle pas depuis un numéro inconnu, petit con.

Je rigole.

– Un changement de portable s'imposait.

– Pourquoi ? Tu n'en avais pas assez ?

Je ferme les yeux, détends mes muscles pour la première fois depuis des jours. Putain, elle a un truc. Elle a été faite spécialement pour moi. Nous avons été élevés différemment, mais peu importe. On lui a appris à jouer à des jeux alors que l'on m'a appris à jouer avec des choses. Et pourtant, nous sommes là. Je suis obsédé par elle et elle semble être dans la même situation. Maintenant, c'est à moi de faire en sorte que notre relation avance. C'est à moi de lui faire assez confiance et de la respecter assez pour lui dire que je ne suis pas un homme normal. Bordel de merde.

Tu ne veux pas vraiment faire ça, Greyson. Dis-lui la vérité sur toi, et ce sera FINI pour de bon.

Non. Merde, je ne laisserai pas cela se finir.

– Alors. Tu as appelé juste pour m'entendre respirer ?

– Non, pas seulement.

La dernière fois que j'ai entendu sa voix, elle avait préparé un repas pour moi, et elle s'était donnée à moi comme elle ne l'avait jamais fait avec un autre homme. Elle m'a accueilli chez elle, a ébouriffé mes cheveux, m'a souri, m'a voulu, m'a donné des choses dont je n'avais jamais rêvé et dont j'ai maintenant absolument besoin, comme un chien enragé.

– Tu es fâchée que je n'aie pas appelé ? je demande d'une voix rauque, parlant bas au cas où je doive fournir des explications.

– Je l'ai à peine remarqué !

– Donc tu es fâchée. Princesse, je ne voulais pas partir, pas comme ça.

Je baisse la voix et une tonne de regrets me serre le cœur ; je regarde par la fenêtre de l'hôtel miteux et pense à mon nouvel appartement à Seattle. Je veux vraiment y être. Je veux mon lit, les draps qui valent mille dollars et la fille qui en vaut un million blottie contre moi.

– Bébé, parle, je m'entends l'implorer.

– Pourquoi ?

– Parle.

Je soupire et colle le téléphone plus près de mon oreille pour m'accrocher à sa voix. Tout le soleil qu'elle contient. Elle serre mon cœur, mes tripes, et mes couilles, le tout d'un seul coup terrible. J'en ai besoin pour me rappeler que ce que j'ai fait aujourd'hui n'était qu'un job. Un rôle. Un personnage. Je ne suis pas que ça. Elle est la seule qui peut me voir en entier.

– Je ne sais pas quoi dire, chuchote-t-elle finalement. Je veux savoir pourquoi tu es parti, comment tu vas.

Son ton s'adoucit, et cela fait tournoyer tout le manque en moi, comme un ouragan. Je souffle par le nez, j'essaie de garder le sang de mon corps hors de ma queue qui gonfle déjà.

– J'avais du travail, mais c'est bon maintenant, j'explique. Allez, princesse, parle-moi.

– D'accord. Je suis allongée dans mon lit en culotte et soutien-gorge.

Mon cerveau explose. Putain ! Mon cœur cogne contre mes côtes et ma bite frappe dans mon jean. Je me l'imagine tout de suite : allongée dans le lit, ses hanches moulées par sa culotte, les paupières lourdes, et soudain je suis dans ce lit, à côté d'elle, et je tiens sa tresse pour qu'elle ne bouge pas pendant que je baise sa douce bouche chaude avec la mienne.

– Ce n'est pas pour ça que tu m'as appelée ? Tu n'es pas excité ? demande-t-elle car je ne réponds pas.

Je jette la tête en arrière et lance un rire rugissant. J'ai plus ri avec elle en quelques semaines que je n'avais ri depuis des années.

– Princesse, je suis excité dès que je pense à toi, mais ce n'est pas pour ça que j'ai appelé.

– Oh. Pourquoi, alors ?

Je continue à me l'imaginer dans ce lit. Ouais. Et moi juste à côté.

– Tu as déjà fait ta tresse ?

Il faut que je sache. Je ne comprends toujours pas comment elle attrape si facilement autant de mèches de cheveux et les enroule parfaitement, soyeux, dorés et magnifiques lorsqu'ils sont dans cette tresse sur sa nuque blanche et fine.

– Oui.

– Tu te mords la lèvre ?

Elle rit doucement.

– Oui.

Je souris avec une délectation de prédateur.

– J'ai envie de sucer cette lèvre, bébé, mais ce que je veux le plus en ce moment c'est être là, t'embrasser à en crever, et te baiser sans capote. Je vais faire un test, pour que la prochaine fois que je te baise, je n'en porte pas. Ça te plairait ?

– Oui, s'il vous plaît. Un Greyson sans capote, vous pouvez le passer en commande expresse ?

Son caractère joueur remplit ma poitrine de tendresse.

– Oui, bébé, je vais faire ça, mais je n'ai pas appelé pour m'écouter parler. Je veux t'entendre. Alors parle-moi, princesse.

– De quoi ?

– À ton avis ? De toi, bébé.

– D'accord. Tu sais, cette fille qui voulait ma Mustang, elle est montée de mille dollars et j'ai accepté.

Je grogne et plaque ma main sur mon front, puis sur mon visage.

– Princesse, je te le dis… Vends autre chose. Pas ta voiture. Tu as besoin de ta voiture.

– C'est tout ce que je peux vendre, Grey.

– Tu en es sûre ?

– Oui, j'en suis sûre. Ma voiture est tout ce que je peux vendre.

– Le collier que je t'ai donné, il n'est pas vendable ? je me décide à le dire carrément.

– Non.

– Non ? Pourquoi ?

– Parce que c'est tout ce que j'ai de toi, putain !

Mon cœur frappe une fois de plus après cet aveu, puis continue à tambouriner à cause du besoin urgent de lui assurer, en personne, que ce n'est pas vrai.

– Nan, c'est pas vrai.

– C'est tout ce que j'ai, Greyson. Je passe des jours toute seule, et tout ce que j'ai pour être sûre que tu existes et que tu vas appeler, c'est ces pierres. Elles sont tout ce que j'ai de toi.

– Tu m'as moi, princesse. Bon Dieu ! Tu ne vois pas ce que tu me fais ? Tu m'as tout entier, Mélanie. Je suis à des milliers de kilomètres et je me sens comme un demi-homme, j'ai l'impression que je vais casser quelque chose si je ne te vois pas vite de mes propres yeux…

Mais qu'est-ce que je fous ? On est chez Oprah, là ? J'appuie la paume de ma main sur mon front et je respire. *Ferme ta gueule, petite fiotte !*

Elle adoucit sa voix, comme si elle comprenait.

– Greyson, quand est-ce que tu rentres à la maison ?

La maison. Mon Dieu, j'adore qu'elle appelle être ensemble «la maison».

– Pas tout de suite. J'ai encore du travail, je murmure en caressant la crampe qu'elle vient de provoquer sur mon cœur.

– Mais quand est-ce que tu me reviens ?

Oh putain, elle veut ma mort.

– Bientôt, bébé, je cède. *Pour ton anniversaire. Quand il n'y aura plus de conneries entre nous, plus rien entre nous.* Je rentre bientôt et la prochaine fois que je pars, je veux t'emmener avec moi, je murmure d'une voix éraillée. Réponds juste à ça. Est-ce que tu es ma meuf ?

– Dis-moi d'abord que tu es mon mec.

Je lui manque. Je le sens dans sa voix, dans sa façon de me parler.

– Oui, je le suis, ce qui fait officiellement de toi ma meuf. Et, Mélanie ?

Elle se tait de l'autre côté de l'appareil, mais elle respire fort. J'ajoute, à voix basse mais avec fermeté :

– Je vais te MANGER quand je rentre. Aussi longtemps que je respirerai, tu seras ma princesse.

– OK, Grey. Alors tu seras mon roi, murmure-t-elle.

Oh oui, elle va définitivement me tuer.

– Je croyais l'avoir dit, pas de blagues royales.

– Ce n'était pas une blague, réplique-t-elle.

Puis elle continue :

– Grey ?

– Ouais ?

– Je savais que tu allais appeler. C'est pour ça que je ne vendrai jamais le collier.

– J'appellerai toujours, collier ou pas collier. Laisse tomber, bébé, je te trouverai quelque chose de mieux.

Je raccroche et essaie de reprendre mes esprits, mais mon sang est encore chaud après lui avoir parlé. Je me rappelle le premier jour où je l'ai vue encourager Riptide dans l'Underground. Elle sautait de haut en bas, criait pour un autre homme, et je me tenais là étonnamment sûr de moi, et une petite voix dans ma tête disait *Celle-là, elle est à moi*. Je savais que j'étais capturé, tout comme je sais quand j'ai mes cibles dans la poche ; j'étais capturé. Moi en entier, un morceau de moi, peu importe la part de moi qu'elle veut, elle peut l'avoir.

J'ai tout prévu.

Plus que deux cibles… sans compter Princesse. Je vais récupérer les preuves pour l'avant-dernier à Denver, et je m'occuperai de lui cette nuit-là, pendant que l'équipe s'assurera que les combats Underground se déroulent bien. Puis j'atterrirai à Seattle juste à temps pour son anniversaire. Je vais lui faire la surprise. Je pourrai lui dire que *Non, bébé, je ne suis pas un rejeton de Satan et, bientôt, tu vas pouvoir rencontrer ma mère…*

Je grogne tandis que la première lueur d'espoir depuis des années s'enracine en moi ; je me retourne dans le lit, j'essaie de dormir un peu, bien que je sache que je n'y arriverai pas. Pas avant de savoir que mes deux femmes sont saines et sauves, près de moi.

18

UNDERGROUND
Mélanie

L'Underground est exactement comme dans mon souvenir. Surpeuplé. Bruyant. Puant. J'ai peur d'y croiser des hommes mauvais, mais je suis heureuse que Brooke nous attende, et je tire Pandora vers nos sièges au premier rang quand je la vois.

Ma meilleure amie. Ses cheveux foncés en queue-de-cheval, jean slim, débardeur. Elle lève les yeux vers le ring et les deux boxeurs qui frappent jusqu'à s'effondrer.

– BROOKE! je l'appelle en courant vers elle et elle bondit de son siège.

Elle est ma meilleure amie depuis qu'on est assez grandes pour porter les deux moitiés d'un pendentif qui dit «Best Friends». Évidemment, j'ai toujours ma moitié dans une petite boîte sous mon lit, mais celle de Brooke est tombée pendant un sprint et on ne l'a jamais retrouvée. Ce qui n'est pas grave, car notre amitié ne s'est jamais cassée. Je ne me suis jamais autant disputée, je n'ai jamais autant aimé, je ne me suis jamais autant amusée qu'avec ma meilleure amie, alors il y a bien sûr quelques gloussements quand nous nous tenons dans les bras après des semaines de séparation.

Après un câlin serré, nous reculons toutes les deux pour nous inspecter mutuellement. Je veux vérifier que M. Riptide prend bien soin de ma demoiselle mais, bordel de merde, Brooke est…

il n'y a pas de mots pour décrire la lumière dans ses yeux, dans ses cheveux et dans son sourire.

– Regarde-toi ! je m'écrie.

Évidemment qu'il prend soin d'elle, il l'adore comme une idole.

– Non, regarde-TOI ! réplique-t-elle en faisant un câlin à Pandora, bien que cette dernière n'aime pas les câlins autant que moi.

Pete, l'assistant, vient nous saluer alors que nous nous installons dans nos sièges. Il commence à parler à Pandora de son histoire d'amour avec Nora, la sœur de Brooke. Je déteste Nora, alors je suis contente que cette conne soit à la fac, loin d'ici. Pete lui fait beaucoup de bien, mais j'espère secrètement qu'il tombera amoureux d'une personne plus gentille, plus douce et plus intelligente et qu'il la quittera pour de bon. Nora est sortie avec l'un des boxeurs les plus dégueu de l'Underground, un gars avec un scorpion tatoué sur sa grosse tête… Bref, assez parlé d'elle.

Je serre la main de Brooke pour qu'elle me donne des nouvelles de tout.

– Comment va Racer ? Est-ce que je pourrai le voir ce soir ou il sera trop tard ? je demande.

– Tu peux venir dans notre suite, bien sûr ! Il est tellement grand, Mel. Mais dis-moi…

Elle arrête de parler et écarquille les yeux lorsqu'elle entend le nom « RIPTIIIDE ! » sortir des haut-parleurs. Et toute la salle sait que c'est maintenant que ça se passe. Riptide. Remington Tate. Le mari de Brooke. Un Dieu du sexe ; au cas où je n'aurais pas encore parlé de lui, je dirais simplement que je sais que chaque vagin dans cette salle a un faible pour lui.

Les combats dans l'Underground ne sont jamais plus vivants et plus intenses que quand c'est lui qui se bat ; il a quelque chose. Quelque chose qui émane de lui, de l'excitation, de l'intensité, de la force pure, et un entrain de petit garçon.

– Mes ovaires viennent d'exploser, murmure Pandora à ma gauche.

Brooke saute sur ses pieds quand il monte sur le ring, Remington «Riptide» Tate, drapé d'un peignoir de boxe plus rouge que rouge. Je suis tellement contente d'être là, de voir ça, de penser à autre chose qu'à mes galères et à cette dette débile que je ne peux pas m'en empêcher, mon corps ne peut pas résister, mes cordes vocales non plus, alors je hurle.

– Remyyyyy!!

Je suis debout à côté de Brooke, et je ne résiste pas à l'envie de lui faire un câlin et un bisou en même temps.

– Mon Dieu, petite pute, je n'arrive pas à croire que tu te fais ça toutes les nuits, dis-je en lui donnant un coup de coude.

Elle me pousse aussi et hurle:

– Plusieurs fois par nuit!

Et c'est à ce moment qu'il lui fait un clin d'œil depuis le ring. Elle arrête de faire l'idiote avec moi et lui rend un sourire, toute son attention n'est concentrée que sur lui. Son désormais mari. Et alors qu'il attend son opposant, il garde son sourire et ses yeux bleus étincelants fixés sur elle. Et ce regard? C'est clairement un regard «Tu es à moi», mais il est tellement tendre que je le sens fondre sur moi. *Greyson… Greyson… Greyson…* Soudain, il est dans ma tête, et sa propre version de ce regard se balade à travers moi. Sa propre version est un peu moins tendre, un peu plus réservée, un peu plus crue, beaucoup plus sombre, comme s'il y avait quelque chose de douloureux à l'intérieur qui le fait plus souffrir quand ses yeux croisent les miens. J'ai l'impression qu'un vide immense vient de s'ouvrir dans mon corps à cause d'un simple souvenir de lui. De nous.

– Oooh mon Dieu, vous allez me tuer tous les deux, je dis à Brooke, en regardant un homme énorme monter sur le ring.

Au début du combat, je m'inquiète pour Remy, mais ensuite *bam!* Il prend tellement bien le contrôle que je ne m'inquiète plus du tout.

– TU ES LE CHEF, REMINGTON! je couine, en tirant le visage de Brooke vers moi. Regarde-toi. Femme et mère, meuf, il est tellement amoureux de toi, je ne le supporte pas!

– Oh, Mel.

Elle soupire et s'appuie contre moi comme si elle ne pouvait pas aimer cet homme plus qu'elle ne l'aime déjà. Ils amènent un autre homme face à Riptide, et je jure que ses adversaires sont de plus en plus imposants à chaque saison.

– Remy! je crie encore quand les hommes commencent à se battre sur le ring.

Brooke serre ma main et je la serre en retour; je lève sa main en l'air alors que nous les regardons combattre.

– Remy! Ta femme est chaude pour toi, Remy! je hurle.

Brooke a toujours été la plus réservée de nous deux, un peu timide lorsqu'il s'agit de s'exprimer avec conviction, mais je sais qu'elle adore que je crie ici.

– Remington, tu es super sexy! je hurle pour elle.

Et Brooke me sidère quand elle se lève d'un bond, met ses mains en porte-voix et se met à crier avec moi:

– TU ES TELLEMENT SEXY, REMY, ABATS-LE, BÉBÉ!

Et il l'abat sur-le-champ. Le public se déchaîne lorsque son adversaire tombe avec un bruit sourd, et je cligne bêtement des yeux vers ma meilleure amie.

– Oh mon Dieu, tu cries maintenant? Et M. Riptide est assez bien entraîné pour satisfaire immédiatement sa belle petite femme?

Je pourrais continuer mais Brooke est trop occupée à répondre au sourire de Remy, tout en sueur, et je me tais alors que quelque chose se serre fort dans mon cœur. Je ne serai plus jamais la première vers qui Brooke se tourne quand elle veut pleurer, parler de quelque chose, se défouler, ou sortir courir. Ma meilleure amie est profondément, follement amoureuse de cet homme qui, je le sais, irait jusqu'en enfer pour elle; il l'a déjà fait.

Alors d'une certaine façon, ma meilleure amie a un nouveau meilleur ami, maintenant. Et il est aussi un mari, un père pour son bébé, un amoureux pour elle.

Mais moi? Mon mec aime me baiser. Il dit qu'il n'est pas bon pour moi mais je sens qu'il a besoin de moi. Je sens que je lui manque. Est-ce que ce sont mes tripes qui parlent ou mes espoirs absurdes? Tout ce dont je suis sûre, c'est que je suis en train de tomber amoureuse, et qu'avec la gravité cela me paraît impossible d'arrêter de tomber encore plus bas dans cette chute obscure, inconnue et effrayante.

Putain, je suis dans la merde. Brooke remarque que je ne dis plus rien; je n'avais pas vu qu'elle me regardait attentivement.

– Tu veux parler de lui? me demande-t-elle doucement, en m'observant avec la perspicacité affûtée que seule une meilleure amie peut avoir.

Je hoche la tête et je dois me pencher plus près d'elle pour qu'elle m'entende malgré les cris du public.

– Quand je n'aurai pas besoin de hurler par-dessus ces connards!

Quand la soirée de combats est terminée, Pandora et moi prenons un taxi pour rentrer à notre hôtel qui, malheureusement, n'est pas le même que celui des Tate car il était trop cher. Pandora ne voulait recevoir la charité de personne et je suis pire que fauchée, donc nous sommes dans un petit hôtel trois étoiles à quelques rues de là.

Pandora, en revanche, décide de ne pas aller visiter la suite de Brooke ce soir.

– Pourquoi? je lui demande en la poussant à l'arrière du taxi. Allez, ce sera marrant. Il faut que je voie Racer! La dernière fois que je l'ai vu, il avait une petite touffe de cheveux, sentait le talc et me souriait avec cette fossette solitaire qui fera craquer beaucoup de demoiselles, un jour. Allez !

– Nan, je suis fatiguée. Vous avez du temps à rattraper. Je vais louer des films en t'attendant.

– Tu es sûre que tu ne veux pas venir ?

Le chauffeur de taxi a l'air de s'impatienter, alors j'ouvre la porte et j'attends une seconde de plus.

– Oui je suis sûre. Tu sais que je préférerais avoir un chien qu'un bébé dans les bras.

Je hoche doucement la tête parce que je crois que je comprends. Je la comprends mieux que ce qu'elle croit. Elle pense que, comme j'aime m'amuser, je ne souffre pas, que je ne désire rien, que je ne prends rien au sérieux. Je guéris mes blessures par le rire tandis qu'elle se sert de la colère comme défense. Mais je sais que ça lui fait parfois mal de voir Brooke, car Pandora a été amoureuse. J'en sais peu, mais je devine qu'elle l'aimait vraiment beaucoup.

– Pan, dis-je doucement, le mec qui t'a fait tant de mal… ce n'est pas le seul mec que tu aimeras.

Je ne sais pas quoi dire d'autre parce que je ne suis pas une experte de ce sentiment ; j'ai du mal à supporter ce que je ressens pour Greyson et j'ai peur d'appeler cela de l'amour. Je me sens encore plus bizarre quand nous nous arrêtons devant l'hôtel de Brooke et que le chauffeur s'impatiente :

– M'dame, vous sortez ou pas ?

Alors je sors rapidement et lui lance :

– À plus tard. Regarde une comédie !

Elle me fait un doigt d'honneur depuis le taxi qui redémarre, je lui fais un sourire et un signe de la main. Mais quand je monte dans l'ascenseur, je ne sais pas. Je ne suis plus sûre de rien, à part qu'il y a quelques mois je ne connaissais pas Greyson King. Comment est-ce qu'il peut autant me manquer maintenant ?

Je t'ai dans la peau, petit con. Tu es en moi un instant, et la seconde d'après, disparu. Tu me prends, tu me quittes, et j'attends toujours, tremblant d'impatience en attendant que tu reviennes et que l'on refasse tout cela. Rha… Quand est-ce que tu reviens ?

Brooke ouvre la porte de sa suite et bredouille :

– Je veux des détails et je les veux tout de suite !

Elle me tire dans la première chambre, loin du groupe de mecs dans le salon. Elle m'assoit sur le bord du lit et pose ses mains sur ses hanches comme une ange-salope exigeante, les yeux brillants et impatients.

– Raconte-moi. Dis-moi tout sur lui !

Je suis contente, je rigole, puis je grogne et pousse un doigt sur sa poitrine.

– J'ai l'impression d'un déjà-vu, sauf que la pauvre fille qui pensait avoir craqué sur le mauvais mec, c'était toi.

– Oh mon Dieu, tu es amoureuse, Mel ?

C'est incroyable comme c'est difficile de parler de lui, même avec ma meilleure amie. Je soupire, me laisse tomber sur le lit et tapote le drap pour qu'elle s'installe à côté de moi. Quand je m'imaginais tomber amoureuse, l'amour ne ressemblait pas à cela. Dans ma tête, l'amour était formidable et mignon, pas terrorisant et inattendu. Brooke et moi sommes allongées sur le côté, face à face, le sourire aux lèvres, comme nous l'avons déjà fait mille fois pour nous confier nos secrets, nos rêves et plus encore.

– Brookie, est-ce que quelqu'un peut m'aimer comme ça ? L'amour pour toujours ? Je suis douée pour m'amuser, mais est-ce que tu crois… Parfois je me dis que Greyson ne veut pas que je fasse partie du reste de sa vie. Je me demande si je suis juste un jouet sexuel pour lui, comme je l'ai été pour tous les autres hommes, mais après il m'appelle, ou il m'offre ça…

Je touche le collier de diamants caché sous mon haut.

– C'est juste sa façon de me regarder… Je ne sais pas, il n'y a même pas de mot pour ce regard. Mais Remy te le lance aussi. C'est le MEILLEUR regard. Il me donne chaud, des palpitations au cœur et des papillons dans le ventre. Et si tu l'avais vu avec mes parents, comme il riait quand on faisait nos jeux stupides du dimanche. Je refuse de croire que je ne suis pas importante pour lui, tu vois ? Il dit que je suis sa meuf.

Brooke rit, s'assoit, et elle me fait un petit câlin.

– Mel, tu es drôle, gentille, loyale et honnête. Tu as tellement d'amour à donner. Tu aimes tout le monde, même des inconnus. Tu es ma petite coccinelle d'amour. Il a de la chance que non seulement tu t'intéresses à lui, mais qu'en plus tu tombes aussi amoureuse de lui.

Ses yeux brillent alors qu'elle serre mes épaules.

– Mélanie, tu as trouvé ton prince. Et ce n'est même pas un prince, il s'avère que c'est un roi. Tu te rends compte que tu parles de cet homme sans nom, sans visage depuis que tu as sept ans ?

– Écoute, j'ai attendu toute ma vie de ressentir ça et maintenant que c'est fait, je ne sais plus. Je me sens instable, en insécurité, vulnérable, heureuse et en même temps inquiète que ça ne dure pas.

– Non ! Non, non, non, ne te retiens pas. Est-ce que Pandora t'empoisonne les idées ? Mel, PRENDS LE DESSUS. Approprie-toi ce que tu ressens. Dis-lui. Cours-lui après. Cours après ce que tu veux. Tu as toujours poursuivi ce que tu voulais, tu ne vas pas faire demi-tour maintenant que tu l'as trouvé !

– Tu dis ça maintenant, parce que tu n'es plus une poule mouillée ! Tu sais que Remington t'aime. Tu sais qu'il t'aime tellement qu'il ne te laissera jamais partir. S'il arrive quelque chose, vous trouverez une solution, et vous le savez tous les deux. Il se battra pour toi et toi pour lui. Mais moi ? Je ne sais pas ce que ressent Greyson. Il veut être avec moi puis il part pendant des jours. Ce que l'on a, ça peut être réel comme ça peut être une passade...

– De la luxure, dit une voix grave près de la porte.

Je lève la tête et vois Riley Cole sur le pas de la porte, le coach en second de Remington, aussi mignon que d'habitude. Riley et moi sommes de très bons amis. Nous avons fait beaucoup de bêtises, et pas seulement sexuelles, les quelques fois où nous nous sommes retrouvés après les combats de Remy.

C'est un mec qui a l'habitude de garder des secrets. Je le sais car quand j'ai essayé de déterrer tous les secrets de Remington Tate, à l'époque où il fonçait sur Brooke comme un bélier. Tout ce que Riley m'a dit est qu'il n'avait jamais vu Remington courir après une femme comme il le faisait avec Brooke. Donc Riley est un homme qui sait garder un secret, je n'en doute pas. Y compris, et Dieu merci, le mien.

Brooke a toujours dit qu'il avait l'air d'un surfeur triste, et elle a raison. Et cela lui va bien. Mais ce soir, il ressemblerait plutôt à un jumeau de Pandora, en blond et énervé, qui me jette le même regard noir que le premier jour où il m'a rencontrée.

– Qu'est-ce qu'il y a ? je lui demande, lui rendant son regard froid.

– Si ton copain te fait du mal un jour, on s'en occupera.

Il fait craquer ses doigts, et au lieu d'avoir peur pour Greyson, ce son me fait rire.

– Tu veux dire que toi, tu t'en occuperas, ou Remy ? dis-je en me levant, et j'entends son petit rire discret que je connais bien.

– D'accord, tu m'as eu. Peut-être que j'irai avec Rem pour l'intimider, dit-il sur le ton de la blague, mais son sourire retombe en une ligne plate désapprobatrice. Personne ne te fera de mal,

Mélanie. Ou je le frapperai. Peu importe combien de coups de poing je devrai lui mettre pour le faire saigner, je le ferai saigner.

Je rigole et Brooke me pousse vers le salon pour que je voie son adorable bébé.

– Les Barbie n'ont pas mal, tu te souviens ? Ne t'inquiète pas, je jette par-dessus mon épaule en passant devant Riley.

Il m'avait appelée Barbie quand nous nous sommes rencontrés, et ce n'était pas un compliment, alors cela l'énerve un peu que je lui renvoie cela. Puis j'entends un bruit de bébé qui me remplit de joie. Je vois Racer, fièrement assis sur le bras de la garde du corps-nounou, Joséphine. Mais il ne veut pas y rester. Racer se jette vers son père qui avalait une boisson bleue, mais quand il voit son fils, Remington l'attrape avec un bras et lance la bouteille vide dans l'évier de la cuisine. Il soulève Racer dans les airs, fait une sorte de rugissement et le porte comme un ballon de rugby, ce qui fait gronder Brooke à côté de moi.

– Remington, il va vomir tout son repas, le réprimande-t-elle.

– Ahhhhh, dit-il sur un ton incroyablement sûr de lui, et il retourne son fils en position assise pour éviter la catastrophe.

Quand il regarde Brooke, son sourire fait sortir deux fossettes sexy qui lui font pardonner sa faute, et je jure que je suis presque morte. Et puis Racer sourit et montre à sa mère sa petite fossette aussi.

– Ah ! Vous me tuez tous les deux ! je leur dis. Remington, il faut que je touche ce bébé ou sinon…

Je vais prendre Racer et quand je le tiens contre moi, je fais des petits bruits de bébé mignons en chatouillant son bidon. Il proteste comme s'il n'était pas très heureux, puis il regarde sa mère, son père, Pete, avec une nouvelle fossette triste sur le menton.

– Quoi ? Il ne m'aime pas ?

Racer regarde à nouveau sa mère et son père tout en faisant une grimace qui accentue la fossette de son menton.

– Oh mon Dieu, je le fais pleurer !

Je le donne à Brooke.

– Quel échec ! je rigole.

– Tout va bien, dit Remington qui s'assoit sur une chaise et tire Brooke sur ses genoux avec un bras, en donnant un jouet en plastique à Racer de l'autre main.

Racer regarde le jouet et ses pleurs sont remplacés par une exclamation réjouie. Remy lui sourit puis ses yeux glissent vers Brooke et ce que je vois là me tue, réellement, profondément, lorsqu'il embrasse le dessus de sa tête. C'est ce véritable amour «je pourrais mourir pour toi», celui dont j'ai toujours rêvé.

– Mel, j'entends derrière moi.

Quand je me retourne, je réalise que Riley me regarde depuis tout ce temps. Il s'approche de moi et murmure avec un ton menaçant :

– Est-ce que je peux te parler ?

J'acquiesce. Je ne peux pas me tromper sur la «luxure» dans ses yeux. Je sens qu'il a envie de moi, en plus d'avoir envie de me parler. L'ancienne moi aurait adoré passer une autre nuit avec un plan cul. Je dis rarement non à un beau mec qui a envie de moi, mais tous les pores de mon corps ne veulent plus qu'un seul homme.

Je hoche quand même la tête vers Riley, car il est le seul avec qui je peux parler de la seule autre chose qui envahit mes pensées, en dehors de Greyson King.

***

– Voilà.

Riley pose un chèque sur la nappe blanche d'une petite table ronde, à côté du bar d'un petit restaurant chic pas loin de l'hôtel.

– J'ai fait des économies, explique-t-il.

– Non ! je m'exclame. Riley, ne sois pas ridicule ! Je ne peux pas !

Je repousse le chèque, je me sens nerveuse quand la serveuse apporte nos boissons. J'attends qu'elle parte avant de siffler dans un murmure :

– C'était ma décision. J'ai choisi de le faire, d'accord ?

– Mais l'idiot qui t'a proposé de le faire, c'est moi, rétorque-t-il dans un même sifflement, il a l'air sincèrement mortifié et n'arrête pas de secouer la tête. Remington ne perd jamais, Mélanie. Jamais. Si j'avais su qu'il allait perdre pour…

– Pff, pour sauver cette idiote de Nora parce qu'il aimait trop Brooke pour ne rien faire. Mais même si tu m'avais dit qu'il allait perdre, je n'aurais jamais parié mon argent sur le Scorpion. JAMAIS.

– Alors laisse-moi t'aider à rembourser cette dette.

J'ignore son regard implorant et repousse encore le chèque vers lui, en secouant la tête aussi.

– Laisse-moi au moins en parler à Rem, insiste-t-il. Il paierait pour toi, s'il savait. Si je ne t'avais pas donné ma parole que je n'en parlerais à personne…

– Riley, si tu en parles à qui que ce soit, je te tue. On était bourrés, en ville, tu faisais un pari, j'ai été curieuse et je t'ai demandé ce que c'était, j'ai cru que c'était une super bonne idée de faire un pari moi aussi, surtout que ça avait l'air d'être gagné d'avance ! Puis on est rentrés dans ta chambre et on a fêté ça en se disant que ce serait cool de coucher ensemble. Je me sens assez bête comme ça. Je ne sais pas à quoi je pensais !

Une image passe dans ma tête, celle d'un appartement magnifique, l'appart de mes rêves, et du crédit de ma voiture remboursé, et j'ajoute :

– Enfin si, je sais. J'aurais pu payer un bel acompte pour un appartement à moi, et peut-être même avoir les couilles de lancer ma propre boîte de décoration.

— Alors laisse-moi aider, Mel.

Je regarde le chèque et une partie de moi crie : «Prends-le !
Prends-le, Mélanie ! S'il te plaît, sauve ta peau de ces monstres !»
Mais qu'est-ce que Riley attendra en échange ? Comment je peux
prendre l'argent d'un homme alors que je suis amoureuse d'un
autre ?

— C'est très gentil de ta part, mais non. Vraiment.

Il lève un de ses sourcils blonds.

— Et ton nouveau copain ? Tu le laisseras t'aider, lui, au moins ?

J'ai une douleur dans la poitrine en pensant à lui et à toutes les
raisons pour lesquelles je ne supporterais pas que Greyson soit au
courant. J'avale d'un trait le reste de mon verre et j'avoue :

— Je crois que… si je demandais de l'aide à quelqu'un… il serait
le dernier sur ma liste.

— Pourquoi ?

— Parce que je ne veux pas qu'il sache que je suis aussi bête !
Il sait déjà que je suis paumée. Riley, quand il m'a rencontrée,
c'était dehors et ma décapotable était sous la pluie, le toit ouvert,
pas besoin de t'en dire plus. C'est un miracle qu'il soit resté assez
longtemps pour apprendre à me connaître. Je ne veux pas qu'il…
me respecte moins. Baisser dans son estime.

Le regard de Riley s'assombrit à chaque seconde qui passe.

— Je vois qu'il te balance déjà des diamants ? dit-il en faisant un
signe de tête vers le collier qui plonge dans mon haut. Tu sais que
les hommes font ça pour acheter les femmes avec qui ils couchent ?
Ça n'a rien à voir avec le fait qu'il se soucie de toi.

— Bien sûr que si, je réplique. Ça veut dire qu'il a pris le temps
d'aller chercher quelque chose de joli qui pourrait me faire plaisir.

— Tu peux utiliser ce collier pour payer, Mélanie. Tu n'as
qu'à lui dire que tu l'as perdu ou quelque chose comme ça, et tu
seras débarrassée de cette dette. Ces hommes tueraient pour cinq

balles, ce sont des putains de gangsters ! Même le mec avec qui Pete discute, Éric, il a l'air bien propre et net dans son costume, mais il ne lui fait pas confiance. Il lèche le cul de Rem parce que c'est leur plus gros gagne-pain, mais tout le monde sait que le Scorpion est un ours en peluche comparé à leur boss, Slater. Ils disent qu'il a un exécuteur qui est un vrai démon tout droit sorti de l'enfer, et il viendra chercher ses sous, que tu le veuilles ou non !

Il jette un coup d'œil inquiet autour de nous puis se penche plus près de moi au-dessus de la table et baisse la voix.

– Pete a entendu des rumeurs comme quoi le seul mec qui ait une once de raison serait l'aîné de Slater, mais il ne voulait plus entendre parler de son père, et apparemment il a quitté l'Underground il y a des années. Même son fils ne veut pas avoir affaire avec un homme comme lui. Je te jure, ça m'empêche de dormir quand je pense que tu leur dois encore de l'argent.

Mon cœur commence à tambouriner dans ma poitrine à cause d'une peur ravivée, et je lève les mains, paumes vers lui, pour le calmer.

– Riley, j'ai demandé plus de temps, OK ? Il faut juste qu'on… respire un peu.

– Quoi ? Comment ça ? Quand est-ce que tu as demandé plus de temps ?

– La dernière fois que je suis venue voir Brooke. C'est bon, vraiment ! Je viens de vendre ma voiture et je peux gagner plus de temps si je leur donne peut-être la moitié de la somme.

– Non, tu ne peux pas, ils le prendront en guise d'intérêts et demanderont que tu paies tout avant même que tu aies passé la porte de sortie ! Ne t'approche jamais de ce genre d'hommes toute seule. Nom de Dieu, fais-moi confiance et sors-toi de là, Mel. J'ai payé ma dette et je veux payer la tienne, et si tu n'acceptes pas, promets-moi au moins que tu laisseras ton copain t'aider. Si tu es trop fière pour demander, fais comme si tu avais perdu ces diamants autour de ton cou et débarrasse-toi de cette dette ; fais-moi confiance !

J'imagine que mon désespoir se voit sur ma tête, car il ajoute d'un air plus affligé :

– Je promets, Mélanie, que si cette dette n'est pas réglée avant que tu partes, j'en parle à Tate et on s'en occupera pour toi, tous les deux.

J'ai le souffle coupé, indignée.

– Je ne laisserai ni toi ni le mari de ma meilleure amie se mêler de ça, tu m'entends ? Et je n'impliquerai pas non plus mon copain. Ce collier est important pour moi.

Je touche mes diamants avec une terrible sensation qui ravage ma poitrine quand je me demande : *Est-ce que c'est le seul moyen de me libérer, me séparer de la seule chose que m'a donnée l'homme que je veux de tout mon cœur ?*

– Riley, je chuchote, le suppliant presque, je ne suis pas une de ces filles qui arnaquent leur copain pour avoir de belles choses et se faire de l'argent avec.

Il fixe mon précieux collier, et je commence à avoir mal au ventre rien qu'en pensant à me séparer de quoi que ce soit qui ait un rapport avec Greyson.

– Ce cadeau n'était pas aussi important pour lui qu'il l'est pour toi, je t'assure, dit Riley avec un air sûr de lui agaçant. Je n'ai jamais vu un mec plus amoureux que Remington, et il n'a pas besoin de jeter des billets à Brooke pour le montrer.

– Eh bien Grey n'a pas le même style, et alors ? Ça revient au même. Je me sens gâtée, choyée, et il a ce regard quand il me voit les porter, que j'adore totalement.

Je ne peux pas accepter que quelqu'un critique Greyson devant moi ! Alors je le fixe avec les yeux plissés et je continue, pour qu'il comprenne l'intensité de mes sentiments pour mon homme.

– Quand il me regarde comme ça, je jure que c'est si parfait que parfois je fais des cauchemars où tout cela n'est qu'un rêve, qu'il est trop beau pour être vrai.

– C'est peut-être le cas, Mélanie. Peut-être qu'il te trompe en ce moment même, qu'il rejoint une fille en secret.

– Ha! je lève mon verre et prends une gorgée. Il est accro au travail. Si j'ai une raison de m'inquiéter, c'est que sa maîtresse s'appelle Jebosse Àencrever.

Riley me sourit, un sourire froid, très hostile, et il fait un signe de la tête vers l'entrée du restaurant. Je me tourne sur le côté pour regarder… et c'est à ce moment-là que je le vois entrer dans le restaurant. Lui.

Foutu Greyson. Je le reconnais mais je suis incrédule, contente, puis en colère, une colère à laquelle se mêle un éclair de désir presque aveuglant.

C'est comme si une source d'énergie s'accrochait à sa peau, car tout l'air a changé au moment où il est apparu dans la pièce. Plus d'un mètre quatre-vingt de pure perfection masculine. Greyson. King. Mes hormones se réveillent lorsqu'il commence à marcher derrière le maître d'hôtel, les yeux rivés sur une table au fond.

Je n'y crois pas. Mes yeux le scannent de haut en bas. Aucun mot ne peut décrire la manière dont Greyson se déplace, avec une main dans la poche, le visage fermé, les pommettes ciselées, la mâchoire droite, sa bouche parfaite, ses cheveux noirs négligemment décoiffés; je jure que ses cheveux géniaux sont tout ce qu'il y a de négligé et de léger chez lui. Le reste est une perfection à la James Bond, même ses yeux vert noisette plissés, qui semblent magnifiquement lointains et pensifs. Même maintenant, je sens qu'il me cache encore la part de lui qui est essentielle, mais je peux imaginer un «nous» et ce que nous pourrions être si précisément, que je suis décidée à faire en sorte que cela arrive. Greyson et Mélanie vécurent heureux et eurent beaucoup d'enfants.

Puis je vois la femme à table. Qui attend. Une rousse. Mon sang tombe dans mes pieds quand Greyson se penche pour embrasser sa joue. Riley et moi ne faisons que les fixer. Et je suis sûre que ce n'est pas lui. Il travaille… quelque part. Cela ne peut pas être lui. Mais il lui ressemble beaucoup.

Il est habillé tout en noir, ses cheveux brillent sous la lumière. Il s'assoit sur la chaise, le dos appuyé sur le dossier avec son attitude confiante, et il commence à discuter avec la rousse par-dessus une putain de bougie. Une fausse rousse. Une qui a l'air plus vieille, et qui n'a aucune expression.

Mme Botox. OH MON DIEU ! Cela ne peut pas être Greyson.

Je n'ai jamais été trompée, c'est avec moi qu'ils les trompent. Les muscles de mon ventre sont tendus par la colère tandis que j'essaie de respirer et de forcer mes poumons à s'ouvrir. Je regarde tout autour de moi pour trouver quelque chose à lancer, mais ce que je trouve de mieux serait de me jeter moi-même sur cette sale pute.

Ma vision devient floue, j'ai mal aux yeux et une soudaine envie de pleurer. Il est presque minuit. Dans quinze minutes, j'aurai vingt-cinq ans et mon copain est assis à une autre table avec une autre femme. J'ai vraiment envie de pleurer, maintenant.

Non. Le laisser me voir renifler et pleurer à nouveau comme une petite fille ? Mon cerveau travaille pour trouver des moyens de faire disparaître cette blessure. Comment ça se passe quand on l'a dans la peau ? Comment !? Je ris à voix haute, fort, attrape la main de Riley, mais Greyson ne regarde même pas dans ma direction et il est trop loin pour m'entendre. Lui et sa pute antique sont absorbés par leur conversation, dans leur propre petit monde. Dans leur monde sans Mélanie. Une partie de moi refuse encore de croire qu'il puisse me faire ça.

J'ai une idée, je prends mon téléphone et lui envoie un visage énervé par texto. Puis je dis à Riley :

– Si c'est lui, il va au moins regarder le message. Il est esclave de son téléphone.

À cette seconde, il se recule un peu, glisse sa main gantée dans sa poche, regarde son téléphone, le fixe pendant un long, long moment, puis il le range et continue à parler avec la rousse.

Mon cœur vient de se faire écarteler. Je ne sais pas combien de temps nous restons assis là, Riley fulmine sur sa chaise et s'y accroche farouchement. Ils s'étaient croisés au mariage de Brooke, et j'avais bien vu qu'ils ne s'aimaient pas beaucoup. Maintenant, des veines ressortent de la nuque de Riley.

– Je vais aller le voir…

– Et faire quoi?

Je l'arrête et le pousse à se rasseoir sur sa chaise en tirant la manche de son costume.

– Cela pourrait être une cliente. Il ne m'a jamais vraiment dit où il allait cette semaine…

Je perds le fil quand elle tend sa main sur la table et qu'il prend ce qu'il y a dedans. Puis il lui donne une boîte, avec un petit nœud et tout. Une boîte bleue. Elle regarde à l'intérieur, a l'air ravie, il lui sourit aussi, et ils prennent du vin.

– Garçon! je crie. Une autre tournée, s'il vous plaît!

***

J'ai eu le temps de boire plusieurs autres cocktails au moment où Greyson paie l'addition et qu'ils se lèvent pour partir. Riley se lève aussi. Je me retourne bêtement sur ma chaise, mon cœur bat fort pendant que Greyson et la femme se dirigent vers la porte.

Et c'est là qu'il me voit. Un courant électrique me traverse quand je remarque la façon dont il regarde Riley, puis moi, et je vois une douzaine d'expressions dans ses yeux avant qu'il les détourne vers l'autre femme, murmure quelque chose et la tire vers la sortie comme s'il ne m'avait pas vue. Tout cela en riant à gorge déployée. Tout cela en riant probablement de ma suprême stupidité.

Alors qu'il s'en va avec elle, je le vois tourner un tout petit peu la tête. Droit vers moi, et nos yeux se croisent à nouveau. Il cherche mon expression pendant une seconde, la froideur de ses yeux fait un instant place à… de la jalousie ? L'impatience me traverse comme une décharge à cause de la façon dont ses yeux s'assombrissent, remplis de… fureur ? Il me donne des fourmillements dans les bras et les jambes. Il n'y a que ça, un regard volé, puis il est parti, en l'emmenant ELLE, une autre femme, avec lui, à minuit pile.

Joyeux anniversaire, Mélanie…

Riley reste debout, puis il me lance un regard « c'est quoi ce bordel ? ».

– Ton copain…

– Ex.

Un chagrin pur et primitif s'empare de moi.

– Ex-copain. Putain, même pas besoin d'un texto. Même pas… Riley, s'il te plaît, on s'en va. S'il te plaît, s'il te plaît sortons d'ici.

Les larmes vont arriver, que je le veuille ou non, et je ne veux pas que ce soit ici. J'attrape Riley avant qu'il ne se rassoie.

– S'il te plaît, sors-moi juste d'ici. Ramène-moi jusqu'à ta chambre, s'il te plaît ; on peut aller à ton hôtel à pied, s'il te plaît, je murmure.

Il paie l'addition et me pousse hors du restaurant, il me tient près de lui pendant que nous marchons jusqu'à l'hôtel. J'ai froid jusque dans mes os. Nous montons dans l'ascenseur et je suis soulagée qu'il n'y ait personne d'autre. Ma gorge est en feu, j'ai l'impression d'être un pigeon, et le collier – son collier – est comme un poids en plomb qui m'étouffe avec ses mensonges. Je l'arrache et le fourre dans la main de Riley.

– Je ne veux plus voir ça. On n'a qu'à le faire. Vends-le, pour n'importe quel prix, prends-le s'il te plaît.

Je sens la douleur de l'échec serrer ma gorge en revoyant Grey me regarder, et partir… Me regarder et partir… comme si je n'étais rien. Comme si nous deux, cela ne voulait rien dire.

– Tu crois qu'il a une femme ? Une famille ?

Ma voix se casse et je ne peux plus poser d'autres questions pendant que nous marchons vers sa chambre.

– Écoute, je ne sais même pas quoi penser. Il n'avait pas l'air heureux de te voir, ça je peux te le dire.

Je continue à lutter contre les larmes, les poings serrés, et mon corps entier se met à trembler.

– Il peut aller se faire foutre, et sa pute par la même occasion. Le putain de menteur, le… J'espère qu'elle va lui filer des morpions. En fait, j'espère qu'ils vont avoir des bébés aliens ensemble.

Riley me fait entrer dans sa chambre, ferme la porte, et un sentiment de trahison et de désolation immense s'installe dans mon ventre. Je n'ai jamais eu aussi mal de ma vie. Jamais. Je veux que la douleur s'en aille. Je veux que l'image de Greyson King partant avec une autre femme disparaisse. Je cligne des yeux pour bloquer les larmes, prends la chemise de Riley et le tire vers moi.

– Riley, je supplie.

Ses yeux s'écarquillent quand j'appuie mes lèvres sur les siennes.

– Mel, proteste-t-il

Mais je ne peux pas entendre cela, alors je presse mes lèvres plus fort.

– S'il te plaît, ne dis pas non, je le supplie. S'il te plaît, ne dis pas non. Je te jure, tous les hommes-putes du monde devraient être castrés. Tu as dis que tu le frapperais s'il me faisait du mal. J'ai mal, Riley. Cela me fait beaucoup de mal et c'est fini. C'est complètement fini avec lui.

Je l'embrasse. Il m'embrasse aussi, seulement avec ses lèvres, en passant ses mains sur mes bras. Elles sont chaudes, familières. Il me tient contre son corps et c'est agréable. Je me sens en sécurité. Je l'embrasse et je me demande si c'est pour cela que je ne vaux pas mieux que des coups d'un soir. Parce que je ne peux pas gérer cela. Ça fait trop mal. Et quelqu'un d'autre finit toujours par arriver, et, pour une raison ou une autre, les mecs ne s'intéressent plus à moi. Pour une raison ou une autre, Greyson a arrêté de s'intéresser à moi. Je l'ai perdu.

Non. Je ne l'ai jamais eu. Quand je comprends cela, je suis détruite, alors j'essaie d'embrasser encore un peu Riley sur la bouche, et il me laisse faire. Ses bras ne sont pas aussi larges, ses lèvres ne sont pas aussi sauvages, mais j'en ai tellement besoin. N'importe quoi, pour essayer de ne pas penser à… *Grey qui tire sur mes tétons avec ses dents… qui joue avec… qui les suce…*

Quelqu'un frappe à la porte et je grogne pour protester quand Riley me laisse de côté.

– Pete a peut-être besoin de moi, me dit-il.

Je le regarde se diriger vers la porte sans rien dire, son image est floue à travers mes larmes. Je défais la boucle d'une de mes chaussures et je m'essuie les yeux. Une nuit avec Riley et demain matin, cela ne sera plus aussi terrible. Je me rendrai compte que Greyson King n'est pas le seul homme sur terre. Mon cœur sera toujours brisé mais je recollerai les morceaux comme je peux, et je serai à nouveau heureuse. Je serai à nouveau heureuse. Je renifle et commence à déboutonner mon haut rapidement quand j'entends parler une voix grave que je connais.

– Où est-elle ?

Je n'ai jamais entendu quelqu'un parler à la fois si bas et avec un ton aussi énervé. J'ai la chair de poule et mon regard se braque sur la porte. La grande silhouette de Greyson, mince et vêtue de noir, est sur le palier, et je déteste la façon dont mon organisme se détraque en le voyant.

Je suis à moitié déshabillée, au milieu de la pièce. Ivre. Mes cheveux sont en bordel. Mon visage aussi. La colère et la douleur s'enroulent dans mon ventre lorsqu'il s'avance avec un regard enflammé et possessif. Je prends la chaussure que j'ai enlevée et la jette sur lui.

– Ne t'approche pas de moi ! je crie.

Il esquive et la chaussure atterrit sur le mur avant de tomber sur la moquette avec un bruit sourd ridicule. Puis, tout doucement, il se redresse et continue à avancer, me prend par les bras et me soulève contre lui. Chaque centimètre de mon corps sent le sien. Il me regarde avec une colère que je n'avais jamais vue avant alors qu'il se met à reboutonner mon haut, tout en continuant à me regarder jusqu'à ce que j'aie l'impression d'avoir une pierre à la place de l'estomac. Il retire sa veste de costume, la pose sur mes épaules, passe mes bras dans les manches et ferme les boutons, puis il va chercher ma bottine sur la moquette et revient l'enfiler sur mon pied. Avant de pouvoir m'opposer à l'intimité du geste de mettre ma chaussure, il ferme la boucle puis il me parle d'une voix grave et froide.

– Mets tes bras autour de moi.

– Où est ta sale rousse ? je demande.

– Je t'ai dit de mettre tes bras autour de moi.

Je ne lui obéis pas. Il s'en fiche. Il me soulève dans ses bras, il est immense par rapport à moi, et je n'ai pas d'autre choix que de m'accrocher à sa nuque. Et soudain, je sens son odeur. Je la sens sur la veste qu'il a mise sur moi, dans l'odeur de ses cheveux, et sur sa peau. La forêt, le cuir et la menthe. La douleur dans mon cœur se transforme en une force brûlante qui me ronge et les picotements reviennent dans mes yeux.

Quand nous passons devant Riley en sortant, il dit platement :

– Ne t'approche pas d'elle.

– Putain, si tu lui fais du mal… commence Riley.

Mais Greyson l'interrompt.

– Non, si toi tu la touches, je te tue.

Les mots de Greyson, « si tu la touches, je te tue », me font frissonner. Riley fait un pas en avant mais je lève la main pour l'arrêter et secoue la tête frénétiquement pour lui dire « non ». Je ne peux pas faire prendre des risques à Riley et je n'ai jamais vu Greyson dans cet état. Tout son corps crépite d'une énergie retenue pendant qu'il me porte jusqu'à l'ascenseur de service ; il me tient d'un bras et murmure dans son téléphone « Entrée de service, derrière ». Puis il le range dans son pantalon et me serre plus fort contre son torse. Plus fort que jamais.

Nous sommes seuls dans l'ascenseur, et bien qu'il ne dise rien, il a une expression que je n'avais jamais vue sur son visage. Je crois que je vais vomir. Nous sortons au niveau du parking souterrain, l'air frais mord mes jambes et mes joues, je ferme les yeux, rentre la tête dans les épaules, me sentant extrêmement malheureuse quand la chaleur de son corps monte pour me réchauffer. Je me demande si elle a léché sa peau. Glissé ses doigts dans ses cheveux. S'il l'appelle aussi princesse.

J'entends un moteur de voiture démarrer pas loin, et quand je lève les yeux, Greyson me regarde. Quand nos regards se croisent, mes nerfs grésillent jusqu'à mes orteils. Mon corps possessif me crie de faire mien cet homme, contre toutes les autres femmes. Mais non. Greyson rend peut-être mon corps fou, mais je sais qu'il ne pourra jamais être l'homme qu'il me faut.

Il trompe. Il ment. Et il est très en colère en ce moment.

Une voiture s'avance devant nous. Il ouvre la portière, me pousse sur la banquette arrière, toute cette confusion se soulève en moi, et l'alcool dans mon sang n'arrange pas les choses. Il grimpe derrière moi, s'installe à ma droite, claque la porte, puis une main gantée prend mon visage et me force à le tourner vers lui, qui me regarde avec une frustration gravée dans sa mâchoire serrée.

– Parfois, je ne pourrai pas tout te dire sur mon travail. Je le fais pour te protéger.

– Va te faire foutre ! Je t'ai vu lui tenir la main. Je t'ai vu…

– Tu m'as vu travailler, Mélanie. C'est tout ce que tu as vu.

– Je t'ai vu lui offrir un cadeau, connard ! Explique-moi comment tu peux avoir besoin de faire ça pour un boulot de sécurité, hein ?

Je le pousse et il jure dans sa barbe.

– Tu te sens comme un caïd quand tu as plein de femmes à tes pieds ? Toutes dans une illusion ? Persuadées qu'elles ont une place spéciale pour toi ?

– Bon Dieu, écoute-toi parler !

– C'est ce que je fais, et écoute-moi bien, Greyson, c'est la dernière fois que je me fais avoir ! Tu m'entends ?

Je gratte le toit de la limousine, en espérant que Derek m'entende, mais il n'arrête pas la voiture. Greyson rit dans une incrédulité sombre, puis passe sa main dans ses cheveux et regarde dehors, les poings serrés. Je regarde les vitrines passer sans les voir, je m'accroche obstinément à ma colère et à mes insécurités.

– Je t'ai grillé, Greyson. Qu'est-ce qu'il y a dans ta salle secrète blindée ? Du porno ? C'est là que tu parles sur Skype avec… Qui c'était, elle ?

Et il m'interrompt, doucement :

– J'ai vu ton rouge à lèvres sur la gueule d'un autre homme et je peux encore faire demi-tour pour la lui casser jusqu'à ce qu'il ne trouve plus ses dents. Putain, je veux que tu me regardes la casser rien que pour que tu saches, une bonne fois pour toutes, que tu es ma putain de meuf et que le seul chanceux qui peut en profiter, c'est moi.

– Étais! je le corrige, saoule. J'étais ta meuf.

Il rigole, plus tristement.

– Tu es tellement à moi que tu ne t'en rends même pas compte, dit-il d'une voix douce et menaçante.

Dans mon cerveau bourré, je remarque tout à coup qu'il tremble de rage. Il n'a pas l'air de se soucier que je vienne de le choper en train de me tromper. On dirait que toutes ses pensées sont concentrées sur sa jalousie égoïste. Mais je ne me souviens même pas de ce qu'il s'est passé dans la chambre de Riley, tout ce dont je me rappelle, c'est Greyson et cette salope.

– Tu es passé devant moi comme si tu ne m'avais jamais vue! je crie en frappant son torse.

Il attrape mon poignet et le serre.

– Parce que je ne veux pas qu'une femme comme elle se serve de toi contre moi, je veux que personne ne fasse ça. Est-ce que tu me comprends? Tu comprends, bébé? demande-t-il, à voix basse, tendre, presque implorante.

– Je comprends que tu mens, que tu trompes et que tu ne voulais pas qu'elle, elle sache que tu m'as aussi, moi, qui t'attends!

– Putain! Sérieusement? Tu étais dans la chambre d'un autre mec, en train de te déshabiller! Tu essayais de me rendre fou?

Soudain, la douleur vive dans ses yeux est réelle. La douleur dans sa voix est réelle, si vraie que ma poitrine craque comme du verre.

– Tu comptais vraiment aller jusqu'au bout? Honnêtement, tu allais laisser ce con entrer en toi? demande-t-il, et chaque mot est comme une pique qui me transperce.

– OUI! je crie.

Il tremble comme s'il allait se casser et je me mets à sangloter pour de bon. Il me lâche comme s'il avait besoin d'un peu de distance; il y a plus que de la colère qui tremble dans sa voix, c'est de la douleur, et cela me fout en l'air.

– Tu crois que tu peux baiser quelqu'un pour me remplacer ? Tu crois qu'il te fera sentir ce que tu sens avec moi ? Je n'avais rien de spécial pour toi, Mélanie ? Est-ce que tu tombes amoureuse de tous les connards avec qui tu sors ?

Une larme coule sur ma joue. Il plaque sa main sur la fenêtre et jure.

– Putain de merde.

– Ça fait mal, je renifle, je parle toute seule en baissant les mains. Tu m'as blessée comme je n'avais jamais été blessée, Greyson ! Je ne peux pas penser à autre chose. Tu l'appelles princesse ? Tu passes tes semaines avec elle et tes week-ends avec moi ?

Il reste silencieux, regarde par la fenêtre, ses épaules sont tendues.

– Je n'appelle personne d'autre princesse. Je ne passe de temps avec aucune femme à part toi. Putain, je travaille deux fois plus juste pour pouvoir rentrer chez moi avec toi.

– Alors pourquoi est-ce que tu es là avec elle ? Je ne suis pas fan des deuxièmes chances, tu sais ! Mais je t'ai donné toutes les foutues chances que tu voulais ! je m'exclame.

– Elle n'est rien. Il prend mon visage avec sa main libre et siffle entre ses dents. Elle n'est rien d'autre qu'une relation de travail. Tu es tout, tu es tout pour moi depuis le moment où je t'ai vue hurler pour Riptide. Tu ne m'as pas vu, tu ne me voyais pas, Mélanie, mais je te surveille depuis ce jour-là ; tu es tout. Est-ce que tu peux dire la même chose de moi ? Est-ce que tu peux dire cela de lui, qu'il n'est rien ?

Je le fixe un instant, sans expression.

– Il n'est rien, c'est un ami, je le jure. C'était un plan cul quand je venais voir Brooke, mais ça ne voulait rien dire !

Il fixe ses mains.

– Mais il t'a touchée.

Brusquement, je ne peux pas m'empêcher de toucher mes seins, tellement plus petits que ceux de la rousse.

– C'était qui ? Comment elle s'appelle ? Comment tu la connais ?

Il frotte son visage avec ses deux mains.

– Juste un contact de boulot. Elle trouve des saloperies sur les hommes avec qui je dois négocier. Je n'ai jamais eu de relation avec elle. J'ai eu mille plans cul mais elle n'en fait pas partie. Depuis des semaines, je n'ai baisé que toi.

Il regarde dehors, jure encore, et j'essuie mes larmes. Je vois son visage et je me souviens de la façon dont il lui a souri ; mon ventre se retourne à cause d'une jalousie fraîche.

– Je voulais lui arracher les cheveux.

– Je voulais lui arracher les tripes ! Il me prend par les épaules. Qu'est-ce que tu n'avais pas compris dans le fait d'être ma meuf ?

– Je refuse d'être à toi si tu n'es pas à moi. Si tu baises à droite à gauche, je ferai pareil ; œil pour œil !

– Arrête de faire l'ivrogne têtue et écoute-moi. Je ne trompe pas, mais tu allais le faire.

Je me tais.

– Tu me trompais, non ?

– Toi et moi, c'était fini à partir du moment où tu es passé devant moi et où j'ai réalisé que tu m'avais menti tout ce temps, je crie en pleurnichant.

– Viens là, dit-il dans un râle.

– Pourquoi ?

Quand je me rapproche un peu, il ouvre ses bras et mes yeux s'embuent un peu plus lorsque je pense à lui expliquer ce que Riley sait de mon secret.

– Je suis franchement désolé, Mélanie, dit-il.

Il me tire sur son torse et cette étreinte familière, le réconfort que je sens dans ses bras me font ouvrir les vannes.

– Je suis désolée aussi, Grey, je pleure.

Je me mets à pleurer plus fort et il presse très fort ses lèvres, dans un baiser presque désespéré, sur le dessus de ma tête, me serre presque assez pour m'écraser, puis il dit :

– Ça va aller. Tu n'auras plus jamais besoin d'aller chercher un autre homme parce que je serai toujours là. Je suis là pour toi, si tu veux toujours de moi après ce que je vais te dire.

J'essaie d'essuyer mes larmes et le regarde dans les yeux.

– Tu m'as donné l'impression que je ne valais rien, Grey. Comme si tu me cachais. Je ne sais pas qui tu es, qui sont tes parents, ta famille, je ne sais rien de toi. S'il te plaît, je veux te connaître. Tu ne comprends pas que je désire te connaître ? je sanglote.

Ses yeux sont comme hantés quand il me regarde.

– Je te cache pour te protéger, parce que tu es ma princesse.

Il caresse mon nez.

– Je vais te parler de moi. Laisse-moi juste profiter de ton regard un peu plus longtemps.

Il embrasse mes paupières désespérément, comme si ce qu'il allait me dire était grave, très grave, et comme s'il pensait que je ne pourrai pas rester après qu'il me l'aura dit. Je pleure encore plus. Je suis habituée à son toucher. Son toucher est unique, délicieux, et je le sens depuis huit semaines, mais je savais qu'un jour il me briserait.

19

PERDU
Greyson

Mélanie glisse ses mains autour de ma taille et enfouit son visage dans ma chemise. J'enlève mes gants et les mets dans ma poche pour pouvoir passer mes pouces sur ses joues et suivre ses larmes.

Paix. Elle est la femme la plus agitée que je connaisse, mais elle m'apaise. Tout était parfaitement planifié. Mélanie était à Seattle. J'étais ici à Denver, à récupérer des preuves pour mon avant-dernière cible. J'allais m'introduire chez lui à minuit, le faire chanter et le harceler pour qu'il paie, pour pouvoir prendre l'avion et la retrouver demain.

Mais il y a quelques heures, Derek m'a envoyé un texto pour me dire qu'elle était à l'aéroport. Le temps que ce petit con incompétent se soit garé, elle était passée à l'enregistrement et il l'a perdue après les contrôles de sécurité. Je lui ai gueulé dessus pour qu'il achète n'importe quel billet, passe la sécurité et la retrouve. Il l'a fait mais il n'a pas réussi à la retrouver. Alors j'ai demandé à C.C. de chercher dans les fichiers de vol pendant que je terminais mon foutu rendez-vous avec Tina et que je m'occupais des choses moi-même.

Mais non. Mélanie a atterri ici, dans le même putain de restaurant, au même moment que Tina et moi, et elle m'a vu. Je ne pouvais pas me permettre qu'une criminelle comme Tina Glass ait vent de nous deux, ou Mélanie aurait été exposée au monde de Zéro et elle aurait été vulnérable.

Mais mon Dieu, la blessure dans ses yeux ? Si cela n'avait pas suffi à me mettre à genoux, ce fut le cas quand je l'ai vue dans la chambre d'hôtel de cet enfoiré. On ne peut pas faire du mal à une femme comme Mélanie et s'attendre à ce qu'elle ne réagisse pas. Il faut s'attendre à ce qu'elle essaie d'arracher la douleur pour redevenir la jeune fille joyeuse que tout le monde connaît.

J'ai eu peur de l'avoir perdue. J'ai eu peur de la détermination dans ses yeux quand la porte de cette chambre s'est ouverte et que je l'ai vue. Que j'ai vu la douleur dans son regard.

J'étais en colère, tellement en colère, mais l'émotion la plus ancrée, la plus surprenante, la plus insupportable en moi était la peur. La peur de ne jamais plus goûter ses lèvres, ne plus sentir ses yeux sur moi, ne plus jouer à ces jeux débiles avec elle... Les seuls moments où j'ai l'impression d'être bon sont ceux que je passe avec elle. Pas bon pour tuer, faire chanter, et faire ce que l'on m'a appris. Simplement bon.

Elle bouge, et du feu crépite et fume dans mes veines quand ses cheveux frôlent mon cou. Les courbes de son corps tombent parfaitement contre moi. Elle est assise sur ma cuisse, et sa hanche est contre ma queue. Lorsqu'elle bouge, je grogne doucement au-dessus de sa tête, et mes muscles se contractent. De la lave se déverse en moi au moindre contact de sa peau.

Je veux la baiser tellement fort, la punir d'avoir cru que n'importe quel trou du cul ferait l'affaire. Ses cheveux sont décoiffés comme si elle sortait du lit de ce mec, mais elle ne sera jamais satisfaite tant qu'elle ne sortira pas du mien. Les larmes recouvrent ses yeux à cause de moi. Avec chaque muscle de mon corps tendu, je pousse ses cheveux et embrasse l'arrière de son oreille.

– J'ai vraiment désespérément envie de sentir ta peau nue, je murmure.

Elle sort le bas de ma chemise de mon pantalon et passe sa main en dessous, sur mon cœur et touche mon piercing. Nous restons ainsi, elle a les yeux fermés, la joue contre mon torse, et je suis tout retourné par sa proximité.

Je baisse la tête et elle retient sa respiration comme si elle avait prié pour que je le fasse, puis elle lève la tête pour que nous puissions nous embrasser. Nos lèvres se rencontrent doucement. La tension dans ma queue, le battement rapide de mon pouls, son goût sur ma langue. Mon envie devient hors de contrôle lorsque j'ouvre ses lèvres et l'embrasse lentement, mais profondément.

Chacun des mouvements répétés de sa langue déclenche quelque chose de sauvage en moi, cette attraction fondamentale entre nous qui s'étire et se renforce. Elle se recule et je la regarde, j'absorbe son contact et elle lève lentement les yeux vers moi, d'un vert pur, et j'ai l'impression que ma poitrine s'ouvre en deux et qu'elle écrase mon cœur avec ses mains blanches délicates. Mes sentiments pour elle sont plus forts que tout ce que j'ai ressenti auparavant. Je n'aurais jamais cru que j'en étais capable. J'ai perdu quelqu'un que j'aimais alors que j'étais trop jeune. J'ai construit une forteresse autour de moi-même qui, par sa présence, empêchait tout le monde de recevoir une fraction d'émotion réelle, pure de ma part.

Mais ce que je ressens pour elle… Personne n'a jamais eu le pouvoir de me faire autant de mal qu'elle, maintenant. Depuis que ma mère est partie, rien n'a vraiment été important pour moi. Je me suis forcé à ce que rien ni personne ne compte pour moi. Ni mon père, ni mon oncle, ni mon frère. Maintenant, une petite fille que son père surnomme sauterelle a le pouvoir de me casser en deux, moi, un putain de criminel, resté seul pendant la majeure partie de sa vie. Et si un de mes ennemis le savait, il se servirait d'elle pour faire tomber Zéro en un clin d'œil.

Mais désormais nous sommes allés trop loin pour qu'elle reste dans l'ignorance un jour de plus. Je dois savoir si c'est moi qu'elle aime, ou l'idée qu'elle se fait de moi. *Elle va te quitter. Te mépriser. Te rejeter.* Je commence déjà le deuil de notre relation pendant que sa main se balade jusqu'à ma braguette, et le simple effleurement de ses doigts me fait bander tandis que ma poitrine pleure sa perte.

Je l'ai déjà perdue. Je grogne et ferme les yeux en combattant mon envie primaire de la prendre, ici et maintenant, et j'arrête sa main baladeuse pour l'embrasser. J'ai envie de plonger ma main sous sa jupe, de pousser sa culotte et d'y glisser un doigt. Elle respire déjà vite et s'accroche à ma nuque, sa tête tombe contre mon épaule, par plaisir. Mais elle est saoule et je suis en colère, jaloux, je veux plus que son corps. Je veux son âme, putain, et je veux qu'elle me la donne en sachant qui je suis.

Pauvre idiot, elle ne le fera pas. Je grogne de douleur, me penche sur sa bouche, et elle m'embrasse fougueusement. Elle marmonne mon nom, et je m'entends chuchoter qu'elle était un ange sous la pluie… La seule femme avec qui j'ai passé une nuit, pour qui j'ai acheté un appartement, que j'ai suivie juste pour l'apercevoir… Une nouvelle larme glisse sur sa joue, mais c'est moi qui suis abattu. Je suis secoué par la tendresse avec laquelle elle s'enroule contre moi, bien qu'elle soit en train de pleurer.

Je dépose un baiser sur le dessus de sa tête et je ne semble pas pouvoir m'arrêter de faire des bisous dans ses cheveux, tandis que je me dégoûte de plus en plus à chaque seconde. Plus qu'une cible, maintenant. J'ai les preuves pour le coincer. Puis j'ai juste besoin de murmurer dans son oreille de me donner ce foutu collier que je lui ai offert parce que je vais lui en trouver un autre, un mieux, et que celui-là réglera ses problèmes.

Je prendrai le contrôle de l'Underground. Je serai plus intelligent, mieux organisé, je m'assurerai que ma mère soit en sécurité, et pour Mélanie… Je tape le toit de la voiture et baisse la cloison qui nous sépare de Derek.

– Va chercher sa copine, l'enjouée, dis-je avec sarcasme.

Elle grommelle une sorte de protestation dans sa barbe et secoue la tête.

– Ne pars pas. J'ai rêvé de toi.

– Et appelle un des gars, dis-je à Derek. Je veux que tu restes avec princesse pendant que quelqu'un me conduit à l'aéroport.

Je remonte la cloison entre Derek et nous et je grogne.

– Ne dis pas ça maintenant, je murmure.

Elle prend ma main et la pose sur ses seins.

– Quand je te vois, j'ai mal aux nichons.

Putain. Elle est complètement bourrée.

– Quand tu seras sobre, je vais te dire des trucs qui ne vont pas te plaire, je la préviens dans un murmure rauque. Ne dis rien.

– Greyson…

– Je vais te dire quelque chose sur moi mais je ne veux pas que tu essaies de me réparer. Je ne peux pas être réparé. Il faut soit que tu acceptes qui je suis, soit que tu me dises que tu veux partir, et je te donne ma parole que je te laisserai faire si c'est ce que tu veux.

Elle s'arrête et cligne des yeux, sa voix est pleine d'émotion.

– Tu dis ça comme si tu pensais que tu étais mauvais pour moi.

– Je le suis.

Je regarde par la fenêtre et grince des dents, je resserre mes mains car c'est peut-être la dernière fois que je peux la tenir comme cela.

– C'est pas vrai. Ce que tu as fait pour moi, sous la pluie, était l'une des choses les plus gentilles qu'on ait faites pour moi.

– Putain. Arrête de dire ça, tu me l'as déjà dit et ça m'énerve.

– Pourquoi ?

– Parce que tu devrais être entourée de gens qui font des choses sympa pour toi. Qui te font des choses sympa.

Elle fait un petit sourire en coin.

– Je n'aime pas quand ils me font des choses sympa, j'aime bien quand ils sont un peu méchants. Comme toi.

Je rigole.

– Ouais, tu es complètement bourrée. Tu voulais me tuer, il y a deux secondes. Puis me baiser. Maintenant tu veux me canoniser ?

– Parce que tu es un mauvais garçon, mais un homme bon, et putain, je suis amou…

Je la fais taire avec ma bouche parce que je ne peux pas le supporter. Je ne tiens pas le coup face à sa sincérité, l'idée qu'elle semble m'avoir pardonné, mais que ce ne sera plus le cas quand je lui dirai ce que je fais, je ne le supporte pas. Ce que je ressens pour elle est devenu trop énorme, je la respecte tant, je l'aime tant, je l'admire tant, je veux tellement qu'elle soit heureuse ; et le tourment de savoir qu'à chaque moment que je passe avec elle, je la mets peut-être en danger. Je ne peux pas prendre de risque avec elle. Il faut qu'elle sache.

Et Greyson King aura zéro futur avec elle.

***

Le temps que Derek ramène sa copine en colère, Mélanie s'est endormie, et Pandora fulmine pendant qu'il charge la valise de Mélanie et la sienne dans le coffre.

Elle se glisse dans la voiture.

– Qu'est-ce que tu as foutu avec elle ?

Elle désigne immédiatement le cou de Mélanie.

– Elle n'enlève jamais son précieux collier. Il est toujours sous son haut, et aujourd'hui il était au-dessus. Alors, qu'est-ce que tu lui as fait ?

Et pour la première fois, je le remarque. Mélanie a retiré mon collier. Mon ventre remue, comme si je m'effondrais, quand je passe avec regret mes doigts contre sa gorge nue. Je voulais qu'elle l'utilise, non ? Je voulais qu'elle le vende. Cela ne devrait pas me faire aussi mal, cela ne devrait avoir aucune importance.

— Je vous emmène toutes les deux dans une suite, dans un meilleur hôtel, plus sûr, dis-je d'une voix froide, grave et sans émotion, et je garde les yeux sur Mélanie. J'aimerais bien que tu lui tiennes compagnie jusqu'à mon retour.

— Je le ferai pour elle, parce que c'est son anniversaire, mais pas parce que tu me l'as demandé, salaud.

20

PERDUE
Mélanie

Je me réveille désorientée, et lorsque je comprends, c'est comme si une brique me tombait sur la tête.

Je suis encore bourrée. Ou j'ai la gueule de bois, plutôt. Un martèlement dans mes tempes me pousse à fermer les yeux alors que j'essaie de savoir où je suis. Je grogne et bouge dans mon lit, je me rends compte que j'ai une tresse et je ne me rappelle pas avoir tressé mes cheveux. Penser que Greyson a pu mettre ses mains dans mes cheveux me donne mal au ventre.

Je me lève et regarde la pièce autour de moi. Il est trois heures du matin. Je me suis endormie dans la voiture ? La salle de bain est immense et je me sens tellement sale ; je fais le tour de la pièce à la recherche de mes affaires, et je vois ma valise. Je me débarrasse rapidement de mes vêtements, sors un tee-shirt et un short en coton, et je déambule, déshydratée. Je vide une bouteille d'eau et jette un coup d'œil autour de moi. Je n'ai jamais été dans une pièce aussi grande. La décoration est luxueuse, très intime. Des photos d'animaux sauvages sont accrochées aux murs, à côté de boomerangs en bois. Dans le salon, la bibliothèque s'étend d'un mur à l'autre, et il y a une autre pièce fermée. Je vois les chaussures de Pandora près du bar et fronce les sourcils, perdue.

J'entends du bruit dans une troisième pièce, je jette un œil à l'intérieur et je le vois. J'ai une boule au ventre et il ne me voit pas. Il a étalé des choses argentées et brillantes sur le lit. Il a l'air de sortir de la douche et enfile une chemise, un pantalon noir tombe bas sur sa taille.

Les lampes de chaque côté du lit sont en onyx, avec une ampoule au milieu dont la lumière chaude filtre à travers la pierre, d'une façon extrêmement élégante. Elle couvre sa peau d'or, passe dans ses cheveux, le touche d'une manière qui me fait serrer les poings.

Le voir me rappelle tellement d'autres matins. Dans son immense appartement vide. Quand nous nous amusions, que nous prenions des bains tous les deux. J'avais l'impression qu'il était à moi. Mais il ne l'est pas.

Une émotion instantanée gonfle en moi quand je pense à lui et à cette femme. Puis je me souviens de Riley. De notre dispute. Et après ?

Alors que j'essaie de décrypter ce que je vois sur le lit, je remarque qu'il s'est mis à m'observer, silencieux, avec les yeux plissés, et quelque chose passe sur son visage, une sorte de manque mélancolique qui m'achève à cause de mon propre désir ardent.

– Où sommes-nous ? je demande d'une voix enrouée.

– Un hôtel.

– Pas mon hôtel.

– Maintenant, si.

Son piercing au téton me nargue, scintillant à la lumière des lampes alors qu'il boutonne sa chemise. Je veux le sucer en chevauchant Greyson. Tirer dessus et jouer avec pendant qu'il me baise, qu'il m'aime. Non, il ne m'aimera jamais.

– Zéro… je murmure. Pendant que je m'endormais, j'ai entendu quelqu'un répéter ce chiffre plusieurs fois, c'est quoi ? Tu disais à Derek d'appeler quelqu'un pour venir te chercher à l'aéroport, et il a dit zéro plusieurs fois… Qu'est-ce que ça veut dire ?

Il soupire et se retourne, puis ouvre les bras et me regarde attentivement.

– Moi.

– Zéro ? je m'étouffe presque avec ce mot. Greyson n'est même pas ton vrai nom ?

Il ne dit rien, il patiente. Ce qui ne fait que m'embrouiller les idées et me frustrer encore plus.

– Zéro ? je répète. Mais qu'est-ce que ça veut dire ? Sûrement pas le nombre de femmes que tu as baisées. Putain, je croyais que je te connaissais !

– Toi, tu croyais me connaître ?

Son indignation est palpable dans la pièce.

– Moi, je croyais te connaître ! Mélanie, c'est quoi ce bordel ? Ton collier a disparu ! Je te retrouve dans une chambre avec un autre mec ! À toi de me dire ce qu'il se passe. Je ne suis pas le seul menteur ici !

Quelqu'un frappe, et un mec au visage fin passe la tête par la porte.

– Je suis prêt quand tu veux. Derek gardera son poste ici, ta réservation…

– Léon, il me faut une seconde, là, interrompt Greyson en traversant la pièce pour claquer la porte, mais pas assez vite.

Pas avant que je voie l'homme. Que je le reconnaisse, cet homme grand et dégingandé. Je l'ai vu quand j'étais allée voir Brooke un week-end et que j'avais filé toute seule à l'Underground, pour les supplier de me donner plus de temps. *Rallonger le délai ? On peut rallonger nos queues pour toi, ça te va, madame ?*

Je jette un coup d'œil à Grey, et je comprends quelque chose d'encore plus terrifiant, avec un sentiment horrible dans le ventre, j'ai compris, j'ai enfin compris. Greyson, le maigrichon qu'il appelle Léon, et l'autre groupe de gars qui m'ont ri au nez quand j'ai demandé plus de temps, ce sont les dieux et seigneurs de l'Underground.

Le grand moche a regardé Greyson comme s'il était un dieu, et c'est lui qui voulait me baiser en guise de remboursement. Le remboursement de ma dette. J'ai le souffle coupé quand je réalise, et je me tiens le ventre lorsque je suis prise d'une vague de nausée.

– Oh mon Dieu, tu es l'un d'eux.

Son regard saute vers la porte fermée, puis sur moi, et il me dit :

– S'il pose un doigt sur toi, je lui couperai, je te jure, je les lui couperai tous…

– Oh mon Dieu !

Je mets mes mains devant ma bouche et m'assois sur le bord du lit quand mes jambes me lâchent. Je me balance d'avant en arrière, parce qu'il n'est pas seulement un menteur, il est… Il est…

Je ne sais même pas ce qu'il est. Soudain, je repense à notre rencontre… Est-ce qu'il me suivait ? Les hommes ? Est-ce que c'était lui qui… Le mec qui m'a ramenée chez moi puis m'a laissée, pleine de sang ? Je ne peux pas. Peux pas. Peux pas. Je me penche en avant et serre mes bras sur mon ventre pour essayer de ne pas vomir.

– Mon Dieu.

– Princesse.

Il murmure ce mot comme une prière en s'approchant de moi. *Connard !* Je saute sur mes pieds et lance ma main vers lui pour le garder à distance.

– Non ! Ne bouge pas. Reste là, tu n'as pas intérêt à me toucher. Dis-moi juste une chose…

Je suis assaillie par la douleur tandis que d'autres souvenirs s'accumulent dans mon esprit. Mensonges… mensonges… mensonges… J'arrive à peine à parler.

– Tu étais venu collecter ?

Mes yeux sont embués de larmes quand je le regarde, comme si cet enfoiré ne m'avait pas fait assez pleurer aujourd'hui.

– C'était pour me faire rembourser ?

– C'est ce que tu crois ? demande-t-il doucement, debout à un mètre de moi, entouré d'une tornade d'énergie.

Une rage d'une puissance encore inconnue bouillonne en moi et je prends le bord de mon tee-shirt.

– Allons-y alors ! dis-je en le retirant d'un geste brusque, je fais tomber mon short et le jette en l'air avec mon pied, dans sa direction. Collectons. Finissons-en avec ce pari. J'imagine que tu as reçu un remboursement partiel pour toutes les fois où je t'ai baisé ? je rajoute en baissant mon string. Alors, combien nous en reste-t-il ? Combien ? Hein ? Je pousse ma culotte du pied et me tiens nue devant lui. Hein, Greyson ?

Il est figé comme une statue, ses yeux brillent alors que je chiffonne mon tee-shirt dans une main et que je le jette vers lui.

– Allez, qu'on en finisse. Dis-moi simplement combien de coups ça prendra.

Il attrape mon tee-shirt en une fraction de seconde, parcourt la distance entre nous, et l'appuie contre ma poitrine, en murmurant calmement.

– Habille-toi. On parlera plus tard, dans la journée. Je n'ai plus qu'un homme à voir et je n'ai pas beaucoup de temps, Mélanie. Mon père est très malade…

– On n'a pas besoin de parler.

– Enfile ça s'il te plaît ! rugit-il.

En colère mais soudainement apeurée, je commence à remettre mon tee-shirt. Il va se poster devant la fenêtre et regarde dehors, vers une montagne verte au loin, dans un silence aigri. Le silence est assourdissant.

J'ai soudain… le cœur brisé. Je ne suis même pas énervée. J'ai l'impression qu'il a rassemblé tous mes rêves, tous mes espoirs, et toutes mes émotions et qu'il les a passés au mixeur, et maintenant c'est une purée de rien. Ils ne seront jamais réparés, recollés. Jamais.

– Mais qui es-tu ? je demande sur un ton découragé, alors qu'une boule de feu grandit dans ma gorge. Dis-moi au moins ça. Dis-moi au moins ça, Greyson.

– Zéro est un alias. Parce que je suis…

Il se retourne, écarte les bras dans lesquels je me suis toujours sentie en sécurité pour comprendre toute la pièce.

– … indétectable, en théorie.

Un silence tendu s'impose entre nous. Son regard se ferme alors qu'il continue à murmurer, presque comme s'il ne voulait pas parler mais que sa part honnête l'obligeait à le faire.

– J'avais arrêté, mais maintenant on dirait bien que j'aide à collecter les paiements de paris dus à mon père. Quarante-huit remboursements. C'est tout ce que j'ai à faire pour pouvoir m'en aller à nouveau. Je n'en ai plus qu'un… Et toi… Et j'en aurai fini avec ça. Et il me dira où est ma mère.

Et toi, je répète dans ma tête, mes émotions encore dans le mixeur.

– Quel est ton vrai nom ? je demande d'une voix lourde.

– Tu connais déjà mon nom, dit-il, d'une voix grave et rauque, et une étincelle de tendresse s'allume dans ses yeux. Tu l'as gémi. Tu l'as crié. Tu l'as chuchoté. C'est Greyson, Mélanie.

Il s'avance vers moi comme s'il avait tout à coup besoin d'un contact, mais je ne supporterai pas qu'il me touche. Je m'éloigne et secoue ma tête de droite à gauche.

– Alors tu es un de leurs leaders. Chef de ces mafieux de l'Underground, dis-je.

Ses yeux brûlent d'une émotion indicible.

– Si c'est comme ça que tu veux m'appeler, oui.

– Mon collier. Tu ne l'as même pas acheté, si ?

J'arrive à peine à parler, ma voix est crue et endolorie.

– Certains paiements sont faits en nature. Et nous les gardons sous la main comme pot-de-vin. Alors non, princesse, techniquement je n'ai pas acheté ta babiole.

– Wow. Mes amis avaient raison, ça ne voulait rien dire pour toi.

– Quel ami ? Celui que tu embrassais hier ? Où est le collier, Mélanie ?

Il fonce vers moi, plus vite, et je recule jusqu'à ce que ma colonne vertébrale soit plaquée contre le mur et qu'il s'appuie sur moi, un grand prédateur dont les yeux me regardent de haut comme si je leur appartenais.

Il enroule sa main sur mon cou, et sa force me touche, m'affaiblit. Il est si proche que je sens mes genoux trembler. Son odeur. Mon Dieu, il m'a manqué et je déteste le fait qu'il m'ait manqué. Qu'il me manque.

Il est juste là ; et toujours, il me manque. Je le veux.

– Tu tues des gens, je souffle dans un râle.

Sa main encercle ma gorge, et le bout de son pouce commence à caresser la veine de mon pouls, lentement, sinueusement, tandis que ses yeux tombent sur mes lèvres.

– Parfois.

Sa voix est un râle grave.

– Tu les tortures ?

Je n'ai plus de souffle. J'ai mal et pourquoi je ne peux pas arrêter de l'aimer ? Pourquoi est-ce que je ne peux pas ?

– Je fais ce que j'ai à faire, murmure-t-il en caressant mon cou avec son pouce et en continuant à me fixer.

Il continue à mourir de faim pour ma bouche, son regard est si puissant que je me lèche nerveusement les lèvres, et cela ne fait qu'assombrir encore plus ses yeux. Il est encore plus affamé. Ma respiration n'est plus à moi. Mais je continue à essayer de prendre de l'air dans mes poumons, car toutes les émotions dans ma poitrine sont trop dures à retenir.

– Petite bimbo débile, c'est pour ça que tu m'as choisie ? je demande lourdement.

– Choisie ? Si j'avais choisi une femme, je ne t'aurais jamais choisie, toi.

Il frotte l'arrière de son doigt contre mes lèvres tout en baisant ma bouche avec ses yeux.

– Tu es une sacrée catastrophe, Mélanie, lâche-t-il. Tu es une petite catastrophe innocente et je ne m'attacherais jamais volontairement par les couilles à une fille aussi drôle, joyeuse, innocente et insouciante que toi. Je ne t'ai pas choisie, mais putain, je ne peux pas me détacher de toi. Tu es dans ma tête, tu es comme un foutu démon dans mon cœur.

– Va te faire foutre !

Je le pousse, mais il m'attrape le poignet pour m'arrêter et tire mes bras au-dessus de ma tête, ce qui fait que mon corps se cambre instinctivement et que mes tétons frottent contre son torse musclé. L'éclair immédiat d'excitation que je ressens me met en colère contre moi-même.

– Sers-toi de moi, je m'écrie, en me tortillant entre ses bras, et débarrasse-toi de moi. C'était ton plan, non ? La baiser et l'envoyer se faire foutre. Trouver une petite blonde qui ne réfléchit pas trop et ne posera pas trop de questions ! Une dont on se débarrasse facilement !

– Est-ce que j'ai l'air de quelqu'un qui essaie de se débarrasser de toi ? grince-t-il entre ses dents, en resserrant ses mains sur mes poignets et en pressant son érection contre moi. Je te veux autant que j'ai envie d'une nouvelle vie, Mélanie, lance-t-il. J'ai de gros dossiers sur toi et les hommes, je sais que tu as une dette. Je savais pour ta sœur jumelle avant que tu m'en parles.

Je m'étouffe lorsqu'il parle de Lauren. Ma vision devient floue et il continue doucement, en relâchant la pression sur mes poignets et en descendant lentement, comme une caresse, sa main sur la peau délicate de l'intérieur de mes bras.

– Je sais que tes parents l'ont perdue et que tu culpabilises parce que tu as survécu. Pas vrai ?

Je crois que la boule de feu n'est pas seulement dans ma gorge, elle est aussi dans mes yeux et dans mon cœur.

– Alors pendant toute ta jolie vie tu as essayé de rattraper ce que tu penses avoir pris à tes parents. Tu as essayé de les rendre heureux, tu as essayé de faire le bonheur de tous ceux qui t'entourent parce que peut-être que, au fond, tu veux que personne ne pense que tu ne méritais pas la chance que ta sœur n'a pas eue.

– Arrête, dis-je doucement.

Mais un torrent de larmes coule sur mon visage car personne ne m'avait aussi bien décryptée auparavant, et j'ai peur, et je souffre, et ses yeux noisette ne veulent pas me lâcher. Il resserre ses mains sur mes épaules, son regard est résolument tendre et encore affamé de moi lorsqu'il ajoute :

– Je sais que tu t'es servi du sexe pour ne pas te sentir seule trop longtemps, Mélanie, et je sais que tu es la plus belle chose que j'aie jamais vue, à toujours essayer de tirer le meilleur de tout. À donner sa chance à chaque crapaud, parce que l'on t'a donné cette chance, n'est-ce pas ? Alors pourquoi refuserais-tu à quelqu'un sa chance ? À n'importe qui ? Même à un pauvre connard comme moi.

Il glisse une main le long de mon visage et caresse ma joue, le genre de caresse qu'il est le seul à me faire. Celles que je sens sous ma peau, dans mes nerfs, mes os.

– Je sais que tu as lâché ton semestre à la fac pour soutenir ta meilleure amie quand elle s'est blessée, ajoute-t-il, et que tu ne lui as jamais dit que tu avais décalé ton semestre parce que tu voulais lui tenir compagnie. Je sais que tu es le genre de fille qui achète une Mustang dans une ville où il pleut toute l'année, parce que ça vaut quand même le coup de pouvoir rouler toit baissé les quelques jours de beau temps. Je te connais, Mélanie. Putain, j'en sais plus sur toi que je ne le voudrais, parce qu'il n'y a pas une seule chose que je changerais… pas une… pas un mot du dossier de vingt centimètres que j'ai sur mon bureau.

Je baisse les yeux avec un sanglot discret, et il relève ma tête pour me contraindre à regarder son visage, qui est pétri de conviction, aussi féroce que son torride regard pénétrant.

– Ta personnalité insolente genre « je sais ce que je fais » ? Je l'aime bien. Je la connais, mais je vois des aperçus de toi, Mélanie. La vraie toi. Celle qui est terrorisée. Celle qui n'aime pas être seule. Celle qui est vulnérable et qui me donne envie de te dire que je vais m'occuper de toi. Viens là, je m'occupe de toi, princesse.

– Tu sais tout ça sur moi et je ne te connais même pas ! je pleure.

– Si, tu me connais, réplique-t-il.

Il pose sa main derrière ma tête et écrase sa bouche sur la mienne, le désir dans ce baiser traverse mes terminaisons nerveuses et me fait prendre feu.

Des lèvres chaudes. Le goût. Il n'est pas le seul à avoir besoin du goût. Je le veux aussi, méchamment. *S'il te plaît, s'il te plaît, sois maligne, Mélanie ! Va-t'en, Mélanie !*

– Bon Dieu, gronde-t-il quand ma bouche semble s'ouvrir d'elle-même et que je me retrouve avec mes doigts plantés dans son biceps. On m'a appris à arnaquer et à faire chanter, à mentir, à tricher, à faire n'importe quoi pour avoir ce que je voulais.

Le mouvement chaud d'aspiration de sa bouche fait se recroqueviller mes orteils, brûler mon corps qui se cambre plus près de lui lorsqu'il enroule ses bras autour de ma taille.

– Et je te veux, toi. Ces jolis petits seins. Je veux que ma bouche soit à nouveau sur eux.

Il prend mon cul dans une main, et un sein dans l'autre.

– J'adore quand tes tétons se perlent pour moi. Ils le font au son de ma voix. Après un regard de moi. J'adore ton cul. J'adore ta putain de bouche.

On dirait qu'il devient fou, il fait tout en même temps. Il masse mon cul. Mon sein. Engloutit ma bouche. Puis il embrasse mon cou et sort sa langue pour me savourer. Un frisson me parcourt de la tête aux pieds. *Mon Dieu.* C'est l'extase. L'agonie. Les deux.

– Zéro, tu sais ce qu'il fait, princesse ? me défie-t-il en mordant sensuellement ma lèvre inférieure avant de se reculer pour me regarder avec des yeux tombants. Il cherche un point faible et s'acharne dessus, démolit sa proie, et la fait payer.

Le ton sensuel de sa voix me fait frémir et je murmure :

– J'ai pitié pour eux.

– Huumm. Tu as bien raison.

Il se glisse jusqu'à mon oreille, le souffle chaud, tandis que son érection frotte contre moi.

– Je crois que je connais ton point faible, Mélanie. Je connais ton point faible. Ton point faible… c'est moi.

– Arrête.

– J'arrêterais si tu pensais ce que tu dis. Pense-le, m'ordonne-t-il.

Puis il prend mon visage dans ses mains et me regarde, attendant que je le dise, avec des yeux électriques.

– Tout de suite. Pense-le, murmure-t-il comme une séduction, avec son souffle chaud sur mon visage. Des larmes ?

Il se recule, ses yeux sont sobres mais implacables.

– Des larmes… Pourquoi ? Je ne t'ai pas encore fait jouir.

Je veux me libérer. Mais je suis tremblante, je ressens une envie et un besoin. C'est vrai que je veux son corps, chaque centimètre chaud et délicieux, mais plus que tout, je veux savoir qui il est, qui est l'homme qui a cet effet sur moi.

Il n'est pas réel, MÉLANIE ! *C'est un menteur, un play-boy, une crapule et une ordure. Tu n'as pas besoin de lui ! Tu n'as pas envie de lui !*

– Dis-moi qui tu es !

Tout à coup, le volume de ma voix augmente en même temps que ma perplexité. Il me regarde, des ombres noires passent dans ses yeux, et il me surprend en me lâchant pour aller s'asseoir sur le lit. Il pose ses coudes sur ses genoux, se penche en avant et me regarde, chaque partie de son être semblant tourmentée. Il passe sa main dans ses cheveux et je regarde toutes les mèches cuivrées retomber lentement à leur place, une par une. Le silence se prolonge, la tension est palpable jusqu'à ce qu'il brise le silence, avec une voix grave teintée d'amertume.

– J'ai été élevé par ma mère, Lana King. Elle a quitté mon père quand elle est tombée enceinte, pour me protéger. Un jour, quand j'avais treize ans, je suis rentré chez moi et elle était attachée à une chaise, bâillonnée au milieu d'un groupe d'hommes, dont mon père. Il m'a proposé…

Sa voix s'éteint et il a un rictus froid.

– Il m'a dit que si je tuais un de ses hommes, il la détacherait et la libérerait. Je ne savais pas qu'il avait un marché avec elle, qu'elle lui avait dit que je n'étais pas un tueur comme lui, qu'il avait promis de me laisser partir si c'était vrai. Je ne savais rien de ce putain de marché quand j'ai pris l'arme qu'il me tendait, que j'ai visé, que j'ai tiré, et que j'ai tué un homme. Et je n'ai plus jamais revu ma mère.

Sa voix devient vide et froide, comme l'écho d'une vieille tombe. Je ne sais pas si c'est le ton de sa voix ou les mots qu'il prononce, ou l'absence de vie dans ses yeux habituellement étincelants et magnifiques.

– Mon oncle Éric m'a dit que ma mère avait passé un accord avec mon père. Il me garderait avec lui si je montrais que j'étais son fils. Ma mère lui avait promis que je n'étais pas du tout comme lui. Et puis j'ai tué un homme. Je n'ai pas hésité. Je lui ai tiré dessus.

Une guerre d'émotions fait rage en moi, mes sentiments pour lui sont plus déroutants et douloureux que tout ce que j'ai connu dans ma vie.

– Je me suis condamné à cette vie, dit-il en désignant tout ce qui l'entoure. Peut-être que j'aurais dû tirer sur mon père. Cela aurait pu se finir, à cet instant précis. Mais le sang est une chose étrange, dit-il en me regardant avec une légère confusion dans ses yeux d'aigle. Elle nous lie. Même quand tu détestes ta famille, quelque chose ici… continue-t-il et posant son poing sur son torse. Quelque part là-dedans, tu restes loyal. J'ai passé huit ans avec lui, à croire qu'il me laisserait la voir. Jusqu'à ce que je comprenne qu'il ne me laisserait jamais la voir tant qu'il savait que je n'en avais rien à foutre de lui. Alors je me la suis jouée sauvage, je l'ai laissé tomber, et je suis parti à la recherche de ma mère en faisant des petits boulots entre-temps. J'ai suivi toutes les pistes que j'ai trouvées. Rien. Elle a disparu sans laisser une trace.

Il se tient droit et fier, mais je vois enfin le chaos dans ses yeux. Je l'imagine, jeune ado, déchiré en deux. Usant de son intelligence pour survivre, tout en essayant de retrouver et de protéger sa mère. Ses mots très troublants courent dans ma tête, son enfance est si différente de la mienne que je ne peux pour ainsi dire pas la comprendre.

– Il est venu me chercher maintenant qu'il est mourant. Il a une leucémie et il veut que je prenne les rênes de l'Underground, dit-il avant de rire tristement. Un homme comme lui, je ne peux même pas me l'imaginer malade. Mais il doit passer le flambeau. Wyatt, je sais qu'il a plus été son fils que moi. Mais il veut l'alpha, explique-t-il avant de sortir un morceau de papier. Quand je t'ai vue sur cette liste, tu étais censée être quelque chose dont je devais me débarrasser. Cette blonde dans mes rêves. Et puis tu étais là. Tu étais dans ce putain de bar avec ce sale con qui essayait de te ramener chez lui ; et tu étais là, un foutu diable d'ange sous la pluie.

– Ne me parle même pas de la pluie !

– Tu voulais parler, alors maintenant je te parle.

Il s'avance, s'arrête en face de moi, et le faible sourire qui tire ses lèvres renferme une infinie tristesse.

– Ce n'est pas ce que j'avais prévu pour ton anniversaire, Mélanie.

Sa voix est un murmure tendre qui serre mon cœur. Je ne vais pas pleurer, putain, je ne vais pas pleurer. Je cligne des yeux et j'avale ma salive.

– Tout ce que je demande, c'est que tu me laisses le fêter quand je reviens. Si je peux passer ne serait-ce qu'un seul jour avec toi, je veux que ce soit cette journée. Avec toi.

Je ne supporte pas de voir à quel point il me connaît bien. Il me comprend. Fait se réaliser chacun de mes rêves et brise chacun de mes fantasmes. S'il y a bien un jour de l'année où j'ai besoin de lui, c'est mon anniversaire. Mais tout à coup, j'ai absolument besoin de rentrer chez moi.

– Tu t'en vas tout de suite ? je chuchote.

Ses sourcils se lèvent, curieux.

– Je suis obligé. Plus qu'une personne. Je le dois à ma mère.

Il vient et me prend dans ses bras. Je ferme les yeux pendant que sa chaleur m'enveloppe, que son odeur m'enveloppe, qu'il m'enveloppe. Lorsqu'il essaie de se retirer, je tire ses bras plus près de moi, j'ai besoin de le sentir encore une minute.

– Pourquoi est-ce que tu veux mes bras ? murmure-t-il dans mon oreille. Je viens de te dire qu'ils ont fait plus de mal que de bien.

– Pas à moi.

– Parce que tu es tombée amoureuse de moi, tu t'es fait avoir par moi et mes conneries, et même après tout ce que je t'ai dit, tu tombes encore, non ? dit-il d'une voix éraillée avant de déposer un baiser derrière mon oreille. Je suis là pour te rattraper, ajoute-t-il, puis il embrasse encore l'arrière de mon oreille, plus fort. Laisse-moi te rattraper.

Je baisse la tête pour reprendre mes esprits. Il baisse également sa tête brune et regarde mes orteils. Sur chaque pied, du vernis bleu et rose fuchsia dessine les lettres GREY ♥.

— Jolis orteils.

Je les replie et les cache sous le tapis.

— J'ai fait une pédicure. Au meilleur salon de Seattle.

Tout ça pour toi… je me dis, malheureuse. Son sourire me donne des papillons dans le ventre, et j'aimerais avoir une hache et pouvoir littéralement les tuer.

— Si quelqu'un peut tenir ton petit cul agité en place assez longtemps pour faire ça, cela prouve qu'ils sont bons.

Il me regarde avec ces yeux qui touchent des parties étranges de moi, et mon ventre se fait lourd, surchargé d'émotions.

— Ou cela prouve ta détermination à porter mon nom sur tes pieds?

Il s'agenouille, et je retiens mon souffle quand il prend mon orteil et lui fait un bisou.

— Grey, tu embrasses mon orteil, dis-je d'une voix épaisse et cotonneuse.

— Il y a mon nom dessus.

Lorsque je libère mon pied, il laisse sortir une longue, longue respiration et se remet sur ses pieds, plus d'un mètre quatre-vingt d'un magnifique homme menteur, puis, sans rien dire, il commence à prendre des choses sur le lit pour les mettre dans sa veste noire. J'ai le regard perdu dans les ombres, je le regarde enfiler ses gants, j'ai l'impression que cette innocence que j'ai perdue ne sera jamais retrouvée.

— J'ai l'impression que mon copain vient de mourir. Je n'aurai plus jamais Greyson.

Si j'ai l'air triste, il a l'air dévasté.

– J'ai l'impression que mon alias vient de tuer ma copine. Et elle ne me regardera plus jamais comme elle me regardait avant.

Nous nous fixons comme toujours, sauf que d'habitude, nous sourions aussi. Pas cette fois.

Rentre chez toi, Mélanie, je pense piteusement.

Il fait un pas en avant avec prudence, et je me rappelle comme il est obsédé par mes yeux, et je ressens une drôle de tristesse pour lui lorsqu'il prend mon visage entre ses mains, songe à les embrasser, mais laisse tomber ses mains.

– Je vais revenir. Reste là avec ton amie demain, et réfléchis, Mélanie. Quand je reviens, je te mets au défi de me regarder dans les yeux et de me dire que tu ne veux pas de moi.

Je ne sais pas ce qu'il va faire, mais de la terreur, du désir, de l'amour, toutes les émotions tournent en moi pendant qu'il traverse la pièce pour partir.

– Greyson, promets-moi que tu ne vas tuer personne ! je m'écrie. Promets ou nous n'aurons plus rien à nous dire. Rien.

Mon cœur frappe dans mes tempes, dans ma poitrine, au bout de mes doigts, alors que j'attends sa réponse à mon ultimatum impulsif. Il se tient près de la porte et rit doucement, puis sort quelque chose de sa veste, laisse tomber la cartouche de son arme, la pose, et ouvre grand la porte. Il ne m'a pas donné sa parole, mais je le crois.

Je ne sais pas pourquoi mais je le crois. J'attends que la porte se referme derrière lui pour faire la plus grosse des putains de crises de nerfs de tous les temps.

21

LA LISTE
Greyson

C'était une cible facile.

J'entre dans la maison éteinte, le réveille avec le bout de mon SIG tout contre sa tempe lorsqu'il sursaute dans son lit. Il tremblait comme un drapeau au vent en ouvrant son coffre-fort pour me donner l'argent. Il ne dormira probablement plus jamais. *Bienvenue au club, mon vieux…*

Mais je ne pense plus à cela. Son nom est rayé, les combats étaient bons ce soir. Riptide a régné sur le ring, et cela me va très bien. Riptide, c'est de l'argent, et tout ce qui intéresse l'Underground, c'est l'argent. Mais ce n'est pas non plus à cela que je pense.

Je pense à elle. Je me demande si elle dort. Ou si elle est au moins à moitié aussi torturée que moi. Il est six heures du matin à l'hôpital, et je suis assis là, à maudire ce que je sais déjà. Je déteste savoir ce qu'elle va me dire quand je la verrai plus tard aujourd'hui, quand j'irai la voir. Que je ne la mérite pas, que je suis un menteur, un arnaqueur, pas l'homme qu'elle veut et ça… ça me bouffe.

Je ne tiens pas en place. Je ne peux pas m'empêcher de tout retourner dans ma tête. Je suis resté assis toute la nuit à l'hôpital, à regarder mon père lutter pour respirer. Moi aussi je me sens étouffé, l'air est coincé dans mes poumons. Je savais ce qu'était ma vie, ce que je voulais. Tout était clair.

Plus rien n'est clair mis à part que je ne peux pas m'imaginer tenir un jour de plus sans elle. Si elle ne veut pas de moi, je sais déjà que je vais faire une obsession. Je vais la harceler. Je ne parviendrai pas à la lâcher. J'aurai besoin de savoir qu'elle est en sécurité, qu'elle est elle-même, qu'elle rit. Je devrai voir quelqu'un d'autre la toucher. L'homme qu'elle voulait, l'homme que je ne pouvais pas être. Mon cœur casse tout dans ma poitrine. Un incendie fait rage dans mon corps à l'idée que quelqu'un d'autre que moi puisse la toucher.

Mais je ne serai pas le Hadès qui traîne sa Perséphone avec lui en enfer. Elle n'est pas Perséphone. Elle est Mélanie Meyers Dean, et je l'aime. Je souffle et prends mon visage dans mes mains, je frissonne en essayant de reprendre le contrôle de moi-même.

Je suis malade et elle est le seul remède. Je suis malade d'elle, aussi malade que mon père. Je lève les yeux et il bouge à peine dans son lit, le bruit de sa respiration est bas et régulier. Oui, cela fait mal. Je l'ai détesté toute ma vie. Il m'a enlevé tout ce qui est bon. Et cela fait quand même mal de le voir faible et mortel ; pourtant, ce salaud s'accroche toujours au secret d'où se trouve ma mère.

La rage, l'impuissance gonflent dans ma poitrine. Je viens de terminer ma dernière cible avec l'aide de Tina. J'ai bien fait attention aux chiffres pour qu'il ne me reste qu'une seule cible… le numéro cinq.

− La liste ? me demande Éric, inquiet après s'être entretenu avec les docteurs et avoir appris qu'il ne reste à mon père que quelques heures à vivre. Quelques heures.

− Je vais récupérer le paiement, je mens, puis je pousse la chaise en arrière et me lève.

Mais je ne le ferai pas. Je vais récupérer ma copine, et je vais revenir ici et dire à mon père qu'il a échoué. Qu'il n'a pas réussi à me rendre comme lui. À me rendre complètement égoïste et mauvais.

Je vais récupérer ma copine et je vais aller chercher du liquide et racheter sa dette. Il peut me faire payer le prix qu'il veut. Il peut me faire payer de ma vie. Ou m'enlever l'Underground. Mais il me dira où est ma mère, et il me regardera rayer le nom de Mélanie quand je lui tendrai l'argent qu'elle doit.

Il me croira faible. Il mourra en me croyant faible. Mais je m'en fous, maintenant. Je me bats pour ce en quoi je crois et je me battrai même si je passe le reste de mes jours caché, à m'assurer que ma femme va bien.

22

DÉCISION
Mélanie

– Je veux rentrer chez moi.

Ce sont les premiers mots qui sortent de ma bouche le lendemain, quand Greyson se tient devant la porte de ma suite, tout en noir, les cheveux encore mouillés. Pas mon prince. Pas mon chevalier en armure. Plutôt mon méchant en noir.

– Je veux vraiment rentrer chez moi, je répète d'une voix rauque et cassée. J'ai réfléchi à… notre conversation et j'ai juste envie de rentrer chez moi aujourd'hui.

C'est tout ce que je dis. Pas « Salut, comment ça va ». Je ne mentionne même pas la boîte qu'il tient, ou le bouquet de gerbera dans sa main, comme celle qu'il avait clouée au mur chez mes parents. Je suis prise d'émotion en repensant à cette journée, comme elle était vraie, comme on s'était amusés.

Ceux qui jouent ensemble restent ensemble… Ce n'est pas vrai, Mamie. Parfois, les hommes ne font que jouer avec toi et te briser. Je ne peux même pas dire que Greyson ne m'avait pas prévenue.

J'ai l'impression qu'un vampire vient d'aspirer tout le sang de mon cœur quand j'ouvre plus grand la porte pour le laisser entrer. La pièce rétrécit lorsqu'il entre et son regard ne quitte jamais le mien pendant qu'il pose tout sur la table basse, se rendant probablement compte que je ne voulais pas de cadeaux. Je ne veux même pas que ce soit mon anniversaire.

291

– Hey, le salue Pandora depuis une petite table où elle prend son café.

C'est la première fois qu'elle n'a pas l'air hostile envers lui. Peut-être parce que nous en avons parlé toute la matinée, et qu'elle m'a convaincue, et que je me suis convaincue, qu'il est TOTALEMENT MAUVAIS POUR MOI.

Mais maintenant qu'il est proche de moi, c'est tellement difficile de croire ça. Je sens son chagrin alors qu'il me suit dans la chambre. Mes tripes me crient de me jeter dans ses bras et de trouver une solution. Comment est-ce que cela pourrait ne pas marcher ? Je lui appartiens. À lui et à tout ce qu'il est. Mais j'ai besoin qu'il me laisse partir ou il va me casser. Je suis trop romantique et il est trop dur, trop froid, à cause de ce qu'il a fait toute sa vie.

Lorsque je ferme la porte de ma chambre, je me retourne, et il me tire à lui et m'embrasse. Nous nous embrassons, sans résistance, nous fondons chacun dans la bouche de l'autre pour le baiser le plus long de notre vie. Plusieurs minutes, et d'autres, et d'autres. Mon corps en manque s'enfonce dans le sien, ses mains dans le bas de mon dos me tiennent fermement collée contre lui. Nos langues bougent plus vite que jamais, affamées, et nous mémorisons le goût de l'autre, la sensation satinée de notre baiser. Jusqu'à ce qu'il grogne et se détache pour marcher vers la fenêtre.

Je le vois lutter pour remonter ses défenses. Des défenses que j'ai fait tomber car je voulais qu'il m'aime. Et il m'aime. Je le sais. Je l'ai senti dans son toucher, dans le désespoir de ses yeux en ce moment, comme s'il voulait me laisser m'en aller mais qu'il ne pouvait pas.

Il se tient face à la fenêtre, les mains dans les poches, dans cette position de conquérant que j'adore. Tout mon être sait qu'il fait attention à moi, mais il ne le montre pas avant de me parler, sans se retourner, avec une voix si crue qu'elle m'écorche les tripes.

– Tu es sûre que c'est ce que tu veux, partir?

– Je suis sûre, dis-je, d'une voix qui sonne aussi comme du papier de verre.

Sa voix craque quand il ajoute:

– Derek peut te conduire à l'aéroport, alors.

– Je peux prendre un taxi.

Je fais un pas vers lui, puis je m'arrête. Qu'est-ce que je vais faire? Lui faire un câlin? Je ne peux pas. Il faut que je casse ça. Je vois les gants qu'il a jetés sur le lit et les prends amoureusement dans ma main, j'ai besoin de les toucher une dernière fois. Il se retourne et me fixe, cela me fait mal de le regarder dans les yeux. Les yeux fiers de Greyson King. Je regarde par terre et cligne des yeux.

– Peu importe avec qui tu finiras, n'oublie pas que tu as d'abord été à moi. Une partie de toi sera toujours à moi. Même quand tu trouveras ton prince charmant, celui qui a tout ce que tu cherches, parfait, tu seras toujours ma princesse et celle de personne d'autre.

Mes yeux s'embuent car ses mots font mal, leur vérité me fait mal tandis que je pousse ses gants dans ses mains.

– S'il te plaît, laisse tomber, même ça.

– Je pourrais te faire m'aimer, Mélanie. Je peux faire en sorte que tu me choisisses.

Je me mets à pleurer en posant ma tête sur son torse, et il renifle mes cheveux.

– C'est ce que tu veux? Je serai ton jouet et tu seras mon play-boy, toutes les nuits tu feras des choses affreuses et tu reviendras me faire l'amour; je serai au paradis quand je serai dans tes bras, et en enfer quand je n'y serai pas et qu'ils feront des choses terribles.

– Ce corps m'appartient, Mel, dit-il en caressant mes formes. Chaque centimètre. Ces mains savent comment t'aimer mieux qu'elles savent faire ce qu'elles font.

J'essuie mes larmes.

– J'aimais qu'il t'appartienne. Chaque centimètre. Mais l'amour de ma vie ne peut pas faire ce que tu fais. Ce n'est pas possible.

Il prend mon visage dans ses mains.

– Pourtant c'est ce qu'il fait, dit-il tendrement.

J'avale ma salive car je dois bien le reconnaître.

– Mais j'aimerais qu'il ne le fasse pas.

Je secoue la tête, mais il me regarde avec ces yeux perçants noisette, avec de petits éclats de vert, qui semblent étinceler.

– Mais c'est une partie de moi, dit-il d'une voix rauque en avançant. Je ne suis pas ton prince, je suis tout ce que tu ne veux pas, et pourtant tu me veux. Tu as besoin de moi, Mélanie, tu m'attendais. Oublie l'idée de qui je devrais être et…

– Non ! Non, je ne veux pas être amoureuse de toi ! Pas toi !

Je le pousse.

– Bébé, je ne laisserai pas ça te ternir, ça n'assombrira que moi. Tu ne sauras rien de ce que je dois faire. Rien…

– Non ! Je ne supporterai pas de savoir que tu fais des choses comme ça, Grey !

Il me lâche, s'éloigne pour faire face à la rue, les rayons du soleil tombant parfaitement sur son beau visage, et mon cerveau semble avoir encore assez de neurones pour enregistrer ce qu'il se passe. Grey et moi nous séparons. Je voulais l'amour, je l'ai trouvé, et je vais le laisser tomber parce que… Ce n'est pas comme dans mes rêves, dans les histoires, ce n'est pas comme je l'imaginais.

J'ai l'impression d'avoir un poignard planté dans la poitrine à cause de ce que je suis en train de faire, mais tous mes instincts de survie me disent que je dois partir. Greyson se retourne, prend mon visage et le tourne vers lui, avec une voix décidée.

– L'Underground sera mieux organisé que lorsque mon père le dirigeait. Mélanie, je garderai la tête sur les épaules…

– Tu ne peux pas me demander de rester près de toi alors que tu fais chanter des gens, que tu les menaces…

Il gronde et ferme les yeux.

– Ce sera du business. Personne ne sera blessé. Essaie de comprendre que je ne peux pas abandonner ça. Des gens gagnent leur vie… Des boxeurs vivent grâce à ça. Ton amie… son mari, Riptide… ils prospèrent, ils respirent, ils adorent l'Underground !

– Je sais ! Je sais que c'est un mal qui doit exister, mais je ne peux simplement pas en faire partie. J'ai peur ! je m'écrie.

Cet aveu pose un voile d'inquiétude sur ses yeux, et je ne sais pas s'il se rend compte que ce qui me fait peut-être le plus peur, c'est ce que je ressens pour lui : le fait qu'il est tout ce que je n'ai jamais voulu, et soudain tout ce que je veux. J'ai mal à la poitrine quand je touche sa joue et le regarde dans les yeux :

– Tu es tellement beau que la Terre s'arrête de tourner et tu es un homme si bon, là-dedans. Quand je pense à toi, je veux penser à qui tu étais quand tu étais avec moi. Greyson.

– Tu préfères aimer ton fantasme que le vrai homme, dit-il, en dissimulant mal sa douleur.

– Non, c'est un vrai homme qui me fait souffrir là, tout de suite. Je suis amoureuse du vrai greyson, dis-je en avalant ma salive. Brooke m'a dit que tu étais mon Unique. C'est comme ça qu'elle appelle l'amour de sa vie, maintenant. Mais tu n'es pas mon unique, Greyson. Tu es mon chevalier aux gants de cuir qui a mal tourné.

– Bon Dieu, tu me déchires en deux, Mélanie.

J'avale ma salive, prends sa main et pose les gants dans sa paume, acceptant silencieusement le fait que je sais qui il doit être, et alors qu'il enroule ses doigts autour des gants, il les enroule autour de moi. Ses yeux descendent sur mes lèvres, puis il les embrasse, une caresse rapide comme s'il ne pouvait pas s'en empêcher, et il me tire vers lui.

– Tu as trois secondes, dit-il, pour partir.

Cela fait mal, comme si j'arrachais un morceau de mon cœur, et je ne connais personne à part ma sœur qui pourrait m'éloigner de cet homme. L'opposé de tous mes rêves et de tous mes fantasmes, et tout à coup tout ce que je veux.

– Deux secondes, Mel.

– Grey, retiens-moi… je dis tout à coup.

Oh mon Dieu je n'arrive pas à croire que je vais le quitter !

– Une.

Putain, il ne va pas me retenir. Malgré toutes ses activités de criminel, il ne va pas m'imposer cette vie. Sa vie. Je me retourne, prends ma valise avec tout ce que j'ai amené ici, et je ferme la porte. Puis je reste là, je pleure contre le silence suprême dans la pièce où je l'ai laissé. Pandora se lève et va chercher sa valise sans rien dire.

J'ai beaucoup couché à Seattle mais je n'ai jamais eu l'impression d'être une salope avant de briser le cœur de cet homme. Dans un monde idéal, on n'aimerait que l'homme parfait. Mais ce monde n'est pas idéal. J'aime un homme imparfait qui ment, vole, fait chanter, et c'est bizarre de déjà savoir que même M. Parfait ou le prince charmant n'arrivera jamais à la cheville de celui que je viens de quitter.

***

Pandora et moi ne parlons pas sur le chemin de l'aéroport. Derek a insisté pour nous y emmener, et je suis trop dévastée pour protester. J'ai trouvé l'amour, et je l'ai quitté. J'ai trouvé tout ce que je voulais mais rien n'allait, et je l'ai laissé planté dans une chambre d'hôtel qu'il a payée, à regarder par la fenêtre comme s'il allait m'enchaîner s'il me jetait un simple coup d'œil.

– J'envoie un message à Kyle pour qu'il organise quelque chose ce soir, dit Pandora.

– Non, je réponds.

– Mel, c'est ton anniversaire.

– Non ! je dis. S'il te plaît. Je veux être seule.

Nous embarquons. Je vais même jusqu'à glisser ma valise dans un casier de l'avion. Et je me rappelle de lui sous la pluie. Je me rappelle toutes les choses qu'il a faites pour moi.

« Je m'occupe de ta voiture. »

« Sois chez toi ce soir. »

« Ma vie a coûté cher aussi. Chaque jour de ma vie. Tellement de jours passés à essayer d'y trouver un quelconque sens tordu. »

« Je suis le premier homme pour qui tu as cuisiné ? »

« Tu m'as moi, princesse. Bon Dieu ! Tu ne vois pas ce que tu me fais ? Tu m'as tout entier, Mélanie. Je suis à des milliers de kilomètres et je me sens comme un demi-homme, j'ai l'impression que je vais casser quelque chose si je ne te vois pas vite de mes propres yeux… »

« Je sais que tu t'es servi du sexe pour ne pas te sentir seule trop longtemps, Mélanie, et je sais que tu es la plus belle chose que j'aie jamais vue, à toujours essayer de tirer le meilleur de tout. À donner sa chance à chaque crapaud, parce que l'on t'a donné cette chance, n'est-ce pas ? Alors pourquoi refuserais-tu à quelqu'un sa chance ? À n'importe qui ? Même à un pauvre connard comme moi ? »

Il m'a portée… Soudain, je me souviens qu'il m'a portée pour me ramener chez moi, alors qu'il saignait à cause d'une blessure que je lui avais infligée, et qu'il m'a installée sur mon lit, a rempli ma baignoire puis a serré ma main. Il m'a protégée. M'a prise dans ses bras. Il a essayé de me mettre en garde contre lui car il ne voulait pas me faire de mal mais quelque part, comme moi, il ne pouvait pas rester loin. Je vois tout cela si clairement. Le REGARD qu'il a pour moi. C'est ça qui est réel. Toutes ces conneries ne sont pas importantes.

La gratitude et la férocité de son regard, quand je lui ai fait à manger et qu'il s'est senti… accepté. Les fois où il s'est ouvert pour me dire ce qu'il ressentait pour moi. Lui, un homme qui n'a probablement pas l'habitude de ressentir quoi que ce soit. Il me connaît. Depuis le début, il connaît tous mes bons et mes mauvais côtés, et il me regarde toujours comme si j'étais le plus précieux des diamants. Tout à coup, je me rappelle de Brooke qui me disait «PRENDS LE DESSUS, MÉLANIE ! Tu as cherché toute ta vie, bats-toi !»

– Pan… je murmure, tandis que mes sentiments pour lui s'intensifient jusqu'à ce que je sois sur le point de hurler ou d'imploser, car je ne veux pas, je refuse de vivre avec tout cela enfoui en moi.

Vivre seule alors que je peux l'avoir. Est-ce que la peur va m'empêcher d'être avec mon mec ? Mon homme ? Mon escroc ? Mes mains tremblent quand je défais ma ceinture et je trébuche en me levant du siège avant que la porte ne se ferme.

– On se voit à Seattle.

– Qu'est-ce que tu dis ? Meuf, j'ai peur de l'avion et je viens de me prendre une pilule pour pioncer, tu le sais !

– Ne m'arrête pas. Je ne veux pas que tu m'arrêtes. S'il te plaît. S'il te plaît, Pan ! Je le veux. Je l'aime.

Je ne lui laisse pas le temps de me convaincre que je suis stupide, ou irréfléchie. Je sens une tempête d'excitation rien qu'à l'idée de me jeter dans ses bras, et tout est emmêlé en moi quand je me faufile hors de l'avion avant que les portes ne se referment. Je cours dans le terminal de l'aéroport pour y trouver Derek.

– Derek ! je crie, dans l'espoir de le rattraper.

Je déboule de l'autre côté des portes coulissantes et tombe sur un autre homme, avec des bottes de cow-boy et une chemise à carreaux, qui m'arrête.

– Putain de merde, c'est toi ! dit-il.

– Quoi ?

Je cligne des yeux et toise le jeune homme. Il a le genre de visage que je me souviens avoir vu sur beaucoup d'autres hommes, simple et amical, mais une paire de lunettes de soleil cache ses yeux et je jure que je ne me souviens pas l'avoir déjà croisé.

– Mélanie. Tu es Mélanie, répète-t-il, en prononçant le mot comme s'il venait de trouver de l'or.

– Est-ce qu'on se connaît ? je demande et je jette un œil par-dessus son épaule, espérant apercevoir le large dos de Derek.

Tout à coup, je ne tiens plus. Je veux vraiment faire demi-tour, me tenir en face de Grey et lui dire : *Je t'aime. Je t'aime, je te fais confiance et on va faire en sorte que ça marche. On va trouver. Toi, petit con, tu es mon prince, que tu le veuilles ou non !*

– Non, tu ne me connais pas encore, dit l'homme avec un petit sourire en me tendant sa main. Je suis Wyatt, le frère de Greyson. J'ai entendu que tu partais. J'ai même cru que j'avais raté ton vol, pourtant j'espérais encore te convaincre de rester.

Ses yeux brillent comme s'il savait pour Greyson et moi, ce qui se passe entre nous. Ce que l'on vient de perdre parce que je suis une poule mouillée et qu'il voulait juste être… noble. Noble. Et me laisser partir. Je suis de plus en plus impatiente de le revoir.

– Est-ce que tu vas le voir ? Où est-ce que tu vas ? Je cherchais une voiture.

– En fait, je devais aller voir la mère de Greyson avant.

– QUOI ? je m'exclame, presque renversée par la joie que je ressens. Tu sais où elle est ?

– Je viens de l'apprendre, mais chut. Ne le dis pas à Greyson, c'est une surprise. Mon père n'est pas en forme… Il est à l'hôpital depuis des jours et il ne lui reste pas beaucoup de temps.

Les bras me tombent quand j'entends cette nouvelle. Submergée de bonheur, d'espoir, d'impatience.

– Oh mon Dieu.

J'ai les larmes aux yeux en pensant à ce que cela va vouloir dire pour Greyson. Il va enfin revoir sa mère, après combien d'années ?

– Tu veux venir et la lui ramener ? me propose soudain Wyatt.

– OUI !

NOUVELLES
Greyson

Le message vient du portable de Mélanie, mais mon ventre se gèle lorsque je me rends compte que ce n'est pas elle qui l'a écrit.

« Félicitations. Tu as gagné. »

Je réponds : « Et vous êtes ? »

« Mélanie a oublié son téléphone dans l'avion. C'est Pandora. Tu as gagné, j'espère que tu es content. Elle est en route pour te rejoindre. Elle est désespérément, aveuglément amoureuse de toi. »

Les mots s'enroulent autour de moi comme une couverture qui me réchauffe. Mais en même temps, une inquiétude primitive résonne dans mon cerveau. Je tape le numéro de Derek.

– T'es où ?

– Sur la route, j'ai déposé ta reine. Pourquoi ?

– Retourne à l'aéroport et ramène-la-moi. Ramène-la-moi TOUT DE SUITE !

Tous mes instincts de protection se sont activés en mode vengeance, mélangé à une excitation sauvage, primale causée par ce que je viens de lire sur mon portable.

Elle vient à moi. Elle revient à moi. Après avoir fait les cent pas pendant vingt minutes, je reçois un appel de Derek.

– Elle est partie. Le responsable des taxis l'a vue avec un mec qui portait une chemise à carreaux et des santiags.

Mon ventre se retourne, et soudain tout fait sens, et mon sang se glace. Wyatt. La voix bien connue d'Éric s'élève derrière moi.

– Fiston, ton père veut te voir.

J'attendais devant sa chambre à l'hôpital, j'attendais de lui parler, mon chéquier à la main, prêt à régler les choses pour Mélanie, et maintenant je jette un regard noir à Éric en grinçant des dents.

– Dis-lui que je suis parti. Dis-lui que je reviens !

Je cours dans le couloir et sors les clés de ma voiture de location en appelant C.C.

– Wyatt a Mélanie. Va dans le sud de la ville, je prends le nord, envoie Derek à l'est, et dis au reste de l'équipe d'être sur le coup. TROUVE WYATT, AIDE-MOI À LA RETROUVER, PUTAIN !

Pendant treize ans, j'ai cherché ma mère. Treize ! Si Mélanie disparaît pour plus d'une journée, je vais devenir un monstre, un monstre qui va faire un carnage pour remplir son unique mission. La trouver, la protéger, la garder, m'accoupler. NE PLUS JAMAIS LA LÂCHER. Je n'ai jamais prié mais je me jette sur un Dieu auquel je n'ai jamais cru et lui hurle de me prendre n'importe quoi, tout ce qu'il veut, mais pas elle.

RÉVÉLATION
Mélanie

– Alors, où est-elle ? Où est-ce qu'elle était pendant tout ce temps ? je demande d'un air curieux depuis la banquette arrière.

Le frère de Greyson ne fait que me sourire et conduit de plus en plus loin dans les quartiers chauds de la banlieue de Denver. Il est assez petit et est habillé comme s'il se prenait pour un cow-boy. Je ne sais pas si c'est le sixième sens que sont censées avoir les femmes, le regard glaçant dans ses yeux, ou la façon dont mon cœur s'accélère, mais il y a sérieusement quelque chose qui ne va pas, là.

Et brusquement je sais – je sais – que Wyatt ne m'emmène pas voir la mère de Greyson comme il me l'a dit.

– Ramène-moi là-bas, dis-je doucement.

Il rigole.

– Tu es sérieuse ? Tu me donnes des ordres, maintenant ? Il glousse et nos regards se croisent. On va le laisser venir à toi, OK ? Toutes les filles aiment ça, non ? Être secourues ? C'est sûr que mon frère va venir sauver sa «princesse».

– Écoute, pour le moment il s'en fout de moi. Nous deux, c'est fini…

Quand je tends le bras pour ouvrir la porte, il sort un flingue.

– Assieds-toi et ferme ta gueule.

Le choc d'avoir une arme pointée sur moi me fait reculer dans le siège et je me tais sur-le-champ. Mon cœur tambourine, ma respiration est irrégulière. Je ne veux pas qu'il voie que j'ai peur, mais je sens un frisson de terreur en repensant à des mains qui me tirent… m'embarquent… C'était lui.

– Oh crois-moi, il en a quelque chose à foutre. L'observer, c'est devenu ma religion. Mon père voulait que je sois comme lui, ricane-t-il. Il est amoureux de toi. Il a ton nom sur sa liste depuis des siècles et il a remonté la liste depuis le numéro quarante-huit, au lieu de le faire dans l'ordre, tout ça pour retarder le moment où il devrait collecter ton argent. En attendant, il disparaissait de temps en temps et je le voyais te regarder sur les caméras de l'Underground. Tous ces combats auxquels tu as assisté ? Greyson te regardait. Il te met sur pause, te rembobine, te passe en boucle. Oh, tu es plus importante pour lui que n'importe quoi d'autre dans la vie, et je voulais le foutre en l'air ! Je voulais lui faire croire qu'il t'avait perdue aussi. Je voulais qu'il soit tellement paumé qu'il ne pourrait pas terminer la liste, et l'Underground finirait à sa place. Entre mes mains.

Il rigole tout seul, d'un rire qui contient une rage innommable.

– Il a même fait promettre à mon père que personne ne toucherait à ses cibles… Tout ça parce que ce connard voulait que personne ne s'approche de toi.

Il me lance un regard de biais et son sourire est le plus faux que j'aie jamais vu.

– Fais-moi confiance, « princesse », il en a beaucoup à foutre, de toi, plus que de n'importe quoi d'autre. Avant, c'était impossible de négocier avec lui. Sa mère avait disparu. Il se fout complètement de notre père. Il se foutait même d'être vivant ou pas. Avant toi…

Ce rire, encore, qui déclenche toutes les alertes de mon organisme bien que je ne puisse fuir nulle part ; je suis piégée, piégée en pleine lumière, à l'arrière de cette voiture.

– Greyson est intelligent, méthodique, dit son demi-frère, en plissant ses yeux rivés sur mon visage. Mais il n'a pas ce qu'il faut. Il veut faire les choses trop proprement, trop gentiment : un mec bien qui ferait des affaires. Mais c'est mon monde. Il n'en veut même pas. Il ne fait tout ça que pour retrouver sa mère.

Il sourit encore, rit à nouveau. Je déteste ce sourire. Je hais ce rire.

– Ouais, Grey le joli garçon pense que Papa est un méchant. Il passe son temps à sauver des gens. Il tue pour les mauvaises raisons. C'est un sale monde, l'Underground. Quand mon père ne sera plus là, Zéro va le transformer en entreprise crédible ? Et quoi, on va s'asseoir autour d'une table et entamer des putains de négociations ? rigole-t-il. Ce n'est pas comme ça que fonctionne l'Underground ; tant que je serai vivant, ça ne fonctionnera pas comme ça. Maintenant je t'ai toi, alors je le tiens. Maintenant, c'est moi qui vais sortir une femme de sa vie.

– Vous pouvez négocier sans moi. Il ne veut plus de moi, je lui affirme. Pourquoi est-ce qu'on ne va pas voir sa mère… je suggère.

– Putain, personne ne sait où est cette pute à part Slaughter, et il ne dira RIEN !

Il tourne le volant d'un coup sec et nous balance sur le côté, puis il me jette un regard noir en redressant la voiture.

– Mon Dieu ! Ça me dépasse que mon frère brillant et talentueux se soit fait avoir par une bimbo comme toi. Mais je suis sûre que tu suces bien.

Je garde le silence, trop effrayée pour parler. Greyson croit que je suis partie. Il m'a laissée PARTIR. Il ne viendra pas me chercher. Je connais la teinte exacte des yeux de Grey quand il me regarde. Je sais qu'il dort avec un bras sous l'oreiller, sur le ventre avec la tête tournée vers moi. Je sais qu'il a l'odeur d'une forêt où je veux me perdre, pour toujours, et que l'on ne me retrouve jamais.

Et je ne sais rien de ses activités criminelles à la con. Mis à part qu'il me les cachait. Et maintenant, je ne sais même pas si son frère est dangereux. Si c'est un violeur et un meurtrier, en plus d'être un kidnappeur. S'il ne m'enlève que pour une rançon ou s'il a l'intention de me torturer simplement parce qu'il le peut… Putain, je ne sais pas quoi faire !

– Vas-y. Juge-moi. Je m'en fous, crache-t-il.

Il conduit la voiture dans un garage souterrain et ferme la porte derrière nous, puis il me sort de l'arrière de la voiture, en tenant l'arme contre ma tempe. De l'acier. Froid. Dur. Mon estomac s'agite quand il saisit mon bras et me tire vers l'ascenseur.

– Dis-moi, dit-il pendant que nous montons, et je l'entends à peine par-dessus les battements de mon propre cœur. Qui faisait le sale boulot de Slaughter quand son Greyson adoré s'est tiré ? J'étais sûr qu'il ne reviendrait jamais, mais oh, non. Julian était presque prêt à se mettre à genoux. Il avait trop peur de perdre son fils prodigue. Quand Julian a appris qu'il était malade, il n'arrivait plus à dormir en pensant qu'il ne reverrait jamais son précieux Zéro, que son Underground – tous les combats, les paris, les affaire bien lucratives, le prestige chez les autres ligues de combat – serait perdu si Zéro n'était pas aux commandes.

J'entends ses mots, mais je sens encore plus fort la rancune qu'il déverse sur moi. *Mets-lui un coup de pied dans les couilles, Mélanie !* Mais je suis paralysée.

– Tu vois, je ne suis pas jaloux.

Mélanie, retourne-toi, enfuis-toi !

Cela paraît si facile à la télé, mais mes pauvres genoux… mes pauvres genoux sont en mousse et il semblerait que je ne puisse pas courir même si ma vie en dépend.

– Quand notre père mourra, Greyson n'aura rien tant que je t'aurai, toi, continue Wyatt en ouvrant la porte de l'ascenseur pour me pousser dans un loft abandonné, dont le sol est recouvert de morceaux de bois et de pots de peinture séchée. Assieds-toi sur cette foutue chaise ou je te tire dans les jambes.

Je me laisse tomber sur la chaise sans me poser de questions, en serrant la mâchoire pour empêcher mes dents de claquer.

– Il est en train de mourir. Et je t'ai. Greyson a perdu. Il n'a pas terminé la liste et il va perdre. Même s'il se bat contre moi, s'il veut te récupérer, il faudra qu'il laisse tomber l'Underground en échange, et je devrai le tuer. Et toi, si tu veux vivre, laisse-moi te baiser un bon petit coup et on verra, dit-il en me regardant. Eh oui, Mélanie, tu vois, moi aussi je te regarde ces derniers temps. Toutes ces vidéos qu'il fait tourner… Je te regarde aussi. Tes seins qui sautent. Toi qui cries «Riptiiide !». Ouais, il n'y a pas que mon frère que tu fais bander.

Wyatt commence à attacher mes bras dans mon dos avec une grosse corde en chanvre. La peur. Elle me ronge, maintenant. J'entends le bruit de mes dents qui s'entrechoquent. Le vent qui siffle dehors. Il m'attache et je cligne plusieurs fois des yeux car non, je ne veux pas que ce trou du cul me voie pleurer.

– Quand il va te trouver, il te tuera, dis-je d'une voix rauque dont je déteste le son, car on y entend ma peur.

Il rit.

– Chérie, je suis déjà mort, répond-il en se penchant au-dessus de moi. Et non, il ne me tuera pas. Tu vois, c'est ça son problème. Il n'aime pas tuer. Il ne le fait que quand il n'a pas le choix. Mais je suis la seule famille qu'il lui reste. Il se sent encore responsable de moi. Toujours à me sortir de la merde où je me mets. Il aura l'impression, quelque part dans cette partie de lui qui déteste être un Slater, que c'est la faute de mon père si je suis aussi comme ça. Il me laissera vivre.

Il attache quelque chose autour de ma bouche et s'en va pendant un moment. D'un coup, plus rien ne bouge, et c'est le silence qui m'effraie le plus. Le besoin de pleurer brûle mes yeux. Ma gorge est irritée, ma langue est sèche et collante sous le tissu qu'il a passé autour de mon cou. Je vais peut-être mourir aujourd'hui.

Je me suis déçue moi-même, ainsi que ma sœur, et mes parents. Et cela ne me console pas de savoir que la dernière fois que j'ai vu le seul homme que j'aie jamais aimé, j'ai jeté notre amour par la fenêtre. *Oh mon Dieu.*

Je lui ai dit à quel point il ne me convenait pas, jamais combien il était parfait pour moi. Il n'a jamais su que j'étais heureuse, merveilleusement heureuse — bien qu'effrayée — d'être amoureuse de lui. Je ne lui ai pas dit que je pense avoir craqué dès le moment où il a couru sous la pluie pour que je ne sois pas trempée. Je ne lui ai jamais dit que, au fond, je pense que c'est sexy qu'il soit méchant, et encore plus sexy qu'il soit bon pour faire ça. Je ne lui ai jamais dit que, même après qu'il m'eut menti, j'étais sûre qu'il ne me ferait jamais de mal. Je ne lui ai jamais rien dit de tout cela, j'ai seulement dit que j'avais peur. Petite dégonflée.

Il ne saura jamais que je crois, sans l'ombre d'un doute, que par un cruel coup du sort ou un don du ciel, il est à moi. Et que j'étais à lui bien avant qu'il ne m'ait touchée. Il est tout ce que je voulais sans le savoir et tout ce dont j'ai besoin désormais. J'y croyais assez fort pour revenir. Assez pour quitter mon pays de conte de fées et le suivre droit dans son Underground excitant et terrifiant. Il ne le saura peut-être jamais.

Du bruit provient de la pièce d'à côté et j'ai des nœuds dans l'estomac en voyant Wyatt revenir. Je suis prise de tremblotements incontrôlables, alors que j'essaie d'user avec mes ongles la corde qui brûle mes poignets. J'ai des cheveux partout sur le visage. Je déteste ça. Je déteste ça ! Tous mes muscles sont tendus et le sang court dans mes veines à toute allure afin de me faire bouger, pour m'aider à m'échapper. La chaise grince sous mon poids et le bruit me fait grimacer.

Wyatt marche vers une petite fenêtre cassée et jette un œil dehors, puis il incline sa tête vers moi et me fixe, me scrute, attachée sur la chaise. Ses yeux sont clairement libidineux, ce qui décuple ma peur. *Oh mon Dieu cela n'est pas vraiment en train de se passer !*

Une décharge d'adrénaline traverse mon corps. En retenant mon souffle, je rapproche mes deux poignets et sors mon pouce du nœud, tout en me servant de mon ongle pour essayer de trouver une ouverture dans la corde et l'ouvrir. La corde se détend quand j'y enfonce un pouce, puis l'autre, et je la sépare des deux côtés, je fais comme si je m'étirais et cambre le dos pour libérer une main, puis l'autre.

En moins de trois secondes, il m'a sauté dessus. Il serre mes cheveux dans son poing et me tire de la chaise, puis me jette face contre terre sur un matelas de fortune.

– Qu'est-ce que tu essayais de faire, hein ? T'échapper ?

Je me tords dans tous les sens, me débats pour m'enfuir, mais il me retourne et m'immobilise avec ses hanches en écrasant mes seins dans ses mains. Le sang cogne dans mes veines et mon visage rougit d'humiliation tandis que je me débats toujours.

– Ne me touche pas, connard ! je crie en le poussant et essayant de me servir de mes genoux.

Il soulève mes bras et je tourne la tête, mords sans regarder, et arrache un morceau de chair. Il hurle et je parviens à me dégager, haletante, je reprends mes repères et mon cœur continue à battre frénétiquement dans ma gorge. Il rugit, se lance vers moi et quand je le tape avec mon talon, le flingue tombe par terre. Je crache le sang qu'il reste dans ma bouche après l'avoir mordu, j'attrape l'arme et me tourne rapidement lorsqu'il le fait tomber d'un coup de pied.

– Salope.

Il me donne une gifle.

La douleur me déchire, puis il me prend par la gorge et me soulève, et la souffrance et le besoin d'oxygène hurlent en moi à chaque souffle qui sort de ma bouche. Il récupère l'arme et je la lui fais lâcher, puis remonte mon genou pour le faire atterrir dans ses couilles.

– Ooouuh.

Il me laisse tomber. Je commence à courir vers l'ascenseur, mais je sprinte en voyant les escaliers de secours trois mètres à côté, je prends la poignée de la porte, la secoue, j'essaie d'ouvrir, je gueule dessus :

– Allez, allez !

Mais elle est bloquée, et je m'apprête à la défoncer quand j'entends les portes de l'ascenseur s'ouvrir, et des hurlements énervés derrière moi.

– Ramène-toi là, sale petite pute !

C'est à ce moment que la porte que je peine à ouvrir cède enfin. Elle s'ouvre en grand, vers l'extérieur, et je suis tellement bien agrippée à la poignée que je tombe vers l'avant et fais un grand pas… pour me rendre compte qu'il n'y a pas d'escaliers, seulement une chute de cinq étages. Mon corps plonge dans le néant lorsque j'entends le cri le plus désespéré que j'aie entendu de toute ma vie, un cri qui me glace le sang : « NON ! PRINCESSE ! »

Je m'écrase dans l'obscurité.

TOMBÉE

Greyson

Mon monde s'écroule.

Je regarde Mélanie disparaître dans le trou béant de la porte ouverte. Je ne me contrôle plus. Je m'entends hurler encore une fois «PRINCESSE!» en fonçant vers l'espace vide. Mon frère se jette sur moi, me tacle contre un mur et me prend le bras avec lequel je tiens mon arme. Je le maîtrise sans difficulté, je glisse mon SIG entre nous deux et le pointe droit sur sa cage thoracique.

BOUM!

Il braille et je laisse tomber son corps qui se tortille sur le sol, puis je lâche mon arme pour courir vers la porte ouverte. Ma poitrine est compressée. Je n'arrive pas à respirer. Cinq étages plus bas, je vois une tache de cheveux blonds.

– MÉLANIE!

Pas de réponse. Derek sort de l'ascenseur et est tout de suite à mes côtés, il déroule une corde tandis que j'aboie:

– Descends-moi.

Je prends le bout de la corde et il me fait lentement descendre un étage, puis deux, jusqu'à ce qu'il n'y ait plus de corde, et je saute de l'équivalent de deux étages, et tombe sur le sol avec un juron.

– Appelle une ambulance, je crie vers Derek. Princesse…

Je me tourne sur le côté et rampe vers elle.

– Princesse…

Elle est pâle et inanimée. Ses joues sont striées de sang, qui coule de sa bouche et de son nez. Elle marmonne des paroles incompréhensibles.

– Bébé, dis-je en tendant ma main vers sa gorge pour prendre son pouls.

Je le sens, faible sous mes doigts. Mon cœur se serre et me fait mal. Putain, ça fait mal. Pour la première fois de ma vie, je me sens impuissant.

– Mélanie, reste avec moi.

J'ai l'air d'une gonzesse. À la supplier. Mais bordel de merde, elle ne peut pas me laisser. Elle ne peut pas me quitter.

Je touche l'arrière de sa nuque ; elle n'est pas cassée, mais je ne vais pas la déplacer. Je n'ose pas. Je prends simplement sa tête dans mes mains parce que je pensais que je ne reverrais jamais ce putain de visage, et je l'observe. Je la fixe. Ses yeux sont fermés, son sourire est parti, le sang coule de ses lèvres. Sans même m'en rendre compte, je baisse la tête et presse mes lèvres contre les siennes, j'embrasse ses lèvres ensanglantées, et ma voix devient rauque et se casse.

– Bébé, je t'ai dit de rester loin de moi.

Elle ne bouge pas. Je n'arrive pas à respirer. La pièce se referme sur nous, aspire tout l'oxygène. Je ne respire plus du tout.

– Mélanie, regarde ce que je t'ai fait.

Je repousse ses cheveux avec mes mains gantées. Je grogne de rage et retire mes gants, les glisse à l'arrière de mon jean, puis je prends ses cheveux de soie dans mes mains et les tresse, pour qu'elle n'ait pas à se soucier de les avoir sur son visage.

J'ai l'impression de perdre le contrôle, que je suis sur le point de craquer et que plus rien ne pourra me faire tenir en place.

– Reste avec moi, je la supplie encore, en soulevant sa main vers mes lèvres pour y poser un baiser, puis deux, et trois. Ne me quitte pas une fois de plus. Reste avec moi.

Je veux voir ses yeux. Ces yeux verts qui disent «sauve-moi». Putain de merde. J'ai besoin de la voir me sourire. Rire de moi. Me traiter de salaud. Me dire qu'elle m'aime. Lorsque les portes de l'ascenseur s'ouvrent au niveau de la cave, je tremble de rage en voyant Derek pousser mon frère vers moi. Mon Dieu, je vais le tuer.

Je fonce à travers la pièce jusqu'à l'endroit où se tient Wyatt, les bras attachés dans le dos, du sang coulant de son ventre. Il est blessé, mais ça ne me calme pas le moins du monde. J'ai envie de choper tous mes couteaux et de me mettre à découper ses membres, morceau par morceau. Je veux l'entendre crier, je veux faire couler son sang, je veux ma VENGEANCE POUR CE QU'IL LUI EST ARRIVÉ.

Déchaîné par la souffrance, j'écrase mon poing sur son visage.

– Pourquoi tu l'as kidnappée? Pourquoi? Sale fils de pute, POURQUOI ELLE?

– Pour te faire chier, toi! me hurle-t-il en réponse, en postillonnant du sang.

– Qu'est-ce qu'elle a dit? je le secoue de toutes mes forces avant d'éclater mes phalanges sur sa mâchoire une deuxième fois. Ses derniers mots avant qu'elle tombe, qu'est-ce qu'elle a dit?

Il esquisse un sourire plein de sang, je le frappe encore et de l'hémoglobine gicle de sa bouche.

– Qu'est-ce qu'elle a dit, connard? je demande, la douleur est si profonde que je suis comme un animal.

Sans âme. Sans vie. Une machine à tuer, rien de plus. Une colère brutale bat en moi. Je suis fou furieux, je bous de l'intérieur, je souffre à l'intérieur. Je suis inadapté pour elle mais cela ne m'arrêtera pas. Elle est l'âme que je n'ai pas. Avant, je pensais être mort. Non. J'étais simplement endormi. Elle m'a réveillé, et maintenant, s'il lui arrive quelque chose, je suis mort. Un cadavre sur pattes. Il émet un grognement de douleur quand je le cogne encore.

– Tu l'as fait te supplier ? Tu l'as fait te supplier de la laisser partir ?

Wyatt ravale son souffle.

– Ouais, connard, je l'ai fait supplier.

– Comment elle t'a supplié ? Pendant combien de temps ?

– Écoute, j'étais énervé.

– Combien de temps est-ce qu'elle a supplié que tu lui laisses la vie ? Est-ce qu'elle a dit « s'il te plaît » ? Hein ?

– Quelques minutes. Juste quelques minutes !

– Est-ce qu'elle t'a dit que j'allais te tuer ? Est-ce qu'elle t'a dit que j'allais t'écorcher vivant ne serait-ce que pour avoir touché à un seul de ses cheveux ?

Je balance encore mon poing, il grogne et tombe sur le côté, emportant la chaise avec lui.

– Z, elle est tombée toute seule… ! m'implore-t-il. Je l'avais seulement enlevée pour que tu ne puisses pas finir la liste !

– Tu l'as touchée, petit con, non ?

– OUI ! J'ai peloté ses seins, je voulais te foutre en colère !

J'envoie mes poings sur lui, plusieurs fois, en hurlant.

– Félicitations, je suis en colère. Et maintenant. Tu es MORT !

Je le tabasse, j'enroule un bras autour de son cou et commence à serrer pour lui ôter la vie.

Promets-moi que tu ne vas tuer personne. Ses mots reviennent me hanter. Mes yeux se mettent à piquer quand je me rappelle l'espoir dans ses yeux ce soir-là. *Promets-moi que tu ne vas tuer personne.* Vaincu, je gronde et le relâche, haletant, tandis que je reprends mon souffle et passe mon bras sur mes yeux mouillés. *Promets-moi que tu ne vas tuer personne…*

– Zéro, j'entends quelqu'un crier. L'ambulance est arrivée.

Je marche vers ma femme inconsciente, toujours étendue au même endroit, et je tombe à genoux, prends sa main dans la mienne.

– Tu te souviens quand je t'ai dit que je ne suppliais jamais ? je murmure. Je t'en supplie, reviens-moi.

***

Quand j'avais treize ans, j'ai perdu ce que j'avais de plus précieux. Puis j'ai bâti une forteresse autour de moi pour ne plus jamais perdre quoi que ce soit qui compte pour moi. Pour ne plus jamais me sentir perdu, trahi, seul, ou kidnappé.

Je suis devenu aussi froid que de la glace et aussi calculateur qu'un robot. Je ne m'ouvrais à personne. Je n'aimais personne, même pas ma famille. Et cela fonctionne très bien tant qu'on ne baisse pas sa garde. Et puis au bout d'un moment, tu t'ouvres à quelqu'un.

Une fille blonde, aux yeux verts, qui rigole pour un rien. Qui aime tout et tout le monde. Qui trouve une connexion avec les gens, comme si elle était née pour faire ça. Et tu commences à espérer, au plus profond de toi, qu'elle trouve une connexion avec toi. Et bien que tu sois infernal, que tu sois un salaud, que tu lui mentes, que tu refuses de partager avec elle la vérité sur toi, elle finit par se lier à toi. Elle ouvre la porte et entre en toi avant que tu aies pu t'en rendre compte, et tu te sens si entier, si chanceux, que tu claques la porte et l'enfermes à l'intérieur, pour te protéger, pour la protéger.

Jusqu'à réaliser que tu es foutu. Jusqu'à ce que tu ne sois plus froid, que tu ne sois plus un robot. Tu portes ta faiblesse dans ton cœur et sa douleur est la tienne. Jusqu'à ce que son sourire soit ta raison de vivre. Jusqu'à ce que tu sois assis sur une chaise d'hôpital, à attendre et à prier pour la première fois de ta vie, prier un dieu qui ne t'a jamais écouté quand tu le priais de te laisser revoir ta mère.

Tu pries encore car, ici, Zéro n'a aucun pouvoir. Ton argent n'a pas de poids, ici. Plus rien ne compte à part ta volonté, et tu ne peux rien faire d'autre que prier, pitié, pas elle. Mais c'est elle.

Les médecins sont sortis pour me parler. Pour me donner les nouvelles. Elle est dans le coma. Elle a du mal à respirer seule. Elle est quelque part loin d'ici, dans un lieu où je n'existe pas, où je ne peux pas l'atteindre, je ne peux pas la protéger. Et je peux encore la voir, la sentir, l'entendre. J'ai besoin d'elle. JE L'AIME À EN TUER LA LUMIÈRE DU JOUR.

Elle ne l'a jamais su. Et merde, moi non plus je ne le savais pas. Ni l'un ni l'autre. J'essuie mes yeux avec ma manche car ils me brûlent à nouveau, puis je garde les yeux fixés sur le texto que C.C. m'a envoyé il y a quelques minutes, incapable de réagir.

« TON PÈRE VIENT DE DÉCÉDER. »

Sans un mot, je me lève et vais la regarder à travers la vitre, ma seule et unique princesse, puis je me dirige vers le bout du couloir pour aller organiser les funérailles de mon père.

***

– Félicitations, Z.

– Félicitations, Z !

– Zéro, félicitations !

Nous arrivons au camp le lendemain des funérailles de mon père, et je fronce les sourcils en voyant Éric qui s'approche doucement avec une grande caisse en métal fermée.

– Qu'est-ce que c'est ? je demande.

Il n'y a pas que la réaction de l'équipe qui me déstabilise, mais aussi les objets qu'il tient dans ses mains.

– Tout, Greyson. La propriété de l'Underground. Quelque chose qui appartenait à ta mère. Et ça.

Je ne comprends pas lorsqu'il me tend une enveloppe, mais mon cerveau ne vaut plus rien maintenant. Je ne vaux plus rien. J'ai l'impression d'être un animal écrasé sur la route. Cela fait quarante heures que je n'ai pas mangé. Que je n'ai pas dormi. Que je ne me suis pas lavé.

– Je n'ai pas terminé la liste, Éric, je me sens obligé de préciser.

– Si. Au moment où ton père est mort, tous les noms de cette liste avaient payé leur dette.

– Pas Mélanie…

– Son ami a apporté le paiement à sa place.

Il sort le collier de sa poche, et je tombe presque en voyant ce bijou que je connais bien, qui brille dans tous les sens. Les diamants étincèlent, et je touche le collier qu'elle portait à son cou.

Je suis assailli de souvenirs. Mélanie qui me demande de quelle liste je parle. Mélanie qui veut entrer dans ma salle blindée. Mélanie qui cuisine pour moi. Mélanie, Mélanie, Mélanie. Je veux voir ses yeux briller de mille feux. Je veux voir ses yeux ouverts ME REGARDER COMME ELLE LE FAIT TOUJOURS ! Avec de la vie dans les yeux. Comme si j'étais son dieu. Comme si j'étais son mec.

Princesse, tu réalises ce que cela veut dire ? j'ai envie de lui dire quand je prends le collier dans les mains et le fixe alors que je sens une hache dans mon ventre, une tronçonneuse dans ma poitrine. *Tu m'as sauvé, bébé. Putain, tu m'as sauvé. Je peux trouver ma mère, maintenant.*

Mais il n'y a pas de joie dans mon cœur, même en sachant cela. Il n'y aura jamais de joie dans mon cœur si ces yeux verts ne finissent pas par s'ouvrir et me voir. Qu'ils me voient, même si c'est pour me dire à quel point je suis un salaud. Me dire que je suis la raison pour laquelle elle est comme ça.

– Alors c'est ça ? C'est l'endroit où elle est ? je demande à Éric en baissant les yeux sur l'enveloppe fermée, ma voix rauque à cause des émotions que j'essaie difficilement de cacher.

Il hoche la tête en direction de l'enveloppe. Celle qui contient l'information que j'attends depuis plus de dix ans. Quelque chose me griffe et me serre quand je prends le papier et le déchire pour l'ouvrir. J'ai attendu cela pendant treize ans. Treize. J'ai fait des choses effroyables pour l'obtenir, pour elle. Pour la retrouver. Pour essayer de la protéger.

En sortant le papier, je lis l'adresse écrite de la main de mon père, et c'est là que je comprends. Comme une torpille qui me rentre dedans, je comprends. Ma mère est dans un cimetière. Je reste là, j'assimile sans ciller, sans qu'un seul de mes muscles bouge. Je suis immobile, alors qu'en même temps une explosion nucléaire se déroule en moi. Voilà la raison pour laquelle je ne pouvais jamais la retrouver. Ma mère est morte.

Le certificat de décès date d'il y a plusieurs années. À peu près au moment où j'ai quitté l'Underground pour la chercher. Elle était sur une île, une île privée. C'est là qu'elle est morte. Mort naturelle, selon l'autopsie. Ma mère est morte, seule, sur une espèce d'île secrète qui va désormais m'appartenir.

Ma mère est morte. Mon père est mort. Et ma copine est… La savoir dans ce lit d'hôpital envoie une douleur fulminante à travers tout mon être. Comme lorsque je l'ai trouvée, évanouie, son crâne abîmé, se vidant de son sang, son petit corps pâle et inanimé. MA FEMME. Son cœur battait à peine dans son cou. Pâle et immobile, par terre, et tout ce que je voulais était la soulever dans mes bras.

Je fonce vers le bar et crie en enfonçant mon poing dans le mur.

***

Je me réveille entouré d'un silence surnaturel et de dizaines de bouteilles. Ce trou à rat ne peut pas être ma chambre. Je ne peux pas avoir dormi dans ce bordel.

Je grogne en me relevant et le tambour dans mon cerveau s'étend dans tout mon crâne. Je cligne des yeux et observe ce qui m'entoure, tout en prenant instinctivement mon flingue sous mon oreiller. Je l'arme en me mettant debout, je donne un coup de pied dans un coussin par terre. La chambre est saccagée, comme si un certain enfoiré avait l'intention que rien ne survive ici.

– Tu es vivant, mec ?

Je grogne et range mon arme en voyant C.C. Apparemment, une chose a survécu, contre la volonté de l'enfoiré en question : moi.

– Il te reste quelque chose à casser ici ? me demande-t-il.

– C'est moi qui ai fait ça ?

Donc j'ai foutu mon appart en l'air. Génial. Je suis tellement fier de moi.

– Bof, ça pourrait être pire. Frère, tu es une putain de légende, le roi de l'Underground, riche comme…

– Ma mère est morte. Ma mère est morte et ma copine est…

Je n'arrive pas à le dire. Mon cœur s'ouvre en deux quand je pense à elle. Je prends ma tête dans mes mains.

– Je suis désolé, Z. Je suis franchement désolé qu'on ne l'ait pas trouvée à temps.

– Elle revenait pour moi, C.C. Elle revenait pour moi malgré…

J'écarte les bras et regarde le bordel que j'ai foutu autour de moi, et cela me ressemble ; j'ai enfin la tête du criminel que j'étais destiné à être.

– Je suis peut-être adulé dans notre petit monde confidentiel, mais dehors, je suis une merde. Dehors, il y a vraiment quelque chose qui ne va pas chez nous, C.C. Et une fille comme elle peut trouver bien mieux que moi. Et elle revenait. Pour moi.

Il reste silencieux. Je commence à ramasser mes couteaux qui sont éparpillés un peu partout sur le sol.

— Si je fais ça, C.C., si c'est à moi de gérer l'Underground… Les choses vont changer.

— Qu'est-ce que je fais pour Wyatt ?

— Mets-le en prison. Mets tous les problèmes de l'Underground et de mon père sur son dos. On fait place nette et on repart de zéro.

Je le regarde.

— C.C., je veux être l'homme qu'elle veut. L'homme dont elle a besoin. L'homme que je pourrais être.

— Z, elle ne se réveillera peut-être jamais. Elle pourrait rester comme ça pendant des mois, jusqu'à ce que sa famille décide qu'il est temps de débrancher le…

Je l'attrape par la chemise et le mets en garde.

— Ne finis pas cette foutue phrase !

C.C. se tait, et je me mets à ranger toutes mes armes.

— Grey, l'Underground va revivre avec toi. Ton père le ralentissait. Tu peux le développer, le faire passer au niveau supérieur. Tu peux donner plus à nos boxeurs, plus à nos clients.

— Je m'occuperai de tout ça. Je m'en occuperai, comme toujours, mais pas tout de suite. Pas maintenant. Je ne peux pas, dis-je en commençant à faire mon sac.

— Mec, où est-ce que tu vas dormir ?

— Pour l'instant, à l'hôpital.

Il me montre la boîte du doigt, la boîte de ma mère, sur le lit.

— Tu ne vas pas l'ouvrir avant de partir ?

C'est une boîte en métal, assez grande. Je la regarde pendant un bon moment, happé par son image. Je touche le dessus et j'aimerais pouvoir lui parler. *Je suis désolé d'avoir échoué. Je suis tellement désolé de t'avoir déçue.*

Je n'ai pas pu lui prouver que je pouvais être bon et raisonné, et j'ai tué un homme. Je ne l'ai pas retrouvée à temps. Je suis devenu ce qu'elle fuyait depuis aussi loin que je me souvienne. Elle est morte persuadée que j'étais un tueur, et que je ne voulais probablement jamais la revoir. Elle est morte en pensant que j'étais un criminel tout comme l'homme qu'elle détestait, mon père. La raison pour laquelle j'ai perdu ma mère est la même que celle pour laquelle j'ai perdu la femme que j'aime. L'Underground.

C.C. s'en va, je serre le poing autour de la clé et je fixe la serrure. La boîte est vieille, un peu plus grosse qu'une boîte à chaussures, mais en métal.

– Fait chier.

Je me force à pousser la clé dans la serrure et à l'ouvrir. Je soulève le couvercle, lourd et grinçant. Puis je regarde à l'intérieur. Il y a un pendentif avec un diamant que je me rappelle avoir vu à son cou. Très simple. Il porte encore son odeur. Je sors des photos de moi. Quinze ans ? Check. Dix-huit ans ? Check. Vingt ans ? Check. À chaque fois, je suis en train de m'entraîner au lancer de couteaux ou au tir, je ne vois pas l'appareil photo. Putain, quelle belle façon de dire bonjour à sa mère !

Puis je trouve un tas de lettres attachées par un ruban blanc. Livrées par messager, sûrement. Pas d'adresse. Juste son nom sur les enveloppes. J'ouvre les trois et reconnais immédiatement l'écriture de mon père.

Lana,

On m'a dit que tu avais été peu coopérative ces derniers temps. Laisse-moi te dire à quel point je serai coopératif si tu arrêtes de vouloir quitter l'île…

J

Lana,

Il va bien. T'attendais-tu à moins de la part de mon fils ? Il se surpasse quand il est sous pression, et en ce moment, il se surpasse. Si tu me demandes

*s'il pose des questions sur toi ? Oui. Je lui ai affirmé que tu allais bien.
Ne me fais pas mentir.*

*Je ne peux pas promettre que je te laisserai le voir et que je risquerai de
perdre tout le travail que j'ai accompli jusqu'à maintenant, mais c'est dans
son intérêt et le tien que je t'aie à la bonne.*

J

P.S. : Le cuisinier n'est pas sur l'île pour rien. Mange.

Lana,

*Comme tu l'as demandé, il est arrivé sur les quais. J'ai accepté le marché
à condition que tu coopères ; il sera caduc à la seconde où tu t'opposes à moi
ou à ce que je veux.*

J

Fils de pute ! Même en la gardant enfermée, il voulait qu'elle
accepte son sort sans rien faire ? Je grince des dents en sortant le
reste du contenu de la boîte. Un trousseau de clés tombe par terre.
Je m'apprête à me baisser pour le ramasser mais je vois, au fond de
la boîte, une autre lettre.

Et celle-ci m'est adressée.

À mon fils Greyson,

*Je me souviens de toi. Chaque jour, je me demande ce que tu fais et
comment tu as grandi. Je demande des photos, et comme tu peux le voir,
j'en ai reçu quelques-unes. Tu es aussi beau que j'imaginais. Je les regarde,
et j'espère que ta force intérieure résistera à la vie avec un homme aussi dur
que ton père. Mais j'essaie de faire comme si tu allais bien. J'essaie de me
rappeler comme tu es fort, résistant, et je me dis qu'un jour tu te sépareras
de ton père et l'on ne pourra plus t'arrêter. Tu deviendras exactement ce que
tu veux être.*

Je t'ai écrit des milliards de lettres, mais tu n'en reçois aucune. Alors j'ai mis celle-ci de côté pour être sûre que, d'une façon ou d'une autre, tu la liras.

Je me souviens de toutes nos années ensemble, je m'y raccroche. Et de toutes ces années, je me souviens surtout de notre vie à Seattle. Tu aimais bien quand nous marchions sur les quais.

Nous regardions les yachts et nous nous demandions comment ce serait d'avoir une maison qui donne autant de liberté.

Nous voulions tous les deux arrêter de fuir, tu te souviens ? Nous étions fatigués d'aller de ville en ville, de maison en maison, et pourtant à chaque fois que je te disais de préparer tes affaires, tu le faisais sans te plaindre, sans rien dire.

Je n'ai jamais oublié que tu étais un fils noble, et je n'ai jamais oublié ces journées. Je n'ai pas oublié quand nous avons déménagé à Dallas, dans l'Ohio, en Pennsylvanie, ou à Boston.

Maintenant, je suis entourée d'eau. Depuis que je suis arrivée ici, j'ai vu ces magnifiques yachts passer, et je suis devenue obsédée par l'idée de trouver un moyen qu'un jour tu aies un bateau à toi, avec lequel tu pourrais voguer loin de tous tes soucis, loin de tous ces hommes mauvais autour de toi.

Finalement, je n'ai pas trouvé d'autre moyen de le faire qu'en coopérant avec ton père. Essayer de m'échapper est inutile. Et même si j'y parvenais, qui me dit qu'il ne défoulera pas sa colère sur toi avant que je te rejoigne ?

Je reste tranquille et j'essaie de faire avec ce que j'ai. Ce que j'ai de mieux, c'est toi, Greyson.

Dans cette boîte, tu trouveras le peu de choses qui ont de la valeur pour moi, en particulier les clés du bateau que je voulais que tu aies. Ce n'est pas grand-chose, et c'est loin d'être tout ce que j'aurais voulu te donner, mais j'espère que l'océan t'apportera le genre de réconfort qu'il m'a donné depuis tout ce temps.

Ta mère qui t'aime,
Lana

26

DANS LE NOIR
Mélanie

Le noir. Le froid. Des bips. Je me sens seule. Je me sens vide. Je veux bouger, ouvrir mes yeux, car j'entends des voix autour de moi. Pourquoi je ne peux pas bouger ? Je ne me rappelle pas. Je vois des visages. Une femme. Un homme. Je les connais. Je reconnais des voix.

– Mélanie ? demande-t-elle. Chérie, tu te souviens de nous ?

Je cligne des yeux et la lumière brûle mes rétines.

Qui... OÙ...

La panique s'installe, et c'est là que je vois la grande silhouette à l'autre bout de la pièce. Mon corps frissonne, pas à cause de la peur mais d'une émotion instinctive et mon cœur se met à battre très fort. Son visage est tiré, j'y vois du remords, et de l'angoisse. Voir sa douleur me paralyse. Je souffre quelque part, tout au fond. Je ne comprends pas comment une douleur peut être aussi profonde.

Mes lèvres s'ouvrent mais je ne peux pas parler, puis la femme enfonce un tuyau dans ma bouche. J'avale froidement, ma gorge est irritée. L'homme, lui, il est tout ce que je veux voir, se décolle du mur et se rapproche de moi, ses yeux m'inspectent, mon front, mes sourcils, mon nez, mes lèvres, mes pommettes, mon cou.

Une chaleur picote dans tout mon corps lorsqu'il est assez près pour que je puisse sentir une autre odeur que le désinfectant. Forêt. Forêt. Mon cerveau me hurle des bribes de pensées. Forêt. Baisers.

Forêt. Amour. Forêt. Danger. Une larme coule sur ma joue quand j'ouvre à nouveau la bouche, mais aucun son ne sort.

— Oh, je crois… Peut-être que tu devrais sortir, lui chuchote la femme. Pas la femme. Ma mère. Ma mère, qui me tenait dans ses bras quand j'avais trois, dix, quinze ans… Qu'est-ce qui s'est passé après ?

L'homme hésite. L'HOMME me regarde comme s'il s'était égaré lui-même et qu'il pensait ne jamais retrouver ce qu'il avait perdu.

— Non, dis-je en râpant ma gorge. Ne pars pas.

Ses yeux se tournent vers mes parents puis reviennent sur moi, et dans la profondeur de ces mares vert noisette, je distingue un tourbillon de sentiments. Frustration, regrets, et un autre plus puissant…

Cet homme m'aime… Ses yeux sont rouges, mais cet homme a l'air fier et rien ne me convaincra qu'il ne s'est pas assis dans cette chaise là-bas pour pleurer pour moi. Il attend et eux s'en vont pour nous laisser tous les deux un moment. Il commence à murmurer très doucement, et le timbre grave de sa voix me trouble et m'apaise en même temps.

— Salut, princesse, dit-il en passant tendrement sa main sur ma tresse.

J'ai une tresse. Quelqu'un m'a fait une tresse. *Salut, princesse…*

Sa façon de me regarder, je peux à peine le supporter. Il se tient là, son corps vibrant de tension, il s'efforce de tenir le coup. Il a l'air désarmé. Aussi cassé que moi. Tous mes sens me font souffrir, mon corps me démange et j'ai mal aux bras, et mon âme brûle de l'envie de passer mes bras autour de lui, de me rapprocher de lui, de le consoler, mais je ne peux pas bouger et l'envie d'être avec lui m'étouffe et fait battre mon cœur de plus en plus vite.

– Est-ce que tu te rappelles ? me demande-t-il de cette voix douloureusement calme qui me fait fermer les yeux, et je me souviens de l'avoir entendue.

De l'avoir aimée.

– Les docteurs ont dit que tu te rappellerais peut-être... ou que tu oublierais peut-être certaines choses.

Je suis muette, je piège désespérément sa voix dans mes oreilles, elle est si belle.

– Tu es Mélanie Meyers Dean, dit-il de sa voix grave et profondément tendre. Le couple qui vient de sortir, ce sont tes parents. Tu es une adorable décoratrice de vingt-cinq ans. Tu adores porter trois couleurs à la fois. Tu aimes les choses qui te font du mal, tu aimes rire, et tu aimes...

Toi, me crie mon cerveau. Il s'est tu, comme s'il n'avait plus de mots, et scrute mon visage comme s'il n'avait pas bu une goutte d'eau depuis longtemps et que j'étais une oasis dans son désert.

– Mélanie, continue-t-il, en cherchant sur mon visage un signe de reconnaissance, il tend la main puis change d'avis et la baisse. Je suis Greyson King et je suis ton homme.

Il attend en silence, et il serre cette main en un poing comme si cela suffisait à l'empêcher de me toucher. Une grosse boule d'émotion grandit dans ma gorge, et alors que nous continuons de nous fixer, il semble de plus en plus désespéré. Il sort le bas de sa chemise de son pantalon et glisse ma main en dessous, sur son torse lisse et chaud, sur sa cicatrice, jusqu'à son téton percé. Je sens sa peau, sa chaleur filtrer en moi, et le battement de son cœur sur la paume de ma main. Il bat aussi vite que le mien, et des ruisseaux de larmes coulent sur mes joues. Des larmes de joie. Car je me sens protégée, et pas seule, car je suis inondée par tout l'amour que j'ai pour lui.

– Greyson, je sanglote.

Il laisse échapper un soupir tremblotant, comme s'il avait retenu son souffle tout ce temps, puis il effleure mes paupières de ses lèvres.

– Tu te souviens de moi ? Tu te souviens, princesse ? Tu sais ce que je fais ? Qui je suis ? Ce que tu représentes pour moi ?

Des pensées s'entrechoquent dans ma tête, l'une après l'autre. Moi qui le fuis. Moi qui cours vers lui. Moi, et lui. Moi et LUI. Gants noirs… Collier de diamants… Baisers dans le noir… Quasi sourire…

Je me sens étonnamment faible, mais même cette faiblesse ne m'empêche pas de glisser ma main sur son torse, sa nuque épaisse, sa mâchoire couverte d'une barbe de trois jours tandis que je le regarde dans les yeux, des yeux qui me regardent ainsi depuis le début. Comme Greyson King regarde Mélanie.

– Me souvenir de toi ? dis-je d'une voix rauque. Je suis revenue pour toi !

27

PARFAIT
Mélanie

C'est la soirée parfaite pour une fête. La soirée parfaite pour un baiser. La soirée la plus parfaite pour être amoureux.

Je suis assise sur la balustrade d'une terrasse en pierre calcaire, et ma jupe est remontée sur ma taille pour que Greyson puisse passer son corps entre mes cuisses. Il touche mon téton avec son pouce, et j'essaie de me retenir de gémir tout en le dévorant des yeux ; son corps revêtu d'un costume noir, ses cheveux décoiffés par mes mains, ses lèvres un peu rouges à cause de mon rouge à lèvres. Il me regarde aussi en glissant sa grande main chaude le long de ma cuisse pour tirer ma culotte. J'ai le souffle coupé quand il la glisse dans la poche de sa veste, et que sa main revient prendre mon sexe tandis que l'autre joue avec mon téton.

Est-ce que l'on peut mourir de plaisir ? Est-ce que l'on peut mourir de la façon dont son copain nous regarde, nous regarde, et nous regarde encore ? Je suis absolument folle de lui. Je ferais n'importe quoi pour cet homme. Et j'ai attendu et j'ai rêvé de ce moment pendant des mois.

Derrière lui, je vois la fête battre son plein, une fête qu'il a organisée pour mes vingt-cinq ans, un événement passé depuis trois bons mois. Mais ce genre de détails ne compte pas pour un homme comme Greyson King. Ce qui compte, c'est d'avoir ce qu'il veut.

Et d'après le collier de diamants Harry Winston qui pend à mon cou, d'après la fête somptueuse derrière nous, d'après la lueur dans ses yeux qui me dit presque dans le détail ce qu'il compte me faire ce soir, je n'ai aucun doute sur le fait que mon copain aura ce qu'il veut. Et tout ce que je pense, c'est : *Ce n'est pas trop tôt*.

Je m'inquiète car je ne suis pas sûre de pouvoir attendre que nous arrivions jusqu'à notre lit. *Peut-être que si j'ouvrais sa braguette et que je me rapprochais assez pour le chevaucher...* Mais en ce moment même, des centaines de nos amis déambulent dans la salle de bal. Parmi ces gens, il y a mon patron et mes collègues, mes parents, mes amis, ainsi que les anciens et nouveaux partenaires de Greyson. Les anciens, ce sont ses partenaires dangereux qui travaillent pour lui sur le circuit de l'Underground. Les nouveaux appartiennent au nouveau comité de la King Yacht Corporation, qu'il a fondée en l'honneur de sa mère.

N'importe qui pourrait sortir et nous voir. Lui, debout devant moi dans son élégant costume, et moi... mon brushing a disparu et mes cheveux sont en bataille, flottant au vent, mon corps frissonne sous ses mains, ses lèvres et le regard de ses beaux yeux noisette.

– Greyson... dis-je, comme une requête.

Il se sert de son corps pour me cacher des portes, il me surplombe et baisse la tête pour passer ses lèvres sur ma joue.

– Tu as l'air délicieuse, Mélanie, ton goût est délicieux. Qui est-ce qui te fait haleter comme ça ?

J'agrippe ses épaules pour résister au vertige exquis qui s'empare de moi.

– À ton avis ?

– J'attends ça depuis des mois, princesse. Des mois.

Il pince mon téton avec sa grande main et soulève le poids de mon sein jusqu'à ses lèvres, puis il couvre la pointe avec sa bouche.

Sa langue frotte contre le bout dur de mon sein, et je meurs. Je meurs lorsqu'il le suce, d'abord doucement, puis plus fort, ce qui déclenche une vague de désir le long de ma colonne vertébrale.

Je sais que Greyson est un homme qui n'a pas l'habitude d'aimer. Je ne crois pas qu'il ait aimé un seul être humain depuis qu'on lui a enlevé sa mère il y a plus de dix ans. Il n'a rien ressenti pendant toutes ces années… avant de me rencontrer.

Il a faim, maintenant. J'ai senti la faim grandir en lui à mesure que notre retour à Seattle approchait, quand je suis enfin sortie de l'hôpital. Il est affamé, et c'est un mâle, il se fout de tout le reste ce soir, car sans hésitation, il tire ma manche pour me dénuder et se met à sucer mon autre sein. Le trop-plein de désir me fait frémir, je prends ses cheveux cuivrés épais et tire sa tête vers le haut pour que ses lèvres tombent sur les miennes.

– Embrasse-moi, je grogne.

Il observe d'abord ma bouche, déjà embrassée par lui plus qu'il n'en faut. Il passe son index sur mon rouge à lèvres et enlève ce qu'il en reste. Il prend bien son temps, il fait traîner, je gémis et soupire quand il descend sa bouche pour mordiller ma lèvre inférieure. Nous gémissons et commençons à nous embrasser, et sa bouche fait fondre tout ce qui nous entoure, sauf lui. Il prend ma main et la glisse dans son cou, là où il la veut, et force mes doigts à s'enrouler dans le creux de sa nuque.

– Quelqu'un pourrait sortir à tout moment… je chuchote.

La brise me caresse délicatement. L'odeur salée de l'air après la pluie, du bitume et de l'herbe humide flotte dans mes narines. Mais plus que tout, c'est lui que je sens, la forêt mouillée. Le métal et le cuir. Son odeur.

– J'ai posté Derek devant les portes. Personne ne va s'aventurer ici.

Son murmure est plus un souffle qu'une voix, plutôt même un grognement. Il se recule de quelques millimètres, juste assez pour me regarder avec des yeux noisette qui brillent autant que toutes les étoiles du ciel au-dessus de nous.

— Et si mes amis veulent un peu d'air frais ? je réplique.

— Eh bien ma meuf prend toute la fraîcheur disponible ici.

Sourire en coin, il observe mon état de confusion totale. Mes cheveux volent autour de moi comme des fouets, je sens des mèches sur mes joues. Ma robe laisse voir tout ce qu'il y a de plus indécent. Mes talons s'enfoncent dans le bas de son dos, mes jambes sont enroulées autour de lui.

— Regarde-toi, toute sexy et folle de moi, murmure-t-il d'une voix épaisse en me dévorant des yeux.

Je frissonne et réponds :

— Et si j'ai oublié comment on fait ?

— Alors je devrai t'apprendre ce qui va où. Ma langue… commence-t-il en la passant sur ma lèvre supérieure. Tu vois, ma langue va là… continue-t-il en la rentrant, humide et brûlante, dans ma bouche. Mes doigts aiment bien être là, où c'est chaud et serré autour de moi. Avide de moi.

— Oh, Grey.

Je bouge les hanches quand il me pénètre avec un long doigt expert.

— Je n'ai pas de problème pour t'apprendre. Tu as cette belle chatte parfaite qui est faite pour ma queue. Tu n'es plus clouée au lit, Mélanie, murmure-t-il entre deux baisers, tout en enfonçant son doigt profondément en moi. Tu es très vivante… plus vivante que jamais, tes yeux verts étincèlent de vie, ton corps bat pour moi. Et cette magnifique chatte nue… chuchote-t-il en se penchant… plus bas… encore plus bas… et sa tête plonge entre mes jambes.

Il passe sa langue sur mon clitoris et une fusée de plaisir décolle en moi. Il garde une main dans mon dos et aspire mon clitoris dans sa bouche, roule sa langue sur la chair sensible, joue avec moi.

Je brûle et j'ai besoin de lui, désespérément. Je serre les poings derrière sa tête et tiens ses cheveux pour le bloquer contre moi. Maintenant, je sens ses lèvres sur mon clitoris, qui tirent doucement, et mon cœur bat encore plus vite lorsqu'il insère deux doigts dans ma chatte.

Cela fait des semaines… Plus de trois mois… À l'hôpital, d'abord le coma, puis la rééducation. Pendant tout ce temps, il a été là pour moi. Il était là pour moi quand je me suis réveillée, et à chaque fois que je m'endormais. Mes yeux piquent quand je sens un désir de jouir incontrôlable, et je sens en même temps un besoin incontrôlable de lui faire l'amour.

– Grey ! je m'écrie, en le tirant par les cheveux.

Il se recule et croise mon regard, puis il rajuste sa cravate noire et me sourit.

– Je t'adore comme ça, toute mouillée et chaude pour moi.

Il glisse ses hanches entre mes cuisses et me soulève dans ses bras, il fait pleuvoir des baisers sur mon visage en m'enlaçant dans ses épais bras musclés. Mes yeux se ferment. Il est dur contre mon sexe nu. Il pousse contre la braguette de son pantalon de costume mais je sais qu'il attend quelque chose de particulier ce soir. Il m'a dit qu'il attendait de sombrer en moi… de se perdre en moi… *Moi aussi !*

Mon sexe est encore humide et se contracte lorsque je pense à mon mec, le seul homme que j'aie jamais aimé, qui me fait l'amour. Enfin. Après des mois qui semblent être une vie passée à attendre. Il m'a dit qu'il avait besoin de me faire l'amour sans préservatif. Nous avons parlé aux médecins, et je prends une pilule contraceptive minidosée pour l'instant. Ils m'ont dit que cela ne pourrait être que temporaire car je suis aussi sous traitement anti-rejet de longue durée pour mon rein. Mais ce n'est pas grave. Nous profiterons de ces quelques mois jusqu'à n'en plus pouvoir.

Je suis tellement prête à le sentir, à être avec lui… Je ne voulais pas de cette fête. Je voulais juste rentrer chez moi et m'allonger dans le lit avec lui. Mais Greyson ne semblait pas se remettre du fait qu'il a raté mon vingt-cinquième anniversaire et il voulait se rattraper en grande pompe.

Il m'aide à arranger ma robe et pose un baiser chaud sur le dessus de mon oreille.

– Prête ?

– Avant, je réglaïs tous mes problèmes par une fête. Triste ? Fais la fête, ma fille. Énervée ? Fais la fête, ma fille. Tu t'ennuies ? Mais va juste faire la fête ! Comment se fait-il que ça ait perdu de son attrait ? je lui demande en faisant la grimace, tapotant son torse dur avec mon doigt. C'est ta faute, tu sais. Maintenant, les meilleures fêtes sont privées, et il n'y a que toi et moi, j'ajoute en glissant de la balustrade, d'une voix joueuse pour cacher le désir qui grandit en moi. Ne regarde pas mon cul quand je m'en vais.

– Pourquoi, tu le sens ?

– Oui !

Mes membres tremblent alors que je me dirige vers la salle.

– Putain, ta princesse, on en mangerait, dit Derek en m'ouvrant la porte.

Greyson lui donne une claque derrière la tête en passant.

– Excuse-toi.

Derek me regarde avec un demi-sourire à la dent argentée, et je fais un signe de la main pour lui dire que ce n'est pas la peine, en riant.

– Je te pardonne.

Greyson frappe à nouveau l'arrière de sa tête.

– Ne pense pas à elle, ne la regarde pas, et ne l'allume surtout pas. Ça, c'est mon boulot.

Je suis extrêmement amusée par sa jalousie et je me faufile dans la salle. Nous sommes accueillis par de grandes colonnes blanches et je vois déjà les gens à l'intérieur, tous curieux de rencontrer le PDG de la nouvelle King Yacht Corp., dont on dit qu'il est également à la tête d'un des plus grands circuits de boxe underground. Il est comme un JFK sexy et, tout à coup, je suis sa Caroline…

Je vois Pandora près de la fontaine à alcool, à côté de Kyle, ils se servent un autre verre de champagne. Ils me voient presque en même temps. Kyle me fait coucou, Pandora a un petit rictus et lève son verre, son regard est chaleureux. Apparemment, la seule tache de couleur dans la salle, c'est moi. Tout le monde est habillé en noir et banc, alors que je porte du rouge.

– C'est un gala en noir et blanc ? j'ai demandé à Greyson quand nous sommes arrivés.

Ses lèvres se sont retroussées.

– Rien n'est jamais noir et blanc avec toi.

Greyson passe sa main dans mon dos en me rejoignant, et mon pouls se met à accélérer tandis que je me remémore des images de notre passé. *Je m'appelle Greyson, Mélanie…* Je ferme les yeux et savoure ce souvenir. Quand j'étais dans le coma, je ne me rappelais de rien, mais lorsque je me suis réveillée, tous mes souvenirs me sont revenus d'un coup, à tel point que j'avais du mal à en dissocier certains.

Maintenant, j'adore mes souvenirs. Quel luxe de savoir qui l'on est, qui l'on aime, ce que l'on a fait hier, ce que l'on espère pour demain. Quel luxe de me rappeler le jour où j'ai rencontré l'homme que j'aime. Et je m'en souviens, chaque seconde.

Quand j'ouvre enfin les yeux, je sens son regard sur moi. Comme s'il attendait quelque chose… C'est à ce moment que, loin là-haut au plafond, la voûte artificielle blanche et élégante éclate au-dessus de nos têtes et qu'une pluie de ballons blancs, rouges et noirs, trois couleurs, s'abat sur nous. Je pousse un cri et penche la tête en arrière pour les regarder tomber, et j'écarte les bras pour les sentir rebondir dans mes mains. C'est magique, spécial, inoubliable.

Certains de mes amis prennent les longues et fines plumes posées sur les tables et s'en servent pour percer les ballons. Les moments où Greyson est le plus heureux sont quand je suis heureuse, je l'ai remarqué. Un sourire aux lèvres, penché en arrière avec les jambes écartées et les bras croisés, il me regarde rejoindre la fête et me mettre à éclater des ballons. La musique commence quand la plupart des ballons sont tombés sur la piste, les gens essaient de les éviter en dansant, et d'autres s'amusent à les faire éclater avec leurs pieds.

Je rigole et soulève ma robe pour planter les talons de mes chaussures dans les ballons. *Pop! Pop! POP!* Lorsque je lève les yeux, il me regarde toujours. Je perçois son bonheur comme si c'était le mien.

La chanson « This Is What It Feels Like » d'Armin van Buuren résonne autour de nous, et je me mets à danser au milieu de la pièce ; je la sens me traverser, puis je regarde Greyson tirer une chaise et s'asseoir, se pencher en avant, les coudes sur les genoux, ses yeux brillants plissés fixés sur moi pendant que je danse toute seule.

Il remplit sa veste à la perfection. Je vois ses bras musclés, le triangle parfait de ses larges épaules, sa taille fine et je veux le tout. Cette bouche qui paraît un peu plus rose que d'habitude à cause de mes baisers. Ces yeux affamés. Cet homme magnifique.

Il me regarde m'approcher avec un regard qui pétille d'amour, et j'ai l'impression qu'un poing serre mon estomac, car à cet instant je voudrais que tous ces gens explosent comme les ballons pour qu'il ne reste que nous. Lui et moi. Il sourit, et je lui rends son sourire, avec un chatouillis dans le fond du ventre.

Même avant que nous nous soyons rencontrés, il m'observait et je ne le savais pas. J'avais quelque chose qui lui appartenait, enfin à son père, et Greyson était devenu une ombre que je n'ai jamais remarquée ; mais lui, il m'avait remarquée ! Il aime me regarder. Alors je le laisse regarder autant qu'il veut pendant que je balance mes hanches jusqu'à lui, et quand je m'arrête à quelques mètres, il lève la main et me fait signe de me rapprocher avec son doigt.

Je recommence à marcher, et je ris quand il me prend par la taille et me pose sur ses genoux.

– Est-ce que tu sais à quel point tu es somptueuse ce soir ? dit-il dans un mélange de murmure et de grognement dans mon cou.

Je suis Bouton d'Or, il est Westley, qui a vaincu l'homme à six doigts et maintenant… nous pouvons être heureux. Nous sommes heureux. Il me tire plus près de son torse, il savoure ostensiblement la sensation de m'avoir, ainsi que mon odeur.

– Tu ne pourrais pas être plus sexy, princesse. Impossible. Je pourrais te regarder jusqu'à ce que tu tombes de fatigue, mais il va te falloir de l'énergie pour ce que j'ai prévu.

Sa voix sexy, si proche de mes oreilles, ricoche dans tout mon corps. Je me mets à embrasser sa mâchoire anguleuse.

– Quand ?

– Quand on rentre à l'appartement, promet-il d'une voix pleine de désir.

Il repousse mes cheveux de mon visage, et un chatouillement part de la racine de mes cheveux pour arriver à mes orteils. Il est tout ce que je respire, tout ce que je vois. Tout ce que je veux, tout ce dont j'ai besoin. Ses yeux, vert noisette et enflammés. Sa bouche. Ses lèvres qui ont l'air douces et fermes. Je suis traversée par un électrochoc lorsqu'il caresse mon dos nu avec sa main, et cette caresse dérègle mon pouls quand il ajoute d'une voix rauque :

– Je t'adore. Je te chéris. Je te vénère. Je crois bien que je vais te garder.

Mon corps entier réagit. Je me sens tellement chérie. *Sa femme.* Moi. Moi. Moi.

– Oui. Garde-moi. Aime-moi. Prends-moi fort ce soir, Grey. Aussi fort que tu prends tes hommes, je le provoque.

Ses gars le respectent, sont émerveillés devant lui, peut-être un peu effrayés aussi. Mais je n'ai pas peur de lui. Peut-être qu'il fait trembler des hommes qui font deux fois ma taille, mais pas moi. Bon, d'accord. Il me fait trembler. Il me fait vibrer d'amour. De désir. Mais jamais de peur. Car je sais qu'il ne me fera jamais de mal. En fait, il est le seul qui puisse me faire me sentir en sécurité.

Il ricane, d'un son grave et sourd.

– On ne peut pas diriger gentiment une fosse aux lions, mais je préfère exercer une main ferme et tendre sur ma princesse.

– Hmm. Et j'espère que tu es au courant que, dans mon cas, une main ne suffit pas. Tu dois te servir des deux !

Nous rions, et il frotte son visage contre moi comme il aime le faire. J'aime qu'il m'appelle princesse bien qu'il soit loin d'être un prince. Mais dans mon cœur, il est tellement plus. Il est mon roi.

***

Il est minuit passé quand nous arrivons devant notre immeuble. Bien sûr, c'était son appartement à lui, mais il m'a demandé d'emménager avec lui, et maintenant c'est aussi le mien. Nous traversons le hall d'entrée, nos mains entrelacées, lorsqu'il appuie sur le bouton de l'ascenseur et me surprend en me soulevant pour me porter dans ses bras.

– Heu ? Je peux marcher… dis-je.

– Je sais que tu peux faire beaucoup de choses, y compris me rendre fou avec cette démarche, mais tu vas avoir besoin de ton énergie pour ce que l'on va faire. Alors reste tranquille et accroche-toi.

Je lui adresse un sourire, fais exactement ce qu'il me dit, et chuchote dans son oreille pendant que l'ascenseur monte :

– Rien ne me fait me sentir plus vivante qu'être avec toi. Te sentir, te toucher, t'aimer.

J'embrasse son cou large et l'arrière de son oreille, ravie que nous soyons seuls dans l'ascenseur car je peux mordiller et embrasser amoureusement toutes les parties de lui qui sont à ma portée.

– Je t'aime, je murmure, en fermant les yeux pour inhaler son odeur, et je passe mes mains sur les pattes de son costume. Je t'aime tellement, l'odeur de ta peau, de tes cheveux et de tes chemises me manquait.

Il prend ma tête dans sa main et la tourne vers lui.

– Mélanie.

Sa façon de me regarder serre mon cœur, comme si j'étais un de ses rêves en chair et en os. Il prend ma bouche pour un long baiser torride jusqu'à ce que nous arrivions à notre étage. Puis il me porte hors de l'ascenseur et dans notre appartement. Je joue avec le col de sa chemise et murmure :

– Pose-moi pour que je puisse enlever mes chaussures et la robe que tu m'as achetée.

Il dépose un baiser sur ma bouche et me pose par terre, puis ferme la porte derrière nous.

– Une minute. Pas plus.

J'adore ce que je ressens quand nous arrivons dans cet endroit. Je l'ai décoré car il ne pouvait pas s'attendre à ce que nous vivions indéfiniment en mode spartiate, et j'essaie de nous construire un foyer, maintenant. C'était une étape énorme de ma vie, emménager avec un homme. Un homme que j'aime. Un homme qui est dangereux, puissant, insaisissable, généreux, secret, tout cela à la fois. Un homme à qui, malgré tout cela, je fais confiance pour me protéger.

– Je n'arrive toujours pas à m'habituer au fait de vivre ici avec toi, je confesse en admirant mon œuvre.

Les tableaux au-dessus de la cheminée. Le trio de plantes vertes, certaines plus grandes que d'autres, à côté de la fenêtre.

– Et je n'arrive pas à m'habituer aux merdes avec lesquelles je dois vivre pour être avec toi.

Je rigole, puis souris timidement alors qu'il me suit vers la chambre.

– Ne fais pas comme si tu n'aimais pas, parce que je t'ai demandé ton avis pour tout. Et je n'ai pas fini, tu sais. Je veux peindre la grande chambre en bleu roi, et ajouter du violet dans notre salon. Et après je compte…

– Ça suffit, bébé.

Nous sommes dans la chambre où il défait sa cravate. Oh mon Dieu…

Est-ce qu'il serait possible qu'il soit encore plus sexy ? Ouh la. Il est très décidé ce soir. Il balance sa cravate. Retire sa veste.

– Tu peux faire tout ce que tu veux de mon appartement, tant que je peux faire tout ce que je veux avec toi, me dit-il de sa voix la plus sexy.

Je n'ai aucune chance. Et je ne veux pas en avoir. J'enlève mes talons, les noirs avec la semelle rouge, qu'il m'a achetés, et je les pose délicatement sur le côté.

– Tu peux me faire toutes les propositions indécentes que tu veux, la réponse est oui, M. King.

– Bonne réponse, princesse, dit-il avec des yeux qui scintillent.

Il sort ma culotte de sa veste, la garde dans sa main et me fait signe avec son autre main.

– Viens là, princesse, murmure-t-il finalement.

Son ordre est sensuel. Chaud.

– Je suis là, je rétorque.

Il jette ma culotte sur une chaise près de la fenêtre.

– Tu es tout là-bas de l'autre côté du lit. Et je te veux ici.

Oh mon Dieu. Vraiment. Il veut que je vienne où il est. Il commence à déboutonner sa chemise et toute cette peau bronzée que je vois nargue mes doigts. Je me mets à marcher, je l'entends chuchoter « c'est ça, princesse », et sa voix est un frisson dans ma nuque lorsqu'il fait les derniers pas qui nous séparent. Je commence à trembler à cause de l'adrénaline quand je prends l'arrière de sa tête et passe tout de suite mes lèvres sur sa mâchoire forte, puis je murmure dans son oreille :

– Oui.

Il laisse échapper un grognement rauque, en glissant ses mains dans mon dos, il me tient contre son corps, et son érection impressionnante appuie contre mon bassin.

– Tu ne sais même pas ce que je vais te demander… réplique-t-il.

– C'est oui, Greyson, je chuchote en levant les yeux vers son visage dur. Je veux te sentir. Je ne veux rien entre nous. On en a déjà parlé. Je prends la pilule, tu es clean, et tu es à moi. Alors c'est oui, mon homme sexy parfait. Baise-moi, aime-moi, bats-toi avec moi, gâte-moi, mais ne me quitte pas.

– Mélanie.

Il murmure mon nom comme une prière. En quelques secondes, il ouvre les derniers boutons de sa chemise et la jette par terre, il est splendide torse nu et il m'écrase contre lui. Il est tellement sexy, musclé, fort, résistant, et vibrant comme un câble électrique dans mes bras. Tout à coup, je ne me contrôle plus.

– Greyson, déshabille-moi et prends-moi.

Je caresse ses muscles forts et dépose des baisers gourmands sur le coin de ses lèvres, sa gorge, ses épaules, tout en défaisant sa ceinture pour l'enlever de son pantalon. Je la lance sur le côté et je me penche pour lécher le piercing qu'il a au téton, je tire sur l'anneau en or blanc avec mes dents. Il grogne, m'allonge sur le lit, et se tient au-dessus de moi. Sa bouche se pose sur la mienne.

Il prend mon visage entre ses grandes mains et je tiens l'arrière de sa tête, nous nous maintenons tous les deux en place pour que nos langues puissent se savourer. Notre respiration s'affole, mais nous n'arrêtons pas de nous embrasser.

Il se délecte de ma bouche avant de se décoller de moi et de glisser ses mains sous mon dos pour ouvrir ma robe.

– Greyson, s'il te plaît, je gémis en essayant de le tirer pour continuer à l'embrasser.

– Chut. Attends-moi une seconde.

Il baisse ma robe sur mon corps.

– Elle va se froisser !

– Chut… Je m'en occuperai. Je te promets.

Il la jette comme s'il avait l'intention de régler le problème en m'en achetant une autre, puis il prend mes jambes nues et embrasse mes mollets, mes genoux, mes cuisses.

– Je veux embrasser chaque centimètre de ton corps, de tes doigts de pied à l'arrière de tes oreilles, et ton adorable petite tête.

Il recouvre un de mes seins avec sa bouche, et passe sa langue sur mon téton.

– Oh, s'il te plaît.

Tant pis pour la robe. On s'en fout ! On se fout de tout sauf de ça. Il passe sa langue sur mon autre téton et caresse mes côtes avec ses doigts. Je cambre mon dos. Ses dents effleurent mon oreille, tirent sur le lobe. Le bout de mes seins gonfle lorsqu'il les pince entre son pouce et son index. Mon sang est comme un feu brûlant dans mes veines. Ses lèvres continuent à me torturer, insatiables, chaudes, humides, recouvrant ma peau, qui goûtent, pincent, des dents qui me touchent. Je suis enveloppée par un nuage de plaisir, chaque sensation en moi est décuplée. Il appuie ses lèvres contre mon clitoris, puis le prend dans sa bouche et le suce doucement en me remplissant de deux de ses doigts.

Je sens à quel point il a besoin de cela. Comme il a besoin de moi. Il a failli me perdre. Il a failli me perdre deux fois, et pour toujours. Ses yeux sont habités, comme s'il revivait parfois ce moment où il a dû me trouver. Sans connaissance et quasi partie. Je ne sais pas si cela a été plus difficile pour moi ou pour lui, mais je veux que nous ne revivions jamais quelque chose comme ça. Et d'après la détermination que je vois sur son visage quand il me regarde, lui non plus.

– Tu es prête, bébé ?

Il se lève et ouvre sa braguette, et je regarde sa queue bondir de son pantalon. Palpitante et rose, prête pour moi. Avide de moi. Pas de préservatif ce soir. Chaque centimètre de lui sera en moi. Tremblotante, je me redresse sur le lit, et ma voix est irrégulière :

– Ne me fais pas attendre, cette fois, Greyson. J'ai vraiment besoin…

Il pose un doigt sur mes lèvres pour me faire taire, et je suis si affamée que je l'aspire dans ma bouche. Avec des yeux bouillants, il me regarde remonter son doigt avec ma langue.

– Tu as faim ? Suce, alors, m'ordonne-t-il d'une voix grave.

– Force-moi, je souffle.

Il pousse son doigt dans ma bouche.

– C'est ça, roucoule-t-il avec un petit sourire, frottant son doigt sur ma langue. C'est à moi d'utiliser, d'attiser et de mélanger ton plaisir et ton besoin jusqu'à ce que tu sois un bordel magnifique. Mon bordel mouillé.

Je suis assez chaude pour tomber en cendres et je continue à sucer, à mordre et à jouer avec son doigt en savourant sa peau délicieuse. Lorsqu'il retire doucement ses doigts, il baisse la tête, et les reflets cuivrés de ses cheveux brillent dans la lumière tandis qu'il se rapproche.

Puis mes lèvres sont sous les siennes, ma bouche est à lui, mon souffle est le sien quand je penche la tête et me fonds dans le baiser le plus intense, le plus délicieux que j'aie jamais connu. Des dents, qui mordillent, et puis... nos langues. Son torse est du velours chaud et ferme sous mes doigts. Des vagues de plaisir se succèdent en moi tandis que ses mains descendent vers mes fesses. Ma bouche est rouge à cause de ses morsures et je le mords en retour, je donne autant que je prends.

Il m'étale sur le matelas moelleux en dessous de moi, puis passe son bras entre nous et caresse mon sexe avec son pouce. Un gémissement sort du fond de ma gorge, je ne tiens plus lorsqu'il glisse le long de mon corps et embrasse les lèvres de ma chatte, puis relève la tête pour me regarder pendant une seconde, sauvage et folle, ses yeux brillant comme des pierres précieuses, puis il redescend et embrasse encore ma chatte.

– Arrête-moi si quelque chose te fait mal.

– Ma chatte me fait mal, je grogne en coinçant son visage entre mes cuisses alors que je me tords à cause de l'intensité du plaisir. Elle a mal pour toi.

– Ce n'est pas grave, ma belle, j'ai exactement ce qu'il te faut.

Il enfonce son long doigt en moi. Je me contracte, et je dois résister pour ne pas jouir. Il remarque que j'y suis presque, mes mains agrippent les draps, alors il se jette en avant et m'embrasse sur la bouche; il a mon goût.

– Ton odeur, quand je te rends chaude, m'enivre. Et tu es toujours chaude, non?

J'entends la chaleur dans ses mots, et sa voix a une force unique mais tendre.

– Oui, je souffle.

Ses baisers délicieusement ardents me rendent folle. L'amour, le désir, le besoin me traversent lorsqu'il effleure mes paupières avec ses lèvres.

– Je veux ces yeux verts pleins de vie, Mélanie. J'ai besoin de les avoir sur moi tout de suite… Quand je serai en toi. Juste toi et moi.

Il est au-dessus de moi, peau contre peau, je ne porte que le collier comme une marque d'appartenance, posé entre mes seins. Il sourit, ça lui plaît. Il me regarde en prenant mes seins dans ses mains et j'excite ses tétons avec les miennes, l'un percé, l'autre non. Les miens pointent tous les deux pour lui. Il grogne lorsqu'il les regarde et en prend un dans sa bouche comme s'il était précieux. Il suce si fort que mon sexe se contracte autour de son doigt. Je gémis et caresse sa peau avec mes mains.

– Ohhh.

Je descends ma main pour prendre son érection, il coule et il est dur comme de la pierre.

– Oh, te voilà, dis-je dans un souffle.

Il sort son doigt et caresse mon clitoris avec mon propre fluide en léchant mon menton, ma mâchoire.

– Oui ? demande-t-il dans un râle.

– Oui, je parviens à répondre en caressant sa queue.

Je passe mon pouce sur les gouttes de sperme qui coulent déjà au bout. Il est tendu au-dessus de moi et son torse vibre dans un grognement grisant alors qu'il tourne la tête et pose ses lèvres chaudes sur les miennes. Humides. Nos bouches sont mouillées et affamées et notre souffle est rapide et avide. Nous sommes tous les deux nus et il est tellement parfait. Son érection est longue, épaisse, rose. Gourmande, je me penche, prends la base et embrasse le bout.

– Oooooh putain, Mélanie, lâche-t-il pendant que je le savoure et le suce avec précaution.

Il reprend son souffle, me tire vers le haut par les cheveux, et me dit :

– Viens vite par là, Mélanie, et laisse-moi mettre ma queue là où on veut tous les deux qu'elle soit.

Je presse mon nez contre son cou et je tremble de savoir que je vais le sentir pour la première fois sans préservatif.

– J'ai envie de toi, dis-je en luttant pour faire sortir les mots car je suis trop excitée. Tu ne sais pas à quel point j'ai envie de toi. Je veux cette bite en moi. Ce mec. Cet homme. En moi.

Il dit mon nom sur un ton brusque, puis se retourne sur le dos et m'installe au-dessus de lui. Je sursaute quand je le sens, dur et palpitant juste sous moi. J'écarte mes jambes sur lui, je me laisse descendre sur son érection en bougeant lentement mes hanches et l'excitation me coupe le souffle. Il me regarde avec des yeux vert noisette en fusion, et ce REGARD, qu'est-ce que j'aime ce regard.

J'embrasse le coin de ses yeux et enroule mes bras autour de son cou tandis qu'il m'étire avec le bout de sa queue. Un autre grognement, plus profond, s'échappe de lui et il me serre dans ses bras, me fait rouler sur le dos, et lorsqu'il se redresse, il prend ma tête avec ses deux mains et baise ma bouche avec sa langue tout en poussant ses hanches pour enfoncer sa bite profondément en moi. Un cri sort de ma gorge et j'ai le souffle coupé. Il est en moi, entièrement. Mon Dieu. Sans rien. Je le sens palpiter en moi. Le plaisir est si exquis que mes yeux roulent en arrière. Je fais une sorte de gargouillement car mon corps en exige plus, plus affamé que jamais. Greyson bouge en moi, tout en m'embrassant, et mon corps se noue à chaque fois qu'il plonge, il me coupe le souffle, stoppe mon cœur.

Il mord sauvagement ma gorge, puis il enroule mes jambes autour de ses hanches.

– Accroche-toi à moi, dit-il d'une voix rauque dans mon oreille.

Je grogne, complètement défaite. Il est tout aussi perdu. Il grogne aussi. Il pousse. Il pompe. Il fait pivoter ses hanches. Il s'approprie. Il prend.

– J'ai besoin de toi, siffle-t-il, mais tellement, j'ai besoin de toi !

J'essaie de garder son rythme, je m'accroche bien et mes hanches rencontrent les siennes à chaque mouvement, chaque coup déchaîné. Encore et encore, comme s'il essayait de nous fondre en une même personne. Mes deux mains et ma bouche sont partout sur son corps musclé alors que je prends le plus de lui possible, mes doigts sont occupés, ma langue est occupée, mes hanches se balancent. *Greyson, Greyson, Greyson,* mon cœur bat au rythme de son nom. Je frissonne sous la chaleur de sa peau tandis qu'il glisse la paume de sa main blessée sur mon bras. Il gémit mon nom et fait tourner sa langue sur mon téton, sa bouche me connaît et me savoure, ses doigts glissent et explorent mes formes. Mon dos se cambre. Des pieds à la tête, je bourdonne et je brûle. Je n'en reviens pas des bruits que nous faisons. La façon dont je le sens. Son odeur. À quel point il me veut.

La passion dans ses yeux quand il me regarde. Je suce le lobe de son oreille. Il frissonne lorsque je tire son oreille, et j'y murmure que je l'aime, je l'aime, je l'aime. Quand je commence à jouir, des ondes de choc me frappent tour à tour. Avec un petit cri, je tremble en dessous de lui, je sens que Greyson arrête de bouger et me serre fort, il grogne et jouis en moi. Chaud. Mouillé. Mon roi… qui me remplit de lui. C'est tellement intime et succulent que mes yeux se mettent à piquer. J'essuie rapidement deux larmes qui se sont échappées, et il chuchote mon nom en passant tendrement ses pouces sur les coins de mes yeux.

– Pince-moi, pour que j'y croie, que c'est vraiment en train de se passer, je murmure soudain.

Il embrasse mes deux paupières et les essuie tendrement avec ses pouces.

– Ouais, je ne vais pas faire ça. Je ne veux pas gâcher…

Je pince le piercing de son téton.

– Aïe ! C'est pas sympa, Mélanie, me réprimande-t-il, prenant mes fesses dans ses mains pour me donner une petite fessée.

– Huumm. Ça, c'était plutôt sympa, je le provoque, son sourire s'efface et ses yeux brillent d'un désir retrouvé.

– C'était si bon d'être en toi, bébé. Tu me sens ? me demande-t-il d'une voix rauque en me tirant vers lui.

– Oui, je souffle.

Mon corps se concentre sur la sensation de l'avoir en moi, toujours aussi dur, et je jure que je ne veux pas qu'il sorte. Comme si nous pensions la même chose, il monte mes bras au-dessus de ma tête, et il se remet à bouger en moi, et il murmure lentement, tendrement, d'une voix rauque en me faisant l'amour encore une fois.

– Dis que tu aimes ça, susurre-t-il.

Je geins et ferme les yeux.

– Oh, tu sais que j'aime ça.

– Dis que tu en veux.

– J'en veux, j'en veux.

– Dis que c'est moi, que ça a toujours été moi, dis-le, princesse.

– Toujours toi, rien que toi. Tu es peut-être zéro dans ton monde… mais pour moi, tu es tout.

Nos corps se fatiguent et bougent ensemble, nos poitrines sont l'une contre l'autre et son piercing frotte contre un de mes seins tandis qu'il m'embrasse. Et il m'embrasse jusqu'à ce que nos bouches soient gonflées et rouge, que notre besoin et nos émotions nous aient rongés, qu'il soit à moi, et que je sois à lui.

Enfin, celui qu'il me faut.

Remerciements

Comme toujours, je n'aurais pas pu écrire ce livre sans l'aide précieuse d'une quantité incroyable de gens merveilleux.

Avec une immense gratitude pour ma famille qui me soutient, mon mari, mes enfants, mes parents.

À tous mes amis auteurs (vous vous reconnaîtrez !), je vous chéris plus qu'aucun mot ne pourrait l'exprimer.

À Angie, Kati D, CeCe et Dana, que j'adore, qui m'ont aidée à mettre au point ce bébé et qui ont toujours les meilleures critiques.

À mes éditeurs américain et étrangers ; merci de soutenir mon travail, de le mettre sur les rayons des librairies, et de travailler avec moi pour que le résultat soit le meilleur possible.

À Amy, sincèrement, tu es un agent de rêve et j'ai une chance inouïe de t'avoir dans ma vie.

Et à toi, qui lis ceci en ce moment, merci. Tu as laissé mes mots te toucher, et maintenant je vis pour parvenir à faire exactement cela.

Katy
XOXO

À propos de l'auteur

Je suis Katy Evans et j'aime ma famille, les livres, la vie, et l'amour. Je suis mariée, j'ai deux enfants et trois chiens ; je passe mon temps à faire des gâteaux, marcher, écrire, lire, et à prendre soin de ma famille. Merci d'avoir passé du temps avec moi et d'avoir choisi mon histoire. J'espère que vous avez passé un super moment à la lire, tout comme moi à l'écrire. Si vous voulez en savoir plus sur les livres à venir, cherchez mon nom sur Internet, j'adore recevoir vos messages !

Site Internet : www.katyevans.net

Facebook : https://www.facebook.com/AuthorKatyEvans

Twitter : https://twitter.com/authorkatyevans

E-mail : authorkatyevans@gmail.com

DÉCOUVREZ LES SÉRIES
NEW ROMANCE

PARUES ET À PARAÎTRE CHEZ HUGO ROMAN

CHRISTINA LAUREN

LITTÉRATURE YOUNG ADULTS

SUBLIME

HUGO NEW ROMANCE

COFFRET : LA TRILOGIE BEAUTIFUL

NOUVELLE SÉRIE : « WILD SEASONS »

SWEET FILTHY BOY

DIRTY ROWDY THING
SORTIE : JUILLET 2015

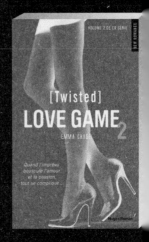

LA SÉRIE
PHÉNOMÈNE
DE **S. C. STEPHENS**
DISPONIBLE
EN FRANCE

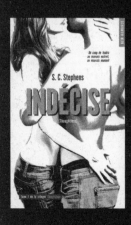

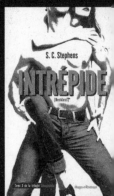

Hugo❖Roman

Colleen Hoover
Maybe Someday :
août 2015

K.A. Tucker
Ten Tiny Breaths – 3 tomes :
février, avril, juin 2015

Cecilia Tan
Endless Love - 3 tomes :
janvier, mars, mai 2015

Laura Trompette
Ladies' Taste - 3 tomes :
avril, juillet, septembre 2015